D0256637

AFGESCHREVEN

Lex Pieffers

Verliefd op *Adolf*

Roman

2007 Uitgeverij Aspekt

Verliefd op *Adolf*
© Lex Pieffers
© 2007 Uitgeverij ASPEKt
Amersfoortsestraat 27, 3769 AD Soesterberg, Nederland
info@uitgeverijaspekt.nl - http://www.uitgeverijaspekt.nl
Afbeelding omslag: schilderij van A. Guillaume
Omslagontwerp: Uitgeverij Aspekt Graphics
We hebben gepoogd de rechthebbende van de omslagillustratie te achterhalen
Foto auteur: Jonathan Weyland
Binnenwerk: Uitgeverij Aspekt Graphics
Druk: Krips b.v. Meppel

ISBN-10: 90-5911-553-8
ISBN-13: 978-90-5911-553-8

Alle rechten voorbehouden. Niets van deze uitgave mag worden verveelvoudigd, opgeslagen in een geautomatiseerd gegevensbestand of openbaar gemaakt, in enige vorm of op enige wijze, hetzij elektronisch, mechanisch, door fotokopieën, opnamen of enig andere manier, zonder voorafgaande toestemming van de uitgever.
Voorzover het maken van kopieën uit deze uitgave is toegestaan op grond van artikel 16B Auteurswet 1912j° het Besluit van 20 juni 1974, St.b. 351, zoals gewijzigd bij het Besluit van 23 augustus 1985, St.b. 471 en artikel 17 Auteurswet 1912, dient men de daarvoor wettelijk verschuldigde vergoedingen te voldoen aan de Stichting Reprorecht (postbus 882, 1180 AW, Amstelveen) voor het overnemen van gedeelte(n) van deze uitgave in bloemlezingen, readers, en andere compilatiewerken (artikel16 Auteurswet 1912), dient men zich tot de uitgever te wenden.

Voor mijn vader

München, oktober 1923

De fotowinkel van Heinrich Hoffmann in München was nou niet echt wat je noemt een visitekaartje van een ambitieuze fotograaf. Het was er een beetje stoffig en de ramen van de etalage hadden altijd afdrukken van vette kinderhandjes met daartussen neusjes en mondjes. Maar de foto's van Heinrich Hoffmann waren echte kunstwerkjes.

Hij was niet alleen een meesterlijke observator, maar hij kon ook uren in zijn doka doorbrengen om een negatief tot in perfectie af te drukken.

Het liefst fotografeerde hij vrouwen, jonge vrouwen. Blond, rood of donker, dat kon hem niet schelen, zolang ze maar in niets op mannen leken. Hij wist zelfs het meest verlegen meisje op haar gemak te stellen en uiteindelijk poseerde zij als een ervaren model.

Wekelijks wisselde hij de uitvergrotingen die hij in passe-partouts etaleerde en bijna altijd waren het wonder mooie vrouwen, gehuld in avondjurk of soms zelfs in badpak. Veel mensen spraken er schande van, maar hoe meer erover werd gesproken hoe liever Heinrich Hoffmann het had.

Tussen de twee grote winkelruiten was de deur die toegang gaf naar de verkoopruimte. Links een glazen verkoopbalie voor fotorolletjes en allerhande accessoires en rechts eenzelfde opstelling, waar men kon kiezen uit wel tien verschillende fototoestellen alsmede statieven en flitsapparatuur.

De muren aan weerskanten waren voorzien van kasten die tot aan het plafond doorliepen. Alleen met een trapje kon je de twee hoogste planken bereiken.

Achter de winkel was een kleine keuken en een ruimte die als kantoor was ingericht. In de kelder bevond zich de donkere kamer, een kleine studio voor pasfoto's en het magazijn.

De herfst was vroeg begonnen, mensen met paraplu's en zakdoeken liepen krom tegen wind en regen in. Uitlaatgassen van auto's walmden door de Schellingstrasse. Heinrich Hoffmann kwam als silhouet tevoorschijn uit de rook van een stadsbus. Hij stak de straat snel over en ging zijn winkel op nummer 50 binnen.

'Goedemorgen schat, heb je al koffie?' Hoffmann liet zich uit zijn regenjas helpen door zijn assistente Rosemarie Schwendner. Zij was een mager donkerblond meisje van een jaar of twintig.

'Ja natuurlijk, en er is zojuist een telegram voor u gebracht. Ik heb het bij uw post gelegd,' antwoordde ze enigszins opgewonden.

'Ja ja mooi!' mompelde hij en liep al mopperend naar zijn kantoor. 'Tjonge jonge wat een tijden, miljoenen werklozen, politieke onrust, het regent al dagen en ik heb een auto die het niet doet... Waar doe ik het allemaal voor?'

Achter zijn bureau gezeten opende Heinrich het telegram. "Dear Mr. Hoffmann - We require most urgently a recent photograph of Mr. Adolf Hitler – A payment of $ 100, -- will foresee in exclusive copyrights - United States Illustrated Press Society - New York. USA.' Hij las het nog eens hardop, zijn Engels klonk perfect, praktisch zonder het typisch Duitse accent. Er verscheen een glimlach op zijn gezicht. 'Rosemarie!' riep hij richting winkel. 'Haal bij Gellert de grootste taart die je kunt krijgen. En voor ons ook iets lekkers!' voegde hij er snel aan toe.

Uitgeverij en drukkerij Muller lag praktisch recht tegenover zijn winkel in de Schellingstrasse.

Dit was ook het adres waar de Völkischer Beobachter, het krantje van Hitler, dagelijks van de persen liep.

Heinrich Hoffmann was het kantoor van Alfred Rosenberg zonder te kloppen binnengestormd. De eindredacteur keek vol verbazing naar de man die nu hijgend met een taartdoos voor z'n bureau stond.

'Nou... ze zijn zelfs in Amerika wakker geworden ... ze hebben eindelijk in de gaten... dat hier in München binnenkort wereldgeschiedenis gemaakt gaat worden!' zei hij op spottende toon en nog steeds buiten adem.

Alfred Rosenberg was achter in de vijftig, een tengere man met wit haar. Hij zat achter zijn bureau met zijn bril half op z'n neus en keek Heinrich vragend aan 'Hoffmann waar heb je het over?'

Hoffmann zette de taartdoos op Rosenberg z'n bureau. Vervolgens liet hij zich in een stoel ploffen en probeerde nu wat duidelijker te zijn. 'The United Illustrated Press in New York wil een foto van jouw baas... en die moet ik maken. En jij Alfred... jij gaat me daar bij helpen... Amerikanen zijn aardige mensen, die moet je te vriend houden.'

De redacteur leunde achterover in zijn stoel en zette zijn bril af. Hij slaakte een zucht 'Hoffmann mijn beste vriend ik denk dat je een grote vergissing maakt, Adolf Hitler laat zich absoluut niet fotograferen. Een paar collega's van je hebben het al eens geprobeerd, en geloof me die zullen echt niet snel een nieuwe poging wagen, of moet ik je soms uitleggen wat hun is overkomen ?'

Hoffmann stak een sigaret op en bood Alfred Rosenberg er ook een aan.

Even later bliezen ze samen grote wolken rook de kamer in.

Hoffmann ondernam een nieuwe poging. 'Natuurlijk, ik weet dat Adolf Hitler zich niet zomaar door iedereen laat fotograferen en ik respecteer zijn privacy, maar aan de andere kant is er zoiets als openbaarheid of noem het van mijn part de vrije pers... daar weet jij vast alles van!'

Alfred keek hem kritisch aan.' Je bent al een tijdje lid van de partij. Je weet heel goed dat Hitler ervan gruwt als lieden hem met camera's overvallen. Dus doe geen domme dingen Hoffmann!'

'M'n beste Rosenberg laat ik duidelijk zijn... of u mij nu wel of niet een dienst wilt bewijzen, er is nog nooit iemand geweest die aan mijn lens heeft kunnen ontsnappen!'

Alfred Rosenberg wendde zich af en leek zijn tegenstand te staken.

Hoffmann stond op. 'Goed, dat is dan afgesproken,' zei hij vol zelfvertrouwen.

'En natuurlijk kun je bij een positief resultaat een ruime vergoeding tegemoet zien.'

'Hoffmann zo is het wel genoeg,' reageerde hij geïrriteerd.

'Al goed, bedankt voor je tijd en laat de taart je smaken.' Hoffmann verliet het kantoor en ging terug naar zijn winkel.

'Rosemarie realiseer jij je eigenlijk wel dat je bij een genie werkt?'

Hoffmann keek haar genoegzaam aan en wachtte op haar antwoord.

'Maar... u bent toch een fotograaf?' zei ze onzeker.

'Ja hoor, ik ben een fotograaf.' Hij moest lachen. 'En wat voor een!'

'Lief kind wat vind jij nou van die Adolf Hitler?

Is hij nou echt een man voor wie jij zou vallen?

Rosemarie was bezig met het aanvullen van fotorolletjes en toonde weinig interesse voor de vraag van haar baas.

'Hier in München lopen toch echt heel wat interessantere kerels rond dan die boer uit Oostenrijk?' vroeg hij op nieuwsgierige toon.

'Ik weet niet over wie u het heeft, de naam Hitler zegt mij niets.' antwoordde zij kortaf.

'Kijk deze mannen dat zijn politici, zij stralen autoriteit uit.' Hoffmann hield een foto voor zich en toonde haar drie streng kijkende heren, in zwart-wit, zittend aan een diner.

'Waarom kijken ze allemaal zo ernstig?' vroeg Rosemarie. 'Wanneer je zulke mooie kleren aan hebt moet je toch juist vrolijk zijn!'

Hoffmann schudde met zijn hoofd. 'Wees maar blij dat deze heren hun werk serieus nemen. Dit is onze regering en zij hebben heel veel zorgen, ze moeten die lui in Weimar tevreden houden, de communisten in toom houden en dan is er ook nog die Adolf Hitler met zijn handlangers!'

'Ik zou veel liever een koning hebben.' zei ze dromerig voor zich uitkijkend. 'Of een koningin' ging zij verder 'Die zien er tenminste echt voornaam uit en zwaaien altijd vriendelijk naar de mensen.'

'Adolf Hitler is een vergissing,' zei Hoffmann, 'alleen hij weet het zelf nog niet!'

'Hier kijk,' hij wees naar de foto. ' Dit hier zijn integere lieden, hebben gestudeerd, weten wat er in de wereld omgaat en zo'n Hitler...'

Het rinkelen van de telefoon maakte een eind aan hun gesprek. Snel liep hij naar zijn kantoortje in het achtervertrek en nam op, 'Hallo met Heinrich Hoffmann. Met wie spreek ik?' Er verscheen een glimlach op zijn gezicht toen hij Alfred Rosenberg's stem hoorde.

'En, is de vijand in aantocht?' vroeg Hoffmann op plagerige toon.

'Over een kwartiertje... een kleine donkergroene Mercedes... mooi dat noem ik nou een vruchtbare samenwerking Alfred!' Hij hing op en pakte zijn camera uit een leren koffer. Alles werd door hem nog eens goed nagekeken, niets liet hij aan het toeval over het moest in een keer raak zijn. Hoffmann voelde hoe hij werd bevangen door een soort van kinderlijke opwinding. Hij had de groten der aarde voor zijn lens gehad en tal van prijzen in de wacht gesleept zonder dat het hem in wat voor mate dan ook zenuwachtig had gemaakt.

Een goede fotograaf kon het zich niet permitteren om nerveus te zijn voor wie dan ook. Maar hij kon niet verklaren waarom hij plotseling transpireerde en last had van een droge keel.

Hij liep de winkel in waar Rosemarie bezig was met het uitpakken van nieuwe fotoalbums

'Vandaag is het zo ver mijnheer Hitler, u heeft het grote voorrecht dat ik u zal fotograferen waardoor kwaliteit gewaarborgd is, Enrico Caruso, de Hertog van Hessen, de Hertog van Genua, zij allen gingen u voor!' Uitgesproken keek hij haar trots aan.

Zij staarde hem met open mond aan en zei toen, 'Maar Mijnheer Hoffmann die Hitler is toch helemaal geen belangrijk persoon?'

'Ach, lieve Rosemarie je hebt helemaal gelijk, maar ja, politici moet je nooit onderschatten... het zijn vaak de beste toneelspelers die er rond lopen en het publiek kijkt tegen ze op omdat ze of macht bezitten of juist het volk laten geloven dat zij het beste met hun voor hebben.'

Ondertussen staarde Hoffmann nerveus naar de overkant van de straat. Nogmaals controleerde hij zijn apparatuur. In een spiegel die aan de muur hing, voor klanten die alvorens ze op de gevoelige plaat gingen nog even hun haar in orde konden brengen, zag Hoffmann de zweetdruppeltjes nu op zijn voorhoofd staan. Hij zocht in zijn zakken naar een zakdoek, depte zijn gezicht en zette zijn hoed op. In een hoek van de spiegel zag hij hoe een groene Mercedes parkeerde voor het entree van uitgeverij - drukkerij Muller.

In een reflex draaide hij zich om en rende naar buiten. Rosemarie liet van schrik een fotoalbum op de grond vallen en liep dichter naar het raam toe om haar baas te kunnen gadeslaan.

Hoffmann stond al op de stoep aan de overkant.

Er kwamen vier mannen uit de groene Mercedes. Dit was het moment!

'Herr Hitler, alstublieft!' riep Hoffmann om zijn aandacht te trekken. De man met een klein snorretje draaide zijn hoofd een fractie van seconde in de richting van de fotograaf.

Even hoorde je het mechanische geluid van de sluiter en leek de operatie geslaagd.

Maar bijna net zo snel als Hoffmann de foto had genomen werd hij door drie mannen die Hitler begeleiden, tegen het plaveisel gevloerd.

Hij probeerde uit alle macht zijn camera vast te houden maar doordat een van de mannen zijn keel dichtkneep moest hij zijn toestel wel loslaten.

Vanuit een zeer ongemakkelijk perspectief zag Hoffmann vanaf de grond hoe zijn 13 x 18 Nettel fotocamera open werd gemaakt en hoe zijn materiaal aan het daglicht werd blootgesteld. Daarna kreeg hij zijn camera terug.

Adolf Hitler stond in de deuropening van de uitgeverij en keek Hoffmann met een strenge blik aan, draaide zich om en verdween met zijn gevolg naar binnen.

Als een film kwam het zojuist gebeurde nog eens aan Heinrich Hoffmann voorbij. Was hij te opvallend en te nadrukkelijk opgetreden, had hij terughoudender te werk moeten gaan? Maar het was toch gewoon openbaar terrein, ook was er in het geheel geen sprake geweest van een compromitterende situatie.

Dit was hem nog nooit overkomen. Met geweld was hem het werk onmogelijk gemaakt!

Hoe vaak had hij niet mensen van aanzien gefotografeerd? En het was juist zijn ontwapenende manier die alom werd gewaardeerd .

Altijd vriendelijk en altijd beleefd, soms met een grapje, wist hij op een bijna onnavolgbare wijze iedereen op zijn gemak te stellen.

Mensen die voorbij liepen negeerden hem. Pas toen Rosemarie voor hem stond leek Hoffmann weer terug te keren op aarde.

'Mijnheer Hoffmann?' zei ze op bange en zachte toon, 'Mijnheer Hoffmann hebben ze u pijn gedaan?'

Hij keek haar rustig aan en er verscheen een grijns op zijn gezicht, 'Nee hoor, maak je maar geen zorgen, ze zijn banger voor mij dan ik voor hen! Je denkt toch zeker niet dat ik zomaar opgeef.'

Hoffmann stond op en liep samen met een bezorgde Rosemarie terug naar zijn winkel.

Op de tweede etage bij uitgeverij Muller stond Alfred Rosenberg, hij zag hoe Heinrich Hoffmann samen met zijn medewerkster de straat overstak.

Naast hem stond Adolf Hitler die net een nieuwe editie van de Völkischer Beobachter bekeek en een vinger door de slagroom van een taart haalde.

Heinrich Hoffmann en Alfred Rosenberg speelden samen een spelletje Tarock in café Schelling. 'Luister, Duitsland en met name Beieren staan aan de vooravond van een historische gebeurtenis,' zei Rosenberg.

'Waarom denk je dat, en wat gaat er dan volgens jou gebeuren?' vroeg Hoffmann.

'Hitler kan niet langer wachten. De partij, de S.A de Oberland Union en verschillende ons goedgezinde overheidsfunctionarissen staan pal achter hem. Samen met Lüdendorff moet hij de macht grijpen voordat de communisten of de socialisten het doen!'

'Maar dan zal er toch iets moeten worden georganiseerd. Ik bedoel je kan toch niet zomaar even iedereen aan de kant schuiven?' schamperde Hoffmann.

Ik zeg je dat de voorbereidingen al in volle gang zijn! Het is nu of nooit!'

Hoffmann keek bedenkelijk 'Ik ben benieuwd, het zal in ieder geval wel een paar spectaculaire foto's opleveren!'

'Jouw beurt!' zei Rosenberg terwijl hij achterover leunde en een slok van zijn bier nam.

Nog geen week later zat Alfred Rosenberg samen met Adolf Hitler en alle andere kopstukken van de partij gevangen in München en omgeving.

Hoffmann zat in zijn kantoor en las de krant. Rosemarie verscheen met koffie.

'Een putsch!' zei Hoffmann met een grijns 'Een grap zullen ze bedoelen! Wat een amateurs!'

'Adolf Hitler te Uffing gearresteerd.' citeerde hij uit de Münchener Post en ging verder. 'De politie uit Uffing trof een gebroken en verwaarloosde partijleider aan in een buitenhuis van de familie Hanfstaengl gelegen aan de Staffelsee. Hitler bood geen weerstand en zei dat hij reeds van plan om zich vrijwillig bij de instanties te melden.'

Rosemarie keek hem aan en trok haar schouders op. 'Wat een gedoe allemaal, mijn vader zegt dat ie vent gek is en dat ie beter kan ophoepelen.'

'Neem maar van mij aan dat die Hitler wel wat in z'n mars heeft maar ja, al die andere Hitlertjes zoals Göring, Röhm en nog een heel stel die denken dat ze ook allemaal belangrijk zijn, die lopen alleen maar in de weg!'

'Nou ze zitten nu mooi achter slot en grendel, dat tuig!' zei ze stoer. Hoffmann keek haar over zijn bril fronsend aan, 'Nou doe mij dan nog maar een kopje koffie'.

München, december 1924

Het was een schitterende dag, de zon reflecteerde in het rimpelloze water van het meer. Aan de oever kon je het dorpje goed zien, de witte kerkspits torende boven alles uit en op de achterliggende heuvels zag je tal van boerderijen liggen.

Heinrich Hoffmann trok het achtergronddoek nog wat strakker en verplaatste her en der nog een lamp. Vervolgens reed een assistent een roeiboot op wielen voor het landelijke tafereel.

De fotostudio was voorzien van de meest moderne techniek, werkelijk op niets had Hoffmann willen besparen.

Hij klapte tweemaal in zijn handen en riep, 'Goed we kunnen beginnen!'

Even later verscheen er een meisje in badpak. Heinrich Hoffmann maakte overdreven complimentjes en ondertussen veranderde hij nog snel iets aan haar blonde vlechten. Met een galant gebaar vroeg hij haar plaats te nemen in het bootje. Van achter zijn camera gaf hij haar aanwijzingen.

Vriendelijk maar met voldoende autoriteit was hij heer en meester over alles wat zich voor en achter de fotocamera afspeelde.

Net toen hij de eerste plaat wilde schieten klonk er een meisjesstem door de studio,

'Mijnheer Hoffmann, neemt u mij niet kwalijk maar er is telefoon voor u!' Hoffmann deed alsof hij niets hoorde en ging geconcentreerd verder.

Rosemarie kwam dichterbij en fluisterde iets in zijn oor. Hij keek haar onderzoekend aan en fronste zijn wenkbrauwen. 'Zeg hem gewoon dat ik aan het werk ben en dat hij mij morgen terug belt.'

Het meisje liep weg maar na een paar stappen draaide zij zich om en probeerde het nog een keer op zachte toon. Hoffmann werd niet snel boos en schreeuwen deed hij zelden maar nu was de maat vol en trok hij fel van leer, 'Doe wat ik gezegd heb, ik wens nu niet meer gestoord te worden, door niemand meer!'

Nadat de Rosemarie zich uit de voeten had gemaakt ging Hoffmann verder alsof er niets gebeurd was.

Eindeloos corrigeerde hij licht en de positie van het model terwijl ook een grimeur verschillende malen de make-up moest bijwerken.

Heinrich Hoffmann was een perfectionist, tenminste zolang het zijn vak betrof.

Zijn interesse richtte zich op alles wat met kunst te maken had. Het liefst was hij schilder geworden. De werkelijkheid naar eigen gevoel en interpretatie weergeven, licht en kleur kunnen doseren naar eigen inzicht.

Zijn vader had het hem het schilderen verboden maar hem tegelijkertijd gemotiveerd zich als fotograaf te bekwamen. Fotografie was de toekomst en zou zeker ook een nieuwe vorm van kunst worden. En Heinrich Hoffmann kon hem onmogelijk ongelijk geven. Een grote dosis talent en een meer dan ontwikkeld observatievermogen maakten dat Heinrich Hoffmann snel tot de betere vaklieden van Duitsland behoorde.

Hoffmann was in zijn element en fotografeerde de ene na de andere scene.

Hij was zo bevlogen bezig dat het even duurde voordat hij in de gaten had dat zijn Rosemarie hem voor een tweede maal kwam storen.

Nadat zij hem weer voorzichtig op zachte toon had geïnformeerd, stopte hij abrupt met zijn werkzaamheden en draaide zich om en riep, 'Alfred Rosenberg! Waar heb ik de eer aan te danken? Bevalt het je een beetje om weer vrijman te zijn?'

Even later kwam vanuit het donker de hoofdredacteur van De Völkischer Beobachter op Hoffmann toe gelopen. Hij begroette Hoffmann en verontschuldigde zich bij voorbaat voor zijn toch wat brute entree. Hoffmann nu toch wel nieuwsgierig geworden vroeg, 'Alfred mijn jongen, wat kan ik voor je betekenen?'

'Ach Hoffmann ik wist niet dat ik zo ongelegen kwam, maar ja nu begrijp ik waarom je zojuist niet aan de telefoon wenste te komen.' De ogen van Rosenberg gingen richting dame in badpak. Hoffmann keek hem afwachtend aan.

'Tja, toch denk ik dat ik een gegronde reden heb je hier midden in je werk te storen, tenminste wanneer je nog steeds graag een foto van Hitler wilt maken?' Hoffmann was plotseling één en al oor en vroeg, 'Maar ik meen toch te weten dat hij in de gevangenis in Landsberg zit? Of hebben jullie hem soms helpen ontsnappen?' Alfred Rosenberg sloeg zijn arm om Hoffmann en nam hem mee naar een hoek van de studio opdat de aanwezigen niet langer het gesprek konden volgen. 'Waarde fotograaf pak je spullen, vandaag is het zover!'

Hoffmann begreep dat het ernst was. 'Ja goed, maar heeft hij het zelf gevraagd, ik bedoel.'

'Adolf Müller staat buiten met zijn auto klaar voor vertrek, schiet nou maar op... hij heeft een bloedhekel aan wachten!' antwoordde Alfred streng.

Zonder zich te verontschuldigen liepen ze de studio uit. Het meisje in het badpak stapte uit het wankele bootje en sprak op beledigde toon, 'Wie denkt die Hoffmann eigenlijk wel dat hij is?'

Plotseling stond Heinrich Hoffmann weer in de studio, hij had zijn jas al aan en in zijn rechterhand droeg hij een koffer met fotoapparatuur.

'Het was een genoegen met u te mogen werken... u bent zeer fotogeniek helaas moet ik u nu verlaten, ik wens u nog een mooie dag.'

Hij gaf haar nog een handkus en verliet de studio.

Flinterdunne sneeuw dwarrelde dansend door de wind in de Schellingstrasse.

Pal voor de deur van Hoffmann's studio stond een grote zwarte Mercedes Benz.

Na het inladen van zijn apparatuur nam Hoffmann achterin plaats. Nog nauwelijks had hij het portier dichtgeslagen of de auto zette zich in beweging. Adolf Müller groette hem door met zijn hand de rand van zijn hoed aan te tikken.

Müller was een grote zware man. Zijn stem was als zijn lijf, log en ongezond. Tussen het hoesten en rochelen door zei hij tegen Hoffmann, 'Vandaag begint er een nieuw tijdperk Hoffmann... alles wordt anders, alles wordt beter. Eindelijk is er weer hoop! Geloof maar dat die Lüdendorf knap zenuwachtig zal gaan worden.'

Heinrich Hoffmann had geen tijd om naar hem te luisteren of hem te antwoorden. Hij kwam handen en voeten te kort om niet uit de auto te worden geslingerd.

De rijstijl van Adolf Müller was even onbehouwen als zijn manier van communiceren. Hij was uitgever en eigenaar van dagbladen en een drukke-rij. Politiek was voor hem geen fenomeen waarmee hij veel ophad, maar met Adolf Hitler zag hij mogelijkheden om veel geld te verdienen. 'Hoffmann je zult het niet geloven maar dat boek van Hitler wordt een groot succes! Dat zal ze leren die zogenaamde politici! De tijd is rijp om de democratie te gebruiken als middel om van Duitsland een totalitaire staat te maken en dan zullen wij die communisten, Joden, zigeuners en homofielen een lesje leren. Iedereen kan dan weer met recht trots zijn een Duitser te zijn, zo zal het gaan en niet anders!'

Heinrich Hoffmann had moeite hem te verstaan maar knikte voor alle zekerheid instemmend.

Na nog geen uur rijden stonden ze met de zwarte limousine voor de poort van de strafgevangenis in Landsberg. Het sneeuwde niet meer er scheen zelfs een waterig zonnetje.

Hoffmann was begonnen om zijn fotoapparatuur uit te laden.

'Zo eindelijk gerechtigheid,' hoorde Hoffmann Müller zeggen.

'Gerechtigheid?' vroeg Hoffmann.

'Ja natuurlijk! En dacht je nu echt dat ze hem nog veel langer hadden durven vasthouden, laat me niet lachen ze schijten allemaal in hun broek, nee ze kijken wel uit om van hem een martelaar te maken.'

Inmiddels stonden statief en fototoestel klaar voor opnamen toen plotse-ling de poort openging en er twee in uniform geklede mannen naar buiten kwamen. In straffe pas liepen ze op Hoffmann en Adolf Müller af.

Vlak voor het statief met camera hielden ze stil.

De kleinste van de twee ambtenaren nam het woord, 'U heeft geen toe-stemming om hier te fotograferen, ik verzoek u dringend uw apparatuur weg te halen!'

Adolf Müller zat nog in zijn auto en barste in lachen uit om vervolgens met zijn zwaarlijvige stem zich te laten gelden, 'Zeg jij daar idioot, dacht je nu echt dat je ons hier zomaar weg kon jagen!'

'Wij hebben opdracht om u zonodig met harde hand te verwijderen.'

'En van wie als ik vragen mag?'

'Instructies van de regering, er worden hier geen foto's gemaakt van Adolf Hitler!'

Hoffmann gehoorzaamde omdat hij wel begreep dat er alleen maar pro-blemen zouden ontstaan wanneer ze bleven tegen stribbelden.

'Ik heb niet echt geluk met die Hitler, eerst wilde hij zelf niet en nu zijn het weer andere die het mij beletten,' mopperde Hoffmann

Hoffmann voelde zich thuis in zijn doka. Niets kon hem meer bekoren dan het rode licht, een druppelende kraan en de indringende geur van chemicaliën.

Hier beleefde hij de magie van de fotografie. Hier ontstond de bevestiging van het moment, van het incident of gewoon van dingen die voorbij gaan.

De donkere kamer was voor hem het atelier waar hij zich meer kunstenaar voelde dan in zijn studio.

Langzaam maar zeker werd het witte fotopapier gevuld met grijs en zwarte tinten en werd een totaal beeld zichtbaar.

Adolf Hitler stond naast de zwarte Mercedes Benz van Müller, met als achtergrond de stadspoort van Landsberg.

Heinrich Hoffmann keek tevreden naar het resultaat. 'Nou is dat een mooie plaat of niet,' zei hij trots tegen Rosemarie. Het meisje keek over zijn schouder mee terwijl Hoffmann de foto met een tang uit de ontwikkelaar haalde. Ze keek bedenkelijk 'Wat voor een type man is die Hitler eigenlijk?' vroeg ze.

Hij legde de foto in een fixeerbakje. 'Adolf Hitler is een fantast met idealen,' zei Hoffmann.

Berchtesgaden, mei 1925

Het was voorjaar in Berchtesgaden, een kuuroord in het zuiden van Beieren. In een muziektent die midden in het park stond werden door de lokale fanfare vrolijke deuntjes gespeeld.

De plaatselijke bevolking en toeristen genoten van een zonovergoten dag tussen het prille groen en schitterende bloemenpracht.

Op een open plek tussen de grote oude bomen rende een herdershond achter een balletje aan. Gretig onderschepte het dier zijn speelgoed prooi om het vervolgens voor de voeten van een meisje uit zijn bek te laten vallen.

Ze raapte de bal op waarop de hond ogenblikkelijk begon te blaffen alsof hij vroeg: kom speel met mij, gooi! gooi!

Eerst maakte het meisje een paar schijnbewegingen maar de hond liet zich niet foppen. Zodra ze de bal daadwerkelijk wegwierp zette de hond de achtervolging in.

Maria Reiter was 17 jaar. Haar zondagse Dirndl verraadde haar afkomst. Ze zag er stralend uit en had het overduidelijk naar haar zin.

Plotseling keek zij verschrikt op toen zij zag hoe een andere herdershond haar Marko onvriendelijk leek te begroeten. Maar de abrupte kennismaking liep al gauw uit op een speels tafereel. De beide herdershonden speelden met elkaar alsof ze al jaren de grootste vrienden waren.

Maria keek glimlachend toe.

'Prinz!...Prinz! ...kom!' Een harde onvriendelijke stem klonk door het park. Maria zag hoe de andere hond ogenblikkelijk op het commando reageerde. Door het zonlicht kon ze de man die zijn hond een snelle aai als beloning gaf niet goed zien. Ze kneep met haar ogen en zag dat de man even zijn hoed aantipte als teken van groet.

De boerderij van de familie Reiter lag aan de rand van Berchtesgaden.

Het geheel zag er slecht onderhouden uit. Bij een kozijn ontbrak een luik en bij een ander raam hing het houten paneel scheef omdat het maar door één scharnier werd gedragen.

Maria en haar iets oudere zusje Heidi waren drukdoende met het ophangen van de was in een zonovergoten tuin.

Op een bankje tegen een muur met klimop zat Maria's vader samen met haar broer Johann, die een politie uniform droeg. Twee vrienden hadden tegenover hen op eenvoudige stoelen plaatsgenomen. Ze proostten en dronken bier uit pullen van aardenwerk.

'De Sozialdemokratische Partei Deutschlands wordt alleen maar groter en sterker zolang mensen als een Stresemann het voor het zeggen hebben,' zei Maria's vader Mannfred op zelfverzekerde toon en hij vervolgde, 'Dat soort politici zijn domme egoïsten, die alleen maar aan hun eigen belangen denken. Wij socialisten zijn één met het volk dat is onze kracht! Het is dom van de communisten om ons aan te vallen, juist samen zouden we nog veel sterker staan, we zouden het rechtse gevaar op alle fronten kunnen bestrijden!' De toehoorders maakten instemmende geluiden.

Maria en haar zusje hadden het hele betoog gehoord. Heidi hing net een grote onderbroek van haar vader aan de waslijn.

'Als ik later trouw wil ik niet alleen het wasgoed doen, koken en kinderen krijgen,' zei Maria op zachte toon. 'Nee, dan wil ik reizen en mooie dingen zien en belangrijke mensen ontmoeten in chique hotels en dan, dan ga ik...'

'Ach, hou toch op Maria,' onderbrak Heidi haar, 'geniet nu maar van het leven, zodra je volwassen bent ziet de wereld er heel anders uit!'

Maria keek haar aan, 'De wereld? Wat heb jij nou van de wereld gezien?'

'Heidi! Schreeuwde Mannfred 'Waarom moet ik altijd alles twee keer vragen? Gisteren zou je bier kopen... alles is op!'

Heidi keek met een schuldige blik haar vader aan. 'Het spijt me ik zal voortaan beter naar u luisteren.'

'Ach stomme koe dat je bent, we gaan wel weer naar de kroeg!' Mannfred dronk zijn bier op en liet een harde boer. Even later stonden ze op en verlieten ze zingend het erf.

'Begrijp je nu waarom ik hier weg wil? Alles beter dan hier!' zei Maria boos.

'Schiet nou maar op! Ik maak het hier wel af ga jij Anni maar helpen die heeft vast nog wel iets voor je te doen,' commandeerde haar zusje streng.

De modezaak van Anni, de oudste zus van Maria, was klein maar gesitueerd op een perfecte locatie in het centrum van Berchtesgaden.

De sfeer en inrichting waren typisch Beiers even als de kleding die er verkocht werd.

Anni was een getalenteerde naaister en had al snel een grote klantenkring opgebouwd. Maar toen zij eenmaal deze winkel had kunnen huren was het snel gedaan met haar ambachtelijk werk. Zij liet nu haar eigen ontwerpen door een atelier in Salzburg maken. De kwaliteit van haar producten was bijzonder te noemen en zodoende kwamen er niet langer alleen lokale klanten maar wisten ook de kuuroordgangers, die in de rondom liggende hotels verbleven, haar winkel te vinden.

Anni had in tegenstelling tot haar twee jongere blonde zusjes bruin krullend haar en was niet alleen de oudste maar ook de langste van de drie.

Ze was niet knap maar door haar flair wist ze zich vaak tot het middelpunt van de belangstelling te maken.

'Alles is hier van de beste kwaliteit dat durf ik zonder enig twijfel te zeggen,' zei Anni met gepaste trots. 'De gehele collectie is door mij zelf ontworpen.

U koopt bij mij exclusieve mode.'

Heinrich Hoffmann stond midden in de winkel en bekeek in alle rust de collectie. 'Schitterend! Ik moet toegeven dat u mij verrast, zelfs bij ons in München zou u succes hebben!'

'Dank u voor het compliment, iets voor u dochter zei u? Hoe oud is zij en wat is haar maat?'

'Henriëtte is 16 en haar maat? Mijn God ik zou het echt niet weten, ze is zeker zo'n 15 centimeter kleiner dan u.'

Anni keek hem glimlachend aan, 'Ik heb de oplossing.' zei ze. 'Een klein ogenblik ik ben zo terug.' Ze verdween achter een gordijn wat voor een deur hing die toegang gaf tot een opslagruimte.

Maria stond tussen twee stellingen en was bezig met het opvouwen van wintergoed.

'Hé, jij wilt toch zo graag mannequin worden,' zei Anni met een ondeugende lach op haar gezicht. 'Dan is vandaag je kans, kom schiet op!'

Zonder iets te zeggen en nieuwsgierig als zij was volgde ze haar zusje naar de winkel.

'Mag ik u voorstellen aan mijn zusje Maria Reiter. Ze wil graag voor uw dochter doorpassen als u daar prijs opstelt.'

Heinrich Hoffmann knikte vriendelijk ter goedkeuring. Anni schoof snel de enige aanwezige stoel in haar winkel naar voren en bood deze Hoffmann aan.

Maria verscheen nu in tal van creaties, eerst nog wat verlegen maar aangemoedigd door haar zusje en Heinrich Hoffmann werd ze steeds zelfverzekerder.

Terwijl ze de paskamer in en uit ging dacht ze: 'Ik weet het zeker, op een dag zal ik zelf een enorme garderobe bezitten. Mooie avondtoiletten en schitterende bontjassen. De man die mij zal liefhebben moet smaak hebben en precies weten hoe hij een vrouw blij kan maken. Hij moet charmant en respectvol zijn. En Anni, ach arme Anni, ik zal voor haar een winkel kopen in Berlijn of misschien wel in Parijs, een echte modewinkel!'

Even later lagen er een aantal fraai ingepakte aankopen voor Heinrich Hoffmann op de toonbank. Maria versierde nog een doos met een glimmend rood lint. Anni was bezig met het geld na te tellen wat zij zojuist ontvangen had.

'En dat allemaal dankzij uw zuster, zij is waarlijk een natuurtalent. Wanneer ik hier over enkele weken weer ben zou het mij plezieren u te mogen fotograferen.' Hij keek Maria vol belangstelling aan.

'Mij fotograferen? Ik weet niet, ja misschien maar...'

Hoffmann gaf haar zijn visitekaartje. 'Ja, neemt u maar van mij aan dat u daar echt geschikt voor bent, ik kan toevallig aardig fotograferen. Ik kom nog wel een keertje terug. Denk er intussen rustig over na. Ik laat vanmiddag alles ophalen. Ik moet nu gaan, ik wens u beiden nog een prettige dag.'

Voor de zusjes het in de gaten hadden stond Hoffmann buiten.

Anni griste het visitekaartje uit de handen van haar zusje en las de tekst die erop stond hardop voor 'Heinrich Hoffmann – Fotograaf.' Ze keek Maria ondeugend aan en sloeg haar armen om haar heen.

Het was avond. Het onweerde hevig. Vader Reiter zat samen met twee vrienden aan de eettafel.

Telkens nam Mannfred een velletje papier van een stapel en zette er met een vulpen z'n handtekening op, de man naast hem blies de inkt droog en vouwde het papier doormidden. De derde man deed de brief in een enveloppe en plakte hem dicht.

Heidi kwam aangelopen met een dienblad vol pullen bier die ze één voor één op tafel zette.

'Anni,' riep vader Reiter naar een naastgelegen vertrek. 'Anni kom eens hier!'

Even later stond ze voor haar vader.

'Kijk hier eens naar.' Hij rolde een aanplakbiljet uit met de tekst naar haar toe.

Het was een aankondiging van een bijeenkomst van de SPD in een lokale kroeg. Mannfred Reiter zou als plaatselijke partijvoorzitter één van de sprekers zijn.

'Nou wat zeg je ervan!?' vroeg hij haar dwingend.

'Wat moet ik er van zeggen?'

'Doe toch niet zo dom, je kunt toch lezen!?'

'Ik heb daar geen verstand van, u heeft zelf gezegd dat vrouwen zich niet moeten bemoeien met politiek,' antwoordde Anni zwak.

'Heel verstandig meisje, hang deze dan maar voor je raam in de winkel!'

'Nee, dat kan ik niet doen, kleding en politiek hebben niets met elkaar gemeen, mensen zouden zoiets niet begrijpen.' Ze wilde weglopen.

'Luister goed jij eigenwijze snotneus, ik ben nog altijd je vader en die dien jij ten aller tijden onvoorwaardelijk te gehoorzamen! Hier pak aan en kom alsjeblieft niet met van die stompzinnige smoezen.'

Anni zei niets meer. Toch wel iets geschrokken nam zij het biljet van haar vader aan.

De buitendeur van de keuken ging open en Maria verscheen. Haar haren hingen in natte slierten over haar gezicht. Langs haar regen cape druppelde het water op de houtenvloer.

'Arm kind,' zei Mannfred zonder werkelijk medelijden te hebben. 'Regent het zo hard? Alleen dit stapeltje met persoonlijke uitnodigingen nog en dan heb jij je best gedaan!'

'Heidi!' schreeuwde haar vader waardoor zelfs één van de twee jongens aan tafel schrok.

'Heidi! Schenk eens een kop warme chocolade voor je zusje in, en vlug een beetje! Ooit zal je trots zijn op je vader Maria. Wij socialisten hebben de toekomst, Duitsland heeft ons nodig, het volk wil duidelijkheid en wil weer trots kunnen zijn op hun vaderland. Let maar op je zult nog heel wat beleven mijn kind!'

Terwijl ze een beker warme chocolade aannam van Heidi keek Maria haar vader uitdrukkingsloos aan.

Maria was bezig met etaleren toen Anni haar het aanplakbiljet gaf van de SPD.

'Weet je het zeker?' vroeg Maria met een vertwijfelde blik . 'Het neemt veel zicht weg en het staat echt heel lelijk!'

'Ja, het is maar voor een paar dagen en ik doe vader er een plezier mee, schiet nou maar op en zeur verder niet zo!' zei ze kortaf en liep naar het achtergelegen gedeelte van de winkel.

'Al goed, zoals je wilt, het is mijn winkel niet!'

Met volledige desinteresse ging Maria aan de slag met het biljet.

Plotseling stond er een puberaal uitziende jongen voor het raam van de etalage.

Hij was hooguit een jaar of 16 had roodbruin dik haar en een pokdalig gezicht. Zijn witte benen staken schril af tegen zijn grijsgroene lederhose.

Maria liet van schrik het stuk papier uit haar handen vallen.

De jongen keek haar onzeker aan, uit zijn zak haalde hij een stukje papier en vouwde het open met de tekst leesbaar naar haar toe.

Ze las, 'Ik heb je al vaak in het park met je hond gezien. Ben vanavond om 7 uur bij de muziektent met bier en worst. Ik heet Josef Hubner.'

Maria sloeg haar handen voor haar ogen en moest vreselijk lachen.

Als antwoord schudde ze nee. De jongen propte snel het briefje in z'n broekzak, draaide zich om en stak de straat over.

Hij keek nog één keer vluchtig over z'n schouder Maria zag het niet, ze was bezig om het biljet tegen het raam te hangen.

Zeker, zij hunkerde naar liefde, maar niet van boerenjongens, die hadden geen idee wat romantiek was. Het voorjaar maakte haar onrustig. Anni zei, 'Je droomt te veel, je stelt je aan, gedraag je zoals het een meisje van jouw leeftijd betaamt.' Was zij maar wat ouder, kon zij maar weg, weg uit het bekrompen wereldje dat Berchtesgaden heette, dacht ze

De zomer was nog niet begonnen maar de temperatuur was boven gemiddeld. In het park vonden de wandelaars enige koelte onder de grote bomen die het felle zonlicht tegenhielden.

Maria droeg een zomerse jurk. Het lijfje was strak gesneden waardoor haar vrouwelijke vormen extra werden geaccentueerd.

Het was dan ook niet vreemd dat veel mannen en jongens haar langdurig met bewonderende blikken nakeken. Maria deed alsof zij niets in de gaten had en negeerde hun overdreven aandacht.

Marko, haar Duitse herder, liep als een heuse beschermer naast haar en week geen moment van haar zijde.

In de schaduw van een kastanje ging ze op een bankje zitten. Marko vroeg met een korte blaf om zijn speeltje. Ze gooide het balletje weg en hij ging er direct achteraan. Plotseling verscheen er nog een herdershond. Na een korte begroeting begonnen de twee honden met elkaar te dollen.

Ze merkte dat er een tengere man naast haar had plaatsgenomen. Hij droeg een mooi kostuum en op zijn schoot lag een gleufhoed. Ze voelde zich niet op haar gemak en schoof voorzichtig van hem vandaan.

De zon verdween en in de verte donderde het.

Maria wilde opstaan maar op dat moment sprak de man haar aan.

'Ik geloof zowaar dat onze honden het goed met elkaar kunnen vinden,' zei de man op zachte toon. 'U heeft werkelijk een schitterende hond!'

'Dank u, maar uw hond is zeker zo mooi!'

'Ja Prinz is een bijzondere hond, hoe heet uw hond als ik vragen mag?'

'Marko' antwoordde Maria die zich nog steeds weinig op haar gemak voelde.

'Wij hebben beide de juiste keus gemaakt,' zei hij zelfverzekerd. 'Een Duitse herder staat op zichzelf, zij staan ver boven alle andere rassen! De meeste honden zijn domme beesten die alleen maar kunnen blaffen en vreten. Maar een herder is intelligent, is trots en zeer trouw!'

Tegen haar zin bleef Maria zitten, ze durfde eenvoudig niet weg te gaan.

'Prinz heb ik streng opgevoed, hij moet weten wie de baas is. Respect en gehoorzaamheid daar gaat het om! Er zijn nu eenmaal regels voor zowel mens als dier en die regels moet men strak hanteren want alleen zo vorm je een sterk karakter en weet het beest waaraan het toe is. Mensen zouden hun kinderen net zo moeten opvoeden, hard maar rechtvaardig!'

'Maar... maar u bedoelt toch zeker niet dat je kinderen net zoals honden moet africhten?' vroeg Maria enigszins geschrokken.

'Meisjes niet, maar jongens, ja die moet je hard aanpakken,' zei hij zonder schroom. 'Zoals in het leger. Alleen met ijzeren discipline bereik je wat!'

Plotseling begon het te regenen waardoor ze eindelijk afscheid kon nemen.

'Goed... ik moest maar eens gaan.' zei Maria verontschuldigend.

'Jammer ik vond het aangenaam om met u te praten, wellicht tot een volgende keer.' hij knikte vriendelijk.

'Tot ziens.' zei Maria zacht en ze hoorde even later hoe de man op gebiedende toon zijn hond bij zich riep.

Een dirigent telde af en vervolgens klonk er een vrolijke Weense wals.

Om de muziektent zaten mensen aan lange tafels. Iedereen was vrolijk en dronk een glas bier of wijn. Er werd volop gedanst, 28 juni de zomer was begonnen! In de schemering liet Anni zich rondzwieren in de armen van een wat dikke jongeman.

Maria keek naar haar zuster en moest lachen om de gekke gezichten die Anni trok wanneer ze oogcontact hadden.

Vanachter een boom keek Josef Hubner naar Maria. Ze deed net alsof zij hem niet zag.

Anni had duidelijk wat te veel wijntjes op en had daardoor moeite het tempo van haar partner te volgen. Maria moest lachen. Toen zij achterom keek was Josef Hubner verdwenen, zij zuchtte van opluchting.

Maria schrok toen ze plotseling door een onbekende jongen werd aangesproken.

'Pardon, neemt u mij niet kwalijk,' zei hij op vriendelijke toon.

Hij was gekleed in een licht pak met vest en wit overhemd.

Hij was begin twintig, had donker haar en een mediterraan voorkomen.

'Ik zou graag met u dansen, staat u mij toe,' hij reikte haar zijn arm.

'uh ...met mij?' stamelde Maria.

'Ja ...tenminste als u dat wilt?'

Maria voelde zich wat onwennig in zijn armen en durfde hem nauwelijks aan te kijken. Hij kon uitstekend dansen en stelde haar op haar gemak door haar voortdurend complimentjes te maken.

Niet veel later zaten Anni, de dikke jongen en Maria bij elkaar aan een tafel.

De jongen waarmee Maria zojuist had gedanst haalde wat te drinken voor hen.

'Maria mijn lieve kleine zusje,' zei Anni lacherig, 'ben je verliefd? Zul je je gedragen of wordt het een zwoele nacht en zal je je teder laten zoenen en wie weet wat nog meer!?'

'Ach Anni doe toch niet zo gek!' Maria nam een glas van het dienblad waarmee de jongen was terug gekomen.

'Gezondheid, op uw mooie stad Berchtesgaden!' proostte hij.

'En op de liefde en zwoele nachten!' zei Anni waarna ze de dikke jongen naast haar omhelsde en zoende.

'Het lijkt mij heerlijk om hier te mogen wonen, zo'n vakantie is altijd te kort, nog maar een weekje en dan zit ik weer met m'n neus in de boeken. Wat doet u als ik vragen mag. Zit u nog op school?'

'Nee, nee ik help mijn vader op de boerderij en werk in een modewinkel ...hier in de stad,' zei Maria met enige trots.

'Aha vandaar dat u er zo smaakvol uitziet, echt heel mooi, mijn complimenten!'

'Dank u '

'Maar wat erg ...ik heb mij nog helemaal niet aan u voorgesteld. mijn naam is Thomas Lemke.'

'Maria Reiter.'

'Maria,' zei hij bijna vertederd. 'Ik ben hier samen met mijn ouders. We logeren in hotel Berchtesgadener Hof. Ik heb een mooie kamer met een schitterend uitzicht, het zal wel weer even wennen zijn wanneer ik dadelijk weer op mijn kleine zolderkamertje in Heidelberg zit!'

'Heidelberg?' vroeg Maria.

'Ja, ik studeer daar. Ik studeer politieke wetenschappen.'

'Mijn vader is ook in de politiek,' zei Maria opgewonden. 'Hij is voorzitter van de SPD hier in Berchtesgaden.'

'Werkelijk? Ik ben sinds kort lid van die partij. Het is de enige politieke stroming die Duitsland kan redden. Ons land heeft rust nodig. Alle extreme partijen zorgen alleen maar voor chaos... over chaos gesproken, weet u wie er bij ons in het hotel verblijft? Hitler!'

'Wie?' vroeg Maria .

'Adolf Hitler. Hij zat vanochtend vlak naast ons tijdens het ontbijt samen met twee van zijn vaste medewerkers, hij heeft zelfs een auto met chauffeur! Het is onbegrijpelijk dat men hem zo snel uit de gevangenis heeft ontslagen.

Stel u voor dat zijn putsch in München was gelukt... dat zou toch een regelrechte ramp geweest zijn! Alle denkbeelden die de NSDAP erop nahoudt zijn toch reactionair. Zoethoudertjes voor de arbeiders! Allemaal oude bourgeois ideeën in een nieuw jasje, de mensen die daar in geloven worden allemaal voor de gek gehouden! En vooral zo'n Hitler kun je toch moeilijk serieus nemen!? Daarom is het van groot belang dat de socialisten zich sterk maken waardoor die Hitler geen enkele kans krijgt om aan de macht te komen!' Terwijl Thomas een verhandeling gaf over zijn politieke denkbeelden luisterde Maria met een half oor. Waarom moesten mannen toch altijd over politiek praten. Ingewikkelde en saaie verhalen, discussie's die meestal uitmondden in geschreeuw, ruzie en vechtpartijen.

Zij wilde er niets mee te maken hebben, zij wilde niet gevangen raken in hun betoog van mooie woorden en beloftes Haar wereld was heel anders daar hadden zij niets te zoeken, zij liet ze daar eenvoudig weg niet toe!

Thomas merkte nu dat Maria niet echt naar hem luisterde. 'Ach wat zit ik hier u tijd te verdoen met mijn gebazel. Kom laten we dansen,' zei hij op vrolijke toon.

Maria was bezig een hoed in te pakken voor een klant, maar haar aandacht ging uit naar twee mannen die buiten voor de etalage stonden.

Een van hen herkende ze ogenblikkelijk het was de man die zij een dag eerder in het park had ontmoet. Even was er oogcontact en zag zij hoe hij haar vriendelijk aankeek. Maria sloeg snel haar ogen neer en deed alsof ze hem niet had gezien.

Toen za na enige ogenblikken voorzichtig weer naar buiten keek, waren de heren verdwenen.

Nadat de dame met haar nieuwe aankoop de winkel had verlaten, vroeg Anni plagerig:

'Nou vertel me eens, heeft hij je gekust?'

Maria glimlachte en reageerde verder niet.

'Doe niet zo flauw, ik heb jou toch zojuist ook alles verteld of niet soms?'

Toen ging de deurbel. Maria herkende hem direct, hij stond zojuist nog samen met de man van de herdershond voor de etalage. Hij was jong, hooguit een jaar of dertig. Gekleed in een mooi pak en met een verzorgd uiterlijk, kort donkerbruin haar, maakte hij een goede indruk.

'Goedemorgen,' zei hij opgewekt.

'Goedemorgen,' zeiden de zusjes in koor.

Hij keek Maria aan. 'Ik zou u graag iets willen vragen, mag dat?' vroeg hij met een glimlach.

'U wilt mij iets vragen? Waarover?' vroeg Maria onzeker.

'Oh niets bijzonders,' probeerde hij haar gerust te stellen. 'Het betreft een verzoek... of liever gezegd een uitnodiging.'

Maria hield op met opruimen en ging dichter bij haar zusje staan, ze zocht duidelijk naar bescherming.

'Een uitnodiging!' riep Anni enthousiast.

Hij negeerde Anni en ging door op charmante toon. 'U heeft gisteren in het Park Herr Wolf ontmoet en hij was zeer onder de indruk van uw hond maar hij heeft bovenal het gesprek met u als zeer prettig ervaren.'

Anni wilde iets zeggen maar kreeg de kans niet.

'Zodoende,' vervolgde hij, ' zou het de heer Wolf een grote eer zijn als u hem zou willen vergezellen tijdens zijn wandeling vanmiddag in het park.'

'Ja...ik weet niet...ik heb die mijnheer maar heel even ontmoet...en onze honden...'

'Een mijnheer, u heeft het over een mijnheer?' vroeg Anni vol verbazing. 'Mag ik u erop wijzen dat mijn zusje nog maar net zeventien jaar is!'

'Maar mevrouw er schuilt toch geen enkel kwaad in een wandeling, in een openbaar park. Ik kan u verzekeren dat de heer Wolf een absoluut keurige man is!'

'Het is zeer vriendelijk van mijnheer... Wolf? Maar ik denk toch dat het beter is wanneer hij zich laat vergezellen door iemand van zijn eigen leeftijd!'

'Het spijt mij maar ik vroeg het niet aan u maar aan uw zuster,' zei hij met enige nadruk.

'Dat kan wel zo zijn maar ik draag de verantwoordelijkheid voor haar... Het is misschien beter dat u nu gaat!' Ze liep naar de deur en hield deze open voor hem.

'Goed... jammer, Herr Wolf zal erg teleurgesteld zijn maar zal u beslissing uiteraard respecteren. Ik wens u beiden nog een aangename dag.' zei hij en verdween.

Maria keek haar zusje strak aan en ging zonder iets te zeggen weer aan het werk.

Mannfred Reiter en zijn drie dochters zaten aan tafel. Ze lepelden hun soep naar binnen zonder er zichtbaar van te genieten.

Gehaast kwam Johann in zijn politieuniform binnen gelopen. Nadat hij zich had ontdaan van zijn koppel en jasje nam hij snel plaats op de enig overgebleven lege stoel. Zijn kom met soep stond al klaar.

'We eten hier altijd om half zeven!' zei zijn vader geërgerd. 'Het is hier geen pension waar je maar in en uit kunt lopen.'

'Ja, het spijt me vader, ik weet het maar we moesten blijven voor een belangrijke mededeling van onze commissaris.'

'Belangrijke mededeling,' mompelde Mannfred Reiter spottend.

'Ja twee collega's en ik hebben een speciale opdracht gekregen. Het ministerie heeft ons opdracht gegeven ene Herr Wolf, beter bekend als Adolf Hitler en enkele van zijn metgezellen in de gaten te houden.'

Mannfred Reiter hield op met eten en keek zijn zoon nu strak aan.

'Zij zitten in het Berchtesgadener Hof,' zei Johann. 'Zij schijnen daar geheim overleg te voeren dus houden wij nu een extra oogje in het zeil.'

Anni keek Maria aan maar haar zusje reageerde niet.

'Wat een onzin allemaal, die kerel heeft toch afgedaan, hij speelt geen enkele rol van betekenis meer,' sprak Mannfred op harde toon. 'Na die mislukte zogenaamde staatsgreep is zijn aanhang nihil. Geloof mij nu die man heeft zich zelf belachelijk gemaakt en staat nu volledig buitenspel.'

'Maar hij heeft wel onlangs een gesprek gevoerd met de minister-president van Beieren en die ontvangt toch ook niet zomaar iedereen,' wierp Johann tegen.

'Je hebt toch zeker wel gelezen waarom... om zijn vriendjes te kunnen vrijpleiten die nog achter slot en grendel zitten en misschien is hij daar ook gewaarschuwd om zich aan de wet te houden.'

'Maar Hitler heeft toch openlijk spijt betuigd van zijn daden en...'

'Spijt? Ach wat! Die man is een stumper en gelukkig heeft hij een openbaar spreekverbod zodat we al die onzin van hem niet meer hoeven aan te horen, die man komt trouwens uit Oostenrijk. Wat doet hij eigenlijk hier?'

'Nou wij posten vanaf nu bij het hotel zodat we precies weten wie er komt en wie er gaat!'

Mannfred legde zijn lepel demonstratief met een harde klap op tafel neer. 'Adolf Hitler is een statenloze crimineel die op andermans geld en goedgelovigheid! teert'

Voor het entree van hotel Berchtesgadener Hof stonden twee glimmende Mercedessen.

Toeristen maar ook lokalen bekeken de limousine's nieuwsgierig.

Aan de overkant van de straat stond Johann Reiter in zijn politie uniform samen met een collega te posten.

Maria was op weg naar de winkel en passeerde haar broer.

'En hebben jullie al iets verdachts gezien?' zei ze plagerig toen ze voorbij liep.

'Dat gaat je niets aan' riep hij haar na.

Uit een net gearriveerde vierdeurs Maybach stapten twee heren uit.

Een van hen was Heinrich Hoffmann. Toen hij Maria aan de overkant zag zwaaide hij haar vriendelijk gedag.

Maria knikte ingetogen ter begroeting terug.

Johann Reiter had het allemaal gezien en liep nu achter Maria aan. Hij greep haar bij haar arm en rukte haar naar zich toe.

'Ken jij die man?' zei hij streng.

'Zeg wat denk je wel, ben je gek geworden of zo?' zei Maria boos en deed een stap naar achter zodat ze verlost werd uit de greep van haar broer.

'Ik vraag het je nog één keer, ken jij die man ja of nee.'

'Jazeker ken ik hem, en wat dan nog?'

'Ik moet je ernstig waarschuwen zusje, die persoon behoort namelijk ook tot die boevenclub van Adolf Hitler! Daar moet jij niets mee te maken hebben, versta je?'

'Die mijnheer is toevallig wel een heel goeie klant van Anni en hij heeft meer manieren dan jij ooit zult hebben, je kunt beter een voorbeeld aan hem nemen!'

'Ik zal dit moeten rapporteren Maria.'

'Sluit me maar op...lijkt mij reuze spannend!'

Maria draaide zich om en liep geamuseerd weg.

Johann stond met zijn handen in zijn zij en voelde zich ongemakkelijk.

Anni opende de winkeldeur op een manier zoals ze dat alleen voor goede klanten deed en keek Maria ondeugend aan.

'Hij is weer geweest,' zei Anni. 'Nog geen vijf minuten geleden, hij heeft zich nu ook voorgesteld, Julius Schaub heet hij.'

'Kwam hij voor mij?' vroeg Maria.

'Nee voor je vader, nou goed!'

'Wat wilde hij dan?'

'Hoe moet ik dat nu weten?' Anni haalde uit een zak van haar schort een brief tevoorschijn. 'Dat staat wellicht allemaal in deze brief lief zusje van me!' Ze strekte haar hand uit met de brief tot vlak voor Maria's gezicht.

Maria probeerde met een snelle beweging de envelop uit Anni's hand te pakken maar haar zusje was haar te snel af.

'Goed dan niet... kom we gaan aan het werk,' zei ze vastberaden.

'Al goed, hier pak aan, maar alleen als je hem voorleest!'

Maria maakte de brief open en las de tekst. Nu en dan bewogen haar lippen en om de spanning op te voeren keek ze tussen de regels door haar zusje even aan.

'En wat staat er in... lees voor... lees nou voor!' smeekte Anni

Ze kon zich niet langer bedwingen en griste het briefje uit Maria's handen.

'Zeer geachte jongedame,' las ze hardop. 'Het zou mij een waar genoegen zijn als ik u morgen in hotel Deutsches Haus om vier in de middag zou mogen ontvangen op een kleine bijeenkomst.

Het spreekt voor zich dat ook uw zuster daarbij van harte welkom is. U zou ons zeer, en mij in het bijzonder, vereren met uw aanwezigheid. Met vriendelijke groet, Herr Wolf.'

Anni keek Maria met open mond aan.

'Maria! We zijn uitgenodigd!' riep zij enthousiast.

'Ja ...misschien...ik weet niet of dat...'

'Dit is een officiële uitnodiging Maria, die mogen we niet zomaar weigeren, dat zou zeer onbeleefd zijn.'

'Denk je...denk je dat werkelijk?'

'Ja natuurlijk! We gaan! Morgen is het zondag dan is de winkel toch gesloten...kom we zoeken allebei iets moois uit, we moeten er geweldig uitzien...dit is onze kans!' Anni nam een jurk van een hangertje en hield het voor haar lichaam. Maria keek haar aan en lachte achter haar hand.

In een rokerig zaaltje zaten ongeveer 50 mensen, bijna allemaal mannen. Op een podium stond een tafel met daarop een glas water.

De mensen waren druk met elkaar in gesprek toen de zusjes Reiter bij de ingang verschenen. Ze zagen er schitterend uit en het viel op dat hun kleding zelfs een tikje mondaine was.

Julius Schaub liep direct op hen af en verwelkomde hun allervriendelijkst.

Hij ging ze voor naar twee gereserveerde plaatsen vooraan, iets opzij van het podium. Vervolgens verontschuldigde hij zich toen hij door iemand anders werd aangesproken.

'Oh Maria...ik ben zo opgewonden, nog nooit ben ik op een lezing geweest laat staan een officiële uitnodiging gehad voor zoiets... er zal worden gesproken over de mens en de natuur.'

'Klinkt als biologieles,' zei Maria

'Dames wat een genoegen u hier te mogen aantreffen en ik weet zeker dat ik namens de meeste van de hier aanwezigen spreek!' zei Heinrich Hoffmann die plotseling voor hun stond en hun een hand gaf.

'Dank u mijnheer Hoffmann,' zei Anni beleefd en Maria volgde haar voorbeeld.

'Ik wil u beiden graag een compliment maken zoals u eruit ziet, zeer modieus en stijlvol. Werkelijk schitterend.'

'Misschien mag ik u hierbij uitnodigen om na deze bijeenkomst samen met mij en enkele van mijn vrienden iets te drinken in de gelagkamer van dit hotel u zou mij daarmee zeer plezieren,' vroeg hij ontspannen.

'Maar we willen u onder geen voorbehoud tot last zijn... ik bedoel...'

'Natuurlijk,' viel Anni haar zusje in de rede, 'Dat doen we graag mijnheer Hoffmann.'

'Uitstekend, dat is dan afgesproken, ik wens u nog een wetenswaardige middag toe.' lachte hij en raakte al snel weer in gesprek met iemand anders.

'Is dat nu wel verstandig Anni?' vroeg Maria bezorgd.

'Wat nu weer? Er is niets aan de hand we zijn in keurig gezelschap!'

'Vader denkt daar heel anders over,' zei Maria

'Wat weet hij daar nou van, hij heeft ze nog nooit ontmoet!'

Plotseling werd het stil in de zaal. Anni en Maria zagen dat Adolf Hitler de ruimte was binnengekomen. Hij begroette enkele mensen met een handdruk en liep vergezeld van Julius Schaub naar het podium.

Hitler stelde zich naast de tafel op, nam een slokje water, schraapte zijn keel en keek, zo leek het, ieder even persoonlijk aan.

'Vrienden wat ik vooral gemist heb tijdens mijn verblijf in Landsberg is vooral Berchtesgaden,' sprak hij op gedempte toon. 'De natuur hier geeft een ieder die daar voor open staat een enorme kracht... het geeft mij de energie om weer door te gaan met mijn werk... met mijn taak. De regering in München heeft mij, in politieke zin zo schijnt, ten dode opgeschreven.'

Hij hield een kleine pauze en ging verder met een wat hardere stem.

'Helaas hebben ze zich vergist! Journalisten hebben geschreven dat wij niet meer bestaan.

Zij zijn zeker blind en doof geboren! Onze politieke tegenstanders hebben laten weten dat wij geen enkele politieke rol meer spelen, maar hebben geen enkel antwoord op de problemen waar Duitsland mee te kampen heeft. Volgens de oude methode nemen wij de strijd weer op en zeggen aanvallen! aanvallen! Steeds weer opnieuw aanvallen! Alleen met fanatisme en een grenzeloos geloof in onze kracht kunnen wij zegevieren!

Zolang wij een radicale beweging zijn, zolang de publieke opinie ons negeert, zolang de omstandigheden in dit land tegen ons zijn, zolang hebben wij alle reden ons te verzetten en de strijd aan te gaan met een politiek systeem wat bewezen heeft niet te functioneren! Als wij een machtsfactor willen scheppen dan hebben wij eenheid, gezag en tucht nodig. Wij moeten ons nooit laten leiden door de gedachte een leger van politici te willen scheppen die de problemen oplossen. Nee het gaat juist om een leger van soldaten. Zij zijn het die zullen zorgdragen voor een nieuwe politiek, voor een nieuwe wereld en bovenal voor een machtig Duitsland!'

De toehoorders applaudisseerden geestdriftig. Hitler keek de zaal rond totdat hij Maria zag. Zijn ogen leken haar even volledig te hypnotiseren, ze hield zelfs even op met klappen. Anni stootte haar aan waardoor zij weer enthousiast haar handen op elkaar sloeg. Toen het weer stil was vervolgde Hitler zijn toespraak.

'Vrienden, aan u allen hier zeg ik ...Duitsland zal één partij worden. Want wie het Nationaal Socialisme uitsluitend als een politieke beweging beschouwt begrijpt er helemaal niets van. Het is veel meer dan politiek, ook veel meer dan een religie. Het is de wil en de drang tot het scheppen van een nieuwe mens! Een sterk en strijdbaar Duitsland. Wij zullen winnen!'

De zaal was massaal opgestaan en gaven met een daverend applaus blijk van hun waardering voor Hitler's woorden.

Ook nu weer keek Hitler met zijn priemende ogen Maria enkele ogenblikken strak aan. Zij voelde zich er weinig op haar gemak door en sloeg haar ogen neer.

Een serveerster bracht een dienblad met bier, thee en gebak naar een grote ronde stamtafel. Het gezelschap bestond uit Julius Schaub, chauffeur en loopjongen van de gastheer, Alfred Rosenberg journalist en eindredacteur, Rudolf Hess secretaris van Hitler, Max Amann uitgever, Heinrich Hoffmann en Adolf Hitler die tussen de zusjes Reiter zat.

'Hier voel ik mij als nergens anders thuis, hier in de bergen is het leven als een soort van herboren worden. De zuiverheid van de natuur geeft mij inspiratie en inzicht. Dat zal nooit ophouden, nooit!' zei Hitler tegen Maria.

'U heeft zojuist veel indruk op iedereen gemaakt, u kunt alles erg goed vertellen.'

'In het openbaar spreken is voor mij gemakkelijker dan zomaar een gesprekje voeren. De meeste mensen vervelen mij al snel maar uw gezelschap doet mij groot plezier.'

Maria moest blozen maar wilde alles behalve verlegen overkomen.

'Het is voor mij ook een bijzondere ervaring, al die voorname mensen en dit mooie hotel...ik zou hier best willen werken.'

'Werken?' herhaalde Hitler spottend, 'Welnee u zou hier moeten logeren als gast in een mooie suite en ik zou u dan een groot boeket rozen laten bezorgen en u uitnodigen voor een toneelstuk of opera. Houdt van opera?' vroeg hij haar met een serieuze blik.

'Ja natuurlijk, ik luister er weleens naar op de radio,' zei Maria enthousiast .

'Wagner! Hij is de beste, de grootste, niemand overtreft hem! De kracht, de energie! Deze man heeft een absolute kijk op het leven en weet dit naadloos in muziek te vertalen.'

'Ja muziek is mooi ik geniet ervan, ik dans ook graag op een wals.'

'Dansen is kinderachtig,' onderbrak hij haar abrupt, 'dansen doen kinderen, grote mensen zouden beter moeten weten!'

Maria zag hoe Anni in geanimeerd gesprek was met Julius Schaub.

'U heeft nog helemaal niets van deze heerlijkheden geproefd.' Hitler had een bord vol met gebak in zijn hand. 'Dit moet ik u laten proeven!'

'Neemt u toch eerst zelf,' verweerde Maria zich.

Hitler hield vol. 'Kom toch mijn kind probeer dit nu toch eens.'

Maria kon geen kant op en liet zich uit zijn hand voeren. Hitler genoot zichtbaar op kinderlijke wijze van dit spelletje. Ook een volgende poging durfde Maria niet te weigeren.

'De lekkerste taartjes komen uit uw eigen Berchtesgaden. Nergens krijg je ze beter! En nu ontdek ik ook nog eens dat de mooiste vrouwen hier vandaan komen.' Hitler kneep haar zachtjes in haar wang.

Maria keek hem met een verwonderde blik aan maar vond de aandacht die zij kreeg toch wel leuk. Opeens zag zij dat haar zusje niet meer aan tafel zat en ook Julius Schaub met wie zij al die tijd had zitten praten was verdwenen.

Maria had de bordjes met de opschriften Heren en Dames gevolgd en liep nu ergens in een spaarzaam verlichte keldergang van Hotel Deutsches Haus.

Halverwege waren de toiletten maar in een gang die naar rechts liep hoorde Maria geluiden die haar vreemd voorkwamen. Aan het eind was een deur die op een kier stond.

Zij hoorde nu gehijg, gezucht en gekreun. Bij de deur aangekomen duwde ze deze langzaam iets verder open. In de strijk en wasruimte lag Anni op een tafel. Haar blouse was opengeknoopt, haar borsten ontbloot en haar rok had zij opgetrokken. Met haar benen om Julius geklemd, die met zijn broek op zijn schoenen tegen de tafel stond geleund, bedreven zij in alle hevigheid de liefde.

Vol afschuw keek Maria toe.

Het was iets wat zij niet wilde zien maar toch verlangde zij ook naar hartstocht, maar dit deed alleen maar afbreuk aan datgene waarover zij vaak fantaseerde als iets moois en kostbaars.

Dit was oneerbaar, ruw en dierlijk!

Het was misschien een fractie van een seconde maar heel even had Maria oogcontact met Anni. Ze draaide zich meteen om en liep weg.

In hun kleine groentetuin was Maria onkruid aan het wieden.

Marko haar herdershond lag vlakbij geduldig te wachten tot hij aan de beurt zou zijn voor een wandeling. Met een krant in haar hand kwam Anni op haar afgelopen.

'Weet je wat hier staat?' vroeg Anni opgewonden.

Maria trok haar schouders op en ging onverstoorbaar verder.

'Knokploeg van Adolf Hitler weer actief in München,' las ze gehaast voor. 'Afgelopen week hebben een tiental mannen gekleed in het verboden bruine uniform bijeenkomsten van politieke tegenstanders ruw verstoord. Zo kwam het tot een handgemeen bij een samenkomst van de National Sozialistische Freiheitsbewegung en werd tevens een vergadering van de SPD op ruwe wijze verstoord. Er zouden enkele gewonden en zelfs een dodelijk slachtoffer gevallen zijn. De politie stelt een onderzoek in.'

Anni keek over de krant heen haar zusje aan maar Maria ging stoïcijns door met wieden.

'Nou wat zeg je ervan... die Adolf Hitler is een behoorlijke herrieschopper. Misschien heeft vader toch wel gelijk, hè?'

'Wat praat je toch een onzin! Hij was daar helemaal niet bij ik heb hem de afgelopen week wel drie keer ontmoet, hij is helemaal geen vechter zoiets zou hij nooit doen!' verdedigde Maria hem.

'Ja ja dus de krant die schrijft maar wat!'

'En Julius dan?' vroeg Maria.

'Julius? Nee kom nou zeg! Die is anders, die moet daar niets van hebben. Hij is een lieve kerel die doet geen mens kwaad!'

'Je zal wel weten wat je doet,' zei Maria insinuerend.

'Je bent nog te jong omdat allemaal te begrijpen, wacht maar tot je zo oud bent als ik, dan praten we nog wel eens klein zusje van me!'

Anni liet de krant op de grond vallen en liep weg. Maria zag een foto van iemand met bloed op z'n gezicht en huiverde. Marko stond naast haar en gaf haar een grote natte lik in haar gezicht.

Maria en Hitler zagen elkaar nu bijna dagelijks en wandelden met hun honden door de omliggende bossen.

Bij een bankje hielden ze even rust en genoten ze van een magnifiek uitzicht.

'Ik houd van dit landschap, ik houd van de mensen hier...ik houd van jou Maria!' zei hij vol overgave.

Zij schrok ervan en wist zich geen raad en durfde hem niet meer aan te kijken.

'Ik noem je niet langer Maria, ik geef je een bijzondere naam, een andere naam... Mimi of Mizzi of wat dacht je van Mizerli?' vroeg hij.

'Ik heb altijd Maria geheten... een andere naam? Ik weet het niet, iedereen noemt mij Maria zo heet ik en zo zal ik altijd heten... mijn moeder heeft mij zo genoemd.'

'Natuurlijk maar dit is een geheime naam, ik noem je zo alleen wanneer wij samen zijn... Mizzi... Mizzi past echt bij je!'

'Mizzi?... Mizzi klinkt zo kinderachtig!'

'Wanneer ben je eigenlijk jarig?' vroeg hij om van onderwerp te veranderen.

'Oh voorlopig nog niet, pas in december.'

'De hoeveelste?'

'23 December.'

'Werkelijk, dat is merkwaardig!' zei hij diep nadenkend.

'Merkwaardig? Wat is daar nou zo vreemd aan?'

Hij keek plotseling heel serieus en zei, 'Op 23 december overleed mijn moeder.'

Maria wende haar blik van hem af, zijn ogen beangstigde haar.

'Wat vreselijk moet dat voor u geweest zijn.' zei Maria vol medelijden.

'Mijn moeder was een geweldige vrouw! Ik heb veel aan haar te danken, zij was er altijd voor mij! Ik zou willen dat iedereen zo'n moeder had gehad, heus geloof mij, dan zag de wereld er nu heel anders uit.' Hij sloeg zijn arm om Maria heen. Zij wist niet goed wat ze met de situatie aan moest.

'En toen werd zij ziek, heel erg ziek, zij heeft gevochten tot het laatst toe! Men zei dat ze ongeneeslijk ziek was maar dat was helemaal niet waar. Die verdomde artsen konden haar gewoon niet genezen, die domme sukkels!' zei hij boos.

Maria keek hem nu geschrokken aan en zei, ' Wat afschuwelijk! '

Hitler zag dat zij onder de indruk was en keek haar nu weer vriendelijk aan.

'Ja dat was het ook... en jouw moeder, vertel me nu eens iets over haar!'

'Mijn moeder? ...mijn moeder is vorig jaar overleden.'

'Nee toch, mijn lieve kind dat kan toch nietwaar zijn!' zei hij meelevend.

Maria keek voor zich uit, 'Ik hield zielsveel van haar. Iedereen was dol op mijn moeder. Ik mis haar elke dag, ieder uur. Zij is onvervangbaar. Ik wens dat ik mijn kinderen later net zo kan en mag opvoeden zoals mijn moeder dat heeft gedaan.' Een traan rolde over haar wang. 'Bij haar graf vind ik rust en voel ik de kracht die zij nog steeds uitstraalt.'

Hitler keek haar vertederd aan. Maria stond op en liep naar Marko. Ze zakte door haar knieën en zocht troost bij haar hond.

'Hoelang denk je dat het nog duurt voordat hij erachter komt dat jij nog steeds met die Hitler afspreekt?' Anni knikte richting vader Reiter die onderuitgezakt op een stoel in een hoek van de keuken lag te slapen, ' Hij haat die kerel!' zei Anni zacht .

'Droog jij nou maar af en laat de borden niet vallen!' antwoordde Maria speels.

'Juist die man is zijn grootste politieke tegenstander, die Hitler heeft in de gevangenis gezeten en wie weet wat ie nog allemaal meer heeft uitgespookt!'

'Julius vertelde me dat Hitler en hij een ontsnappingsplan hadden gemaakt en dat ze soms ook een pistool bij zich dragen, wist je dat?' vroeg Anni bezorgd. 'Maria je moet echt voorzichtig zijn!' Anni probeerde het nu over een andere boeg. 'En is hij lief voor je? Is hij je minnaar? Vertel het me...

je moet het mij vertellen! Je kunt mij vertrouwen dat weet je toch!'

'Ik heb niets te vertellen,' zei Maria, 'echt er is niets tussen hem en mij. Die man is gewoon heel vriendelijk en houdt net zo als ik van de natuur en van honden. We wandelen en praten over koetjes en kalfjes. Dat is alles!'

Anni zuchtte en schudde haar hoofd.

Maria had zojuist een kaarsje voor haar moeder aangestoken en liep het kapelletje uit de begraafplaats op.

Het regende zacht. Adolf Hitler had buiten op haar staan wachten en samen liepen ze nu zonder een woord te zeggen naar het graf van Maria's moeder.

Maria ging bij het graf op haar hurken zitten en ruimde wat verlepte rozen op.

Hitler stond vlak achter haar, hij kuchte nerveus en begon te ijsberen.

Het grind knarste onder zijn zolen. Maria schrok toen zij opstond en zag hoe Hitler plotseling achter de gedenksteen van haar moeder stond.

'Ik ben nog niet zo ver.' zei hij alsof hij een menigte toesprak. 'Er is nog veel werk voor mij te doen in deze wereld, men heeft op mij gewacht, men heeft mij hier nodig. Ik zal de mensen niet teleurstellen, ik zal van Duitsland weer een voortvarende natie maken. Ik zal niet eerder rusten voordat mijn taak hier op aarde is volbracht.'

Maria knikte uit beleefdheid. Hitler liep op haar af en stond nu pal voor haar.

'Mizzi, noem mij voortaan Wolf, alleen jij mag mij zo noemen. Ik vertrouw jou, je bent een lief kind, het is geen toeval dat wij elkaar hebben ontmoet. Jij en ik hebben een bijzondere moeder gehad en respecteren die meer dan wie ook. Onze opvoeding heeft ertoe bijgedragen dat wij sterke persoonlijkheden zijn, dat wij kunnen incasseren en problemen niet uit de weg gaan. Mensen kunnen een voorbeeld aan jou nemen, Ik voel mij zeer tot je aangetrokken, Mizzi ik ben jouw Wolf!'

Maria wist zich geen houding te geven en keek hem ongemakkelijk aan.

Hitler sloeg zijn armen om haar heen en leek haar een zoen te willen geven maar bedacht zich en staarde voor zich uit.

Maria liep door het centrum van Berchtesgaden en sjouwde twee zware tassen vol boodschappen met zich mee.

Voor de ingang van Hotel Berchtesgadener Hof stond Heinrich Hoffmann. Hij was bezig om Max Amann en Alfred Rosenberg te fotograferen.

Even later stapten de twee heren in een gereedstaande auto en reden weg.

'Juffrouw Reiter!' riep Hoffmann toen zij voorbij liep, 'Wacht!'

Maria hield haar pas in.

'Hoe gaat het met u?' vroeg hij terwijl ze langzaam verder liepen.

'Heel goed dank u,' antwoordde Maria.

'Kom laat me u toch helpen, dit is toch veel te zwaar.'

'Heel vriendelijk maar het gaat echt wel.'

'U bent een gezonde en sterke jonge vrouw dat is te zien. Dat komt vast door deze gezonde omgeving, wat een heerlijk leven moet u hier hebben, ver van alle rumoer en onrust, ver van de grote boze wereld!' stelde Hoffmann vast.

'Och ik woon hier al heel mijn leven, het is hier rustig maar soms ook wel erg saai. Mijnheer Hoffmann zou ik u iets mogen vragen?' zei Maria op bescheiden toon.

'Maar natuurlijk...juffrouw Reiter, u mag mij vragen wat u wilt, een nieuwsgierig mens op uw leeftijd is meestal een leergierig mens en dat is alleen maar te waarderen en ik als volwassen man heb de plicht u mijn kennis over te dragen!' grapte Hoffmann.

'Ja, nou ja ik zou u willen vragen, bent u een goede vriend van de heer Wolf, uh ik bedoel Herr Hitler?'

'Ja en nee. Laat ik het zo zeggen, ik ben een goede vriend van hem maar als u mij zou vragen of ik hem door en door ken dan moet ik u het antwoord schuldig blijven,' antwoordde Hoffmann diplomatiek.

'Ik bedoel eigenlijk, weet u of Herr Hitler ook een vrouw heeft, is hij getrouwd?'

'Getrouwd?' herhaalde Hoffmann om tijd te winnen. 'Nee, zover ik weet is hij, Herr Hitler vrijgezel.'

'Ik wil geen onbeleefde vragen stellen maar ik wil niet dat er moeilijkheden ontstaan, ik hoop dat u mij goed begrijpt? Mensen zien en horen graag datgene wat ze zelf geloven en...'

'Ik begrijp u,' verzekerde Hoffmann haar. 'Ik denk dat u uw vriendschap met Herr Hitler op waarde moet schatten, hij heeft een druk bestaan en selecteert met zorg zijn privé kontakten. Ik weet dat hij hoge eisen stelt aan zichzelf maar ook aan zijn vrienden, wederzijds respect staat hoog in zijn vaandel.'

'Het heeft mij groot plezier gedaan zo openlijk met u gepraat te hebben maar wellicht is het verstandig niet verder met mij op te lopen, want ziet u mijn vader is nogal een behoudende man en maakt zich snel zorgen wanneer hij mij samen met u zou zien'

'Juist,' zei hij zonder het goed te begrijpen, 'het was mij een genoegen, mag ik Maria zeggen?'

'Maar natuurlijk...vanzelfsprekend!'

'Maria luister je kunt altijd bij mij komen met al je vragen, ik heb zelf twee dochters van ongeveer jouw leeftijd dus wees gerust.'

'Dat is erg vriendelijk van u, ik moet nu echt verder...tot ziens mijnheer Hoffmann.'

'Je bent een schitterende jonge vrouw, de man die jou ooit trouwt mag zich oprecht een gelukkig mens noemen! Tot ziens Maria tot gauw!'

Heinrich Hoffmann keek haar nog even na en liep terug naar zijn hotel.

'Ze zijn te laat... kunnen ze het wel vinden denk je?' vroeg Anni ongeduldig aan Maria. 'We hadden misschien toch beter ergens anders kunnen afspreken.'

'Welnee hij heeft me op deze plek al twee keer eerder opgehaald.' zei Maria overtuigend.

De zusjes zaten naast elkaar op een boerenhek langs een smal landweggetje. Anni haalde een spiegeltje uit haar tas. Ze bekeek zich zelf kritisch en begon aan haar haar te frunniken.

'Mooie boel, we zitten hier nu al een half uur, ik heb een hekel aan wachten!' zei Anni geïrriteerd.

'Zij zijn niet te laat maar wij waren hier gewoon te vroeg dus hou nu maar op met je gezeur!' corrigeerde Maria haar zus.

In de verte verscheen een auto en kwam met grote vaart dichterbij. Anni wierp nog snel een laatste blik in haar spiegeltje en stiftte haar lippen vluchtig bij.

'Zie je wel ze zijn precies op tijd!' riep Maria enthousiast.

Een glimmende open Mercedes remde hard waardoor Anni en Maria even in een grote stofwolk verdwenen.

Julius Schaub zat achter het stuur. Adolf Hitler stapte uit de auto en begroette de zusjes Reiter. Ze namen plaats in de auto en reden weg.

Niet veel later zaten ze met z'n vieren op een open plek in het bos.

Uit een grote mand haalde Julius broodjes, een fles wijn en mineraalwater

'Gezondheid,' proostte hij.

'En op ons volk, ons Duitsland! Maar vandaag proost ik toch vooral op ons vrouwelijk gezelschap, jullie aanwezigheid maakt deze dag tot een waar feest!' Hitler hief zijn glas en nam een slok, iedereen volgde zijn voorbeeld.

Julius stond op en trok Anni overeind. Samen liepen ze giechelend richting bosrand.

'Kom Mizzi we spelen verstoppertje, jij telt tot tien met je ogen dicht!' zei Hitler opgewonden en maakte een kinderlijk huppeltje toen hij was opgestaan.

Maria keek hem aan en dacht dat hij een grapje maakte.

'Nou Mizzi doe toch niet zo flauw, je kunt toch wel tot tien tellen?'

'Maar Wolf zijn we daar niet een beetje te oud voor?' probeerde Maria in de hoop hem op andere gedachten te brengen.

'Te oud? Hoe ouder mensen zijn hoe meer spelletjes ze spelen. Ontspanning is nodig om de geest soepel te houden! Alle grote wereldleiders tot aan Napoleon toe hielden ervan om zo nu en dan iets te simpels te doen.'

Maria sloeg haar handen voor haar ogen en begon te tellen. Hitler liep snel naar de bosrand en verdween tussen het groen.

'...acht negen tien wie niet weg is is gezien!' riep Maria.

Het was windstil, hier en daar tjilpte een vogel en in de verte sloeg de kerkklok van Berchtesgaden drie uur. Het gekraak van takjes onder Hilters voeten leek hem te verraden maar Maria zag hem niet.

Het bladerdak van de bomen liet nauwelijks zonlicht door waardoor het soms wel bijna nacht leek. De temperatuur was kil. Een zekere angst maakte zich van Maria meester. Plotseling vanuit het niets stond hij voor haar.

'Wolf!' riep ze geschrokken.

Hij keek haar met een indringende blik aan en hield zijn lippen stijf op elkaar.

'Wolf ik schrik me dood, ik sta helemaal te trillen...wat sta je me toch aan te kijken... je maakt me bang!'

'Mizzi, mijn lieve Mizzi ik beloof je dat je nooit bang hoeft te zijn.' zei hij bijna plechtig. 'Ik zal zorgen dat nooit iemand je iets zal doen. Ik zal altijd over je waken. Niemand, echt niemand zal de kans krijgen om je pijn te doen, daarvoor zal ik zorgen zolang ik leef!'

'Maar waarom Wolf , voor wie zou ik bang moeten zijn' zei ze met een glimlach.

'Dat kun je nooit met zekerheid zeggen. Mensen zijn soms erger dan roofdieren, ze laten geen prooi ontglippen. Zelfzuchtigheid, jalouzie, leugens, agressie, de gemiddelde mens heeft alleen maar slechte eigenschappen! Maar jij Mizzi, jij bent het toonbeeld van het mooie, het goede jij brengt in mij iets teweeg waardoor ik vreugde voel en waardoor ik in een toekomst geloven kan die alles zal doen veranderen...alles!'

'Dat is lief van je Wolf heel lief,' zei ze verlegen.

Hij bleef haar strak aankijken. Maria draaide zich om en liep terug naar de open plek. Ze ging languit in de zon liggen. Hitler kwam niet tevoorschijn.

Het was geen gewone schreeuw maar één die door merg en been ging. Maria kwam in een ruk overeind. Geschrokken keek ze naar de bosrand waar Hitler uitgeput tegen een boom leunde.

Ze durfde niets te zeggen of te vragen.

Julius en Anni kwamen nu ook opeens tevoorschijn. Anni deed nog snel de laatste knoopjes van haar jurk dicht. Julius stond bij Hitler, ze spraken op gedempte toon.

Pas toen ze weer in de auto zaten zei Hitler, 'Mizzi mijn kind ik weet dat je zult moeten wennen aan mij, maar mijn woede van zojuist is nu opgelost, heb ik achter mij gelaten. Eenzaamheid was mijn grootste angst en nu ben jij er ...Mizzi, mijn Mizzi!'

Er werd zacht op de deur geklopt. Anni verscheen en ging op de rand van het bed zitten waar Maria in een wit onderjurkje een roman lag te lezen.

'We moeten oppassen,' zei Anni, 'we krijgen eerdaags de grootste problemen we kunnen ze maar beter niet meer zien. We moeten er mee ophouden'

'Ophouden? Waarmee ophouden? Ik doe niets wat niet mag!' antwoordde Maria opstandig.

'Doe toch niet zo naïef, wat denk je als vader er achter komt. En trouwens die Hitler is ook veel te oud voor jou.'

'Wat zou dat, we praten, we wandelen, we lachen is dat soms verboden? Daar kan niemand iets van zeggen!'

'Die man is toevallig wel een crimineel! Waarom denk je dat ie in de gevangenis heeft gezeten?'

'Hij is eerder vrij gelaten dat doen ze niet zomaar, ze hadden misschien wel de verkeerde te pakken!'

'Welnee ze zijn gewoon bang voor hem. Vader zegt ook dat hij een politieke onrustzaaier is die desnoods met geweld aan de macht denkt te komen.'

'Ik heb geen verstand van politiek,' zei Maria. 'Het interesseert me niet en ik begrijp het ook niet.

Herr Hitler is een aardige man, die doet echt geen rare dingen en hij vertelt me alles over opera en schilderskunst. Daar weet ie heel veel van.'

Even viel er een stilte die door Anni verbroken wordt.

'Ik heb besloten Julius niet meer te zien en ik raad je aan om ook tegen die Hitler van je te zeggen dat hij je beter met rust kan laten.'

'Misschien stel ik hem wel aan vader voor,' zei Maria ondeugend. 'En worden ze nog eens heel goede vrienden!'

Anni schudde met haar hoofd, stond op en verliet Maria's slaapkamer.

Toen Heinrich Hoffmann de winkel binnen kwam was Anni druk bezig met het ophangen van nieuwe jurken.

'Goedemorgen mijnheer Hoffmann hoe maakt u het?' vroeg zij.

'Dank u,' zei Hoffmann, 'ik mag niet klagen. Is uw zuster ook aanwezig?'

'Nee zij is even naar het postkantoor, ze kan ieder moment terug komen.'

'Mooi, ik wilde vragen of liever gezegd de heer Wolf heeft mij gevraagd of ik wat foto's van haar wil maken.'

'Mijnheer Wolf?' vroeg Anni, 'Die ken ik niet.'

'Ach natuurlijk ik bedoel de heer Hitler, Wolf is één afkorting van Wolfgang één van zijn voornamen,' verontschuldigde Hoffmann zich.

'Ja, ik moet u zeggen dat ik bang ben dat mijn vader dat niet goed zal vinden.'

'Uw vader? Maar dat begrijp ik niet hij is toch zeker trots op zo'n mooie dochter?'

'Vast wel maar ik weet niet of hij de vriendschap tussen heer Wolf en Maria goedkeurt? Hij is een behoudende man begrijpt u die vasthoudt aan bepaalde principes.'

'Dat zou mij spijten. Maar over u en de heer Schaub daarover zal uw vader toch geen bedenkingen hebben hoop ik?' vroeg Hoffmann vriendelijk.

'Julius en ik hebben besloten elkaar niet meer te ontmoeten, we hebben allebei een druk bestaan het is beter zo,' loog Anni.

'Zoals u weet heb ik zelf ook een dochter, ik begrijp heel goed dat uw vader zuinig op haar is dat siert hem... maar in dit geval kan ik u verzekeren dat er absoluut geen enkele reden is om zich zorgen te maken.' zei Hoffmann vormelijk.

'Maar dat is ook niet de kwestie,' zei Anni iets te spontaan. 'Ik bedoel te zeggen dat mijn vader andere opvattingen deelt dan de heer Wolf.'

Hoffmann zei niets, hij keek haar vriendelijk aan wachtte op meer concrete uitleg.

'U weet toch mag ik aannemen dat de heer Wolf in de gevangenis heeft gezeten en dat hij in veel kringen een omstreden figuur is?'

'Maar natuurlijk is mij dat bekend,' zei hij vanzelfsprekend, 'maar gelooft u mij in de politiek worden soms grote fouten begaan en de heer Wolf is daar ook het slachtoffer van geworden.'

Anni schraapte haar keel van nervositeit, 'Maar de kranten schrijven toch niet zomaar flauwekul mijnheer Hoffmann?'

'U zou de Völkischer Beobachter moeten lezen, dan krijgt u een heel ander beeld juffrouw Reiter! Tot ziens.' Hoffmann draaide zich om en verliet de winkel. Anni haar lippen bewogen maar er kwam geen geluid uit haar mond.

'Ik zou een huis willen hebben, hier in de bergen. Waar ik al mijn vrienden zou kunnen ontvangen en waar jij zou kunnen wonen zodat je altijd bij me kon zijn. Ik zou dan rust hebben en al mijn plannen verder kunnen uitwerken zonder lastig te worden gevallen door journalisten of politieke tegenstanders.' zei Hitler die zichtbaar genoot van het uitzicht over Berchtesgaden terwijl Maria hem vol bewondering aankeek.

'Mizzi, jij en ik, hier, ver weg van alle leugenaars, van alle bedriegers van alle middelmatigheid. Ik verlang naar een ander leven, een leven met jou... zou je dat willen?'

'Ja natuurlijk zou ik dat willen, later als ik zelf alles kan en mag beslissen lijkt mij dat heerlijk!'

Voorzichtig sloeg Hitler een arm om haar heen.

Maria begon te giechelen en weerde hem speels af maar Hitler bleef aandringen.

'Kus me!' zei hij op gebiedende toon.

'Nee Wolf wacht, nu nog niet. We moeten geduld hebben, heus alles komt goed!' zei Maria.

Hitler was boos en liep weg. Maria bleef vertwijfeld achter. Toen ze even later het pad afliep was Hitler verdwenen. Iets verderop lagen de resten van een verscheurde zwart-wit foto. Maria las op een stukje wat op zijn kop lag.

'RICH HOFFMANN-FOT'. Ze legde de stukjes als een puzzel op zijn plek.

Het was een afbeelding van haar zelf. Gekleed in haar lievelingsjurk zat ze op de rand van de dorpsfontein in Berchtesgaden.

Maria liep met haar hond aan de rand van het park toen twee zwarte Mercedessen snel voorbij reden. Vaag zag ze het silhouet van Adolf Hitler.

Ze wilde zwaaien maar de auto's reden te hard.

'Ha eindelijk, eindelijk zijn die griezels weg!' zei Josef Hubner die vanuit het niets plotseling voor haar stond. 'Het zijn misdadigers, die hebben hier niets te zoeken, helemaal niets!'

'Wat weet jij daar nou van, denk je soms verstand van politiek te hebben?' zei Maria spottend,

'Toevallig wel ja. Adolf Hitler moet worden aangepakt, en iedereen die hem helpt is ook schuldig! Jij ook!

'Ik ook?' vroeg Maria glimlachend.

'Ja zeker, ik heb je zelf gezien met die mannen, ik heb je heel vaak gevolgd, overal! Ik heb het met m'n eigen ogen gezien. 'Jij bent netzo slecht als zij!'

'Het kan me niet schelen wat je gezien hebt, helemaal niets zelfs!' zei Maria zonder hem aan te kijken.

'Misschien jou niet maar wat dacht je van je vader?'. Of je broer en z'n vrienden bij de politie?'

'Wat een naar mannetje ben jij zeg,' zei Maria nu toch wel wat boos geworden, 'laat me met rust en maak je zelf niet belachelijk idioot die je bent!'

'Doe jij maar stoer, je zult er nog spijt van krijgen pas maar op!' zei hij dreigend.

'Marko kom!' riep Maria. De herder snuffelde in het voorbij gaan even aan de witte blote benen van Josef die zich niet of nauwelijks durfde te bewegen.

Vader Reiter, Johann en twee vrienden zaten rond de keukentafel te kaarten.

Horst, een collega van Johann, kon nauwelijks zijn ogen van Maria afhouden.

Herhaaldelijk moest hij door één van de andere spelers aan zijn beurt worden herinnerd.

'Maria kijk nou toch een keer, hij is niet onknap,' zei Anni terwijl ze samen de vaat deden. 'En hij heeft een goeie baan en valt ook nog bij vader in de smaak.'

'Hou toch op, Horst is aardig maar zo dom, ik moet er niet aan denken.' Maria trok een raar gezicht en Anni moest even lachen.

'Maar wat wil je dan? Ik wil dat je gelukkig bent en geen domme dingen doet!' zei Anni bezorgd.

'Dat is lief van je maar ik weet juist heel goed wat ik wil. Geloof me het komt allemaal goed, heus je zal het zien!'

Anni keek haar ongelovig aan, 'Wat komt goed? Die man is niet jouw toekomst Maria. Hij heeft misschien wel een vriendin in München, weet jij veel wat die daar allemaal uitspookt? En jij... jij zit hier maar te wachten terwijl de mooiste tijd van je leven aan je voorbij gaat! Over een paar dagen is het grote oogstfeest daar wil je toch zeker niet alleen naar toe?'

'Maak je geen zorgen ik weet wat ik doe. Jij bent anders, makkelijker in dat soort dingen.'

'Welnee dat is helemaal niet zo!' kwam Anni in opstand. 'Maar ik laat gewoon niet met me sollen, een man moet mij veroveren, zijn liefde bewijzen anders hoef ik hem niet!'

'Wolf is echt een goed mens, ik kan nog zoveel van hem leren, je hebt geen idee wat die man allemaal weet.'

'Meisjes!' riep vader Reiter, 'Ik geloof dat Horst en Wilfried iets aan jullie willen vragen.'

De zusjes draaiden zich om en keken elkaar even aan.

'Uh ja wij, Wilfried en ik wilden jullie vragen om met ons mee te gaan naar het oogstfeest komende zaterdag.' vroeg Horst met een blozend gezicht.

'Als mijn vader geen bezwaar heeft dan lijkt ons dat heel leuk.' antwoordde Anni.

'Nou voor deze ene keer dan.' zei Mannfred Reiter op zogenaamd strenge toon.

Maria wilde iets zeggen maar zag aan de blik van haar vader dat ze dat maar beter achterwege kon laten.

Anni was beneden gebleven en was aangeschoven bij haar vader, broer en de twee vrienden. Je kon hen door het hele huis horen tieren van de lach.

Maria zat achter haar tafeltje en schreef een brief.

"Lieve Wolf, waarom hoor of zie ik niets meer van je. Onze vriendschap lijkt opeens zover weg!

Niets zou mij meer gelukkig maken als ik weer bij je zou kunnen zijn.

Ik mis je verhalen over Wenen, over muziek over vroegere tijden.

Er is niemand zoals jij Wolf, niemand!

Soms kan ik me erg eenzaam voelen, niemand begrijpt mijn gevoelens.

Lieve Wolf ik smeek je laat me niet langer in onzekerheid.

Mijn leven is leeg zonder jou. De mensen om mij heen interesseren mij niet, sterker ik erger me zelfs aan ze.

Vooral aan mijn vader die denkt verstand te hebben van politiek en zich zelf het liefst hoort spreken zonder zich van wie dan ook wat aan te trekken.

En mijn broer en zijn vrienden die hem voortdurend napraten en niet of nauwelijks nadenken over wat ze zeggen.

Wanneer jij spreekt lijkt het vaak alsof ik m'n moeder hoor praten, zo verstandig, zo wijs! Door jou ben ik veel dingen in het leven anders gaan zien.

Ik mis je zo!"

Voor altijd jouw Mizzi

Ze voelde zich blij en opgewonden . Het moest nu duidelijk voor hem zijn. Ze had voor haar gevoel een belangrijke stap genomen.

Natuurlijk had ze haar gevoelens wel eens eerder op papier gezet maar haar moeder was toen al overleden en die brief kon ze niet naar de hemel sturen.

Nu was het anders. Hij leefde. Hij was een man. Hij zou haar redden. De brief zat diep in de zak van haar jas. Met straffe pas liep ze naar het postkantoor. Dit was niet zomaar een wandelingetje maar een missie.

Ze kende de tekst die ze de vorige avond geschreven had uit haar hoofd.

Over een paar dagen zou hij het lezen en weten dat zij hier Berchtesgaden stand hield tussen vijand en meelopers. Ze moest zich blijven verzetten en vooral niet toegeven aan de wensen van familie of vrienden. Ze moest alert zijn, niemand was te vertrouwen!

Ze had de envelop uit haar jas gehaald en wilde de brief posten toen opeens een hand haar pols vastgreep.

De man in uniform was haar broer Johann. Hij las de adressering hardop voor, 'De Heer A. Hitler, Thierschstrasse 41 Lehel – München.'

Zonder verder iets te zeggen liet hij haar los. Met een verontwaardigde blik keek hij zijn zusje aan. Maria zei niets. Ze postte de brief en liep weg.

Het was er gezellig druk op zaterdagmorgen. Het rook er naar koffie en verse broodjes.

Heinrich Hoffmann en Max Amann zaten samen bij Café Heck in de Galerienstrasse in München.

'Maar jij hebt zelf een dochter dan moet je toch toegeven dat je dat ook niet zou accepteren, wees nou eerlijk Hoffmann!'

Heinrich gooide drie klontjes suiker in zijn koffie, roerde en nam voorzichtig een slok. 'Tja dat is misschien wel zo maar sommige meisjes zijn op hun zeventiende al veel verder dan hun leeftijdgenoten. Mijn Henriëtte bijvoorbeeld, die is ook veel volwassener dan haar oudere zusje.'

'Ja het ene meisje heeft eerder jeuk dan het andere.' zei Max Amann geamuseerd. 'Hoffmann kom op zeg je begrijpt duvels goed wat ik bedoel.' 'Max ik kan me daar niet druk om maken en het gaat mij ook niet aan het is een zaak tussen Hitler en dat meisje.' Hij nam een hap van zijn Sacher taartje.

'Maar waarom nu uitgerekend zo'n simpel boerenmeisje. Voor je het weet heb je een schandaal het is van groot belang dat zijn privé leven wordt afgeschermd. Dit kan negatieve gevolgen hebben voor z'n politieke toekomst, zo'n meisje van 17 jaar is absoluut onzinnig!'

'Wanneer is *Mein* Kampf af?' vroeg Hoffmann die duidelijk van onderwerp wilde veranderen.

'Het had al lang klaar moeten zijn maar Hitler wil niets weten van aanpassingen of laat ik liever zeggen verbeteringen die het boek enigszins leesbaar maken,' antwoordde Max Amann.

'Maar toch ga je het uitgeven?'

'Ja natuurlijk, je zal zien vriend en vijand zullen het kopen daar twijfel ik niet aan maar persoonlijk vind ik dat hij beter kan praten dan schrijven.'

'Misschien kunnen wat foto's bijdragen tot een beter geheel.' polste Hoffmann bij de uitgever.

'Dat heb ik ook al aan hem voorgesteld maar hij vond dat niet goed omdat het alleen maar zou afleiden. Kijk nou toch eens wat hier voor mooie vrouwen komen, Hitler kan hier prijsschieten!' zei hij met een knipoog terwijl twee mooie jonge dames het café binnen kwamen.

Horst en Wilfried stonden, feestelijk gekleed, op het erf te wachten op de twee meisjes.

Anni verscheen in een mooie zomerse jurk. Wilfried gaf haar een roos en een kus op haar hand.

'Dank je,' zei Anni vertederd, 'Maria zal zo wel komen.'

'Maria!' hoorde je Mannfred ergens in het huis roepen.

'Misschien zit ze weer een brief aan die griezel in München te schrijven,' zei Wilfried met enige ironie.

'Maria heeft recht op haar eigen leven, het is niet aardig om zo over haar te praten,' zei Anni.

'Je hebt gelijk,' verontschuldigde Wilfried zich, 'maar iedereen weet het hier en iedereen spreekt er schande over, wij moeten voorkomen dat het van kwaad tot erger wordt. Weer klonk vanuit het huis de stem van Mannfred Reiter, 'Maria kom te voorschijn of ik doe je wat... er wordt op je gewacht... hoor jij mij... Maria!'

'Jammer dat je broer uitgerekend vanavond moet werken,' zei Horst.

'Het is voor een goede zaak, die Hitler en zijn vriendjes moet je niet uit het oog verliezen. Ze slaan toe wanneer je het niet verwacht. Je moet ze gewoonweg niet de kans geven!' zei Wilfried zelfverzekerd.

Vanuit het huis klonk plotseling geschreeuw en ook was het duidelijk dat er een handgemeen plaatsvond.

Anni rende naar binnen. Horst en Wilfried keken elkaar ongemakkelijk aan.

De stem van Anni maakte duidelijk dat zij tussen beide was gekomen. Mannfred kwam even later naar buiten en stroopte zijn mouwen op.

'Dat zal haar leren, dat nest!' zei hij nog vol van drift.

Horst en Wilfried durfden niets te zeggen.

'Wat denkt ze wel! Mijn dochter zal gehoorzamen. Vanaf nu duld ik geen enkele tegenspraak meer van haar, nog geen woord!'

Hij haalde een zakdoek tevoorschijn en veegde er bloed mee af wat aan zijn vingers zat.

'Wat u zegt mijnheer Reiter, beter nu ingrijpen voordat het te laat is,' meende Wilfried.

'Wanneer zij denkt dat ze hier maar kan doen en laten wat ze wil dan heeft ze het goed mis. Ik bepaal wat hier gebeurt en niemand anders!' Mannfred wierp een blik op de deur alsof zijn twee dochters daar ieder moment zouden kunnen verschijnen. Hij was nog steeds woedend.

Anni kwam te voorschijn uit een open zolderraam. 'Ik blijf bij Maria, ze is volledig over haar toeren... zo kan ik geen plezier hebben, het spijt me.' riep ze de mannen toe.

'Mijn God waarom heb ik drie dochters en maar één zoon! Kom we gaan laat die domme wichten maar alleen, ik ga het vanavond op een zuipen zetten en op zoek naar een geil wijf!.' zei Mannfred. Horst en Wilfried zeiden niets en volgden Mannfred Reiter die met grote passen de feestelijkheden tegemoet liep.

Bij haar rechter mondhoek was nog te zien dat Mannfred Reiter haar fors geraakt had. Maar Maria was het blijkbaar al weer vergeten. Ze straalde als weleer en ging helemaal op in haar werk.

Zij hielp een meisje van haar eigen leeftijd. Een jongeman van even midden twintig zat in een stoel en gaf zo nu en dan commentaar.

'Dit staat u heel goed, deze kleur is niet opvallend waardoor details en het ontwerp juist weer een extra accent krijgen.' zei Maria als geroutineerde verkoopster.

'Maar mijn zuster zoekt eigenlijk iets voor wanneer het fris is, een stola of iets van een warm vest.' opperde de man in de stoel.

'Maar natuurlijk, wacht ik laat u een paar modellen zien.'

Anni had het gehoord en had uit een kast al een paar vesten en truien gepakt die ze nu aan Maria gaf. Ze lachte ondeugend naar haar zus en knikte met haar hoofd in de richting van de jongeman.

Verschillende vesten en stola's werden door het meisje gepast. Het viel Maria nu ook op dat hij bijna geen moment zijn ogen van haar kon afhouden.

'Rebecca ik zou kiezen voor de rode stola, die staat je werkelijk magnifiek, wat vindt u?' vroeg hij aan Maria.

'O ja, zonder twijfel een zeer goede keuze.' antwoordde zij spontaan.

'Mag ik u een compliment maken, u heeft ons perfect geadviseerd. U moet weten wij hebben zelf ook een winkel of beter gezegd mijn ouders hebben een groot warenhuis is Berlijn. U zou daar absoluut indruk maken!'

'Dank u, maar ik moet echt nog veel leren. Mijn zus is mijn voorbeeld, zij weet echt alles op het gebied van mode.'

Anni kwam naar voren en leek opeens verlegen, 'Ach mijn zusje overdrijft, ik doe m'n best.' zei ze met een rood gezicht.

'Laat ik me voorstellen aan u,' zei hij en stond op. 'Dit is mijn zusje Rebecca en ik ben Joachim... Joachim Seidelman.

'Dit is Anni en mijn naam is Maria.'

'Mooi, u zou eigenlijk een keer naar Berlijn moeten komen, dan zou ik u alles laten zien. Te beginnen met onze zaak, wij zijn een echt familie bedrijf zoals veel Joodse ondernemingen. Het zit in ons bloed, geld verdienen is het enige wat wij echt goed kunnen.' zei hij met een glimlach.

Voortdurend had hij Maria aangekeken. 'Maar laten we u niet langer ophouden wellicht dat ik u en uw zuster een keer een koffie of thee mag aanbieden bij ons in het hotel?'

'Dat zou heel vriendelijk zijn.' reageerde Anni snel.

'Ik verheug me daarop, u hoort nog van mij.'

Hij rekende af en verliet samen met zijn zuster de winkel.

'Ik zag het meteen, hij is stapel gek op jou! Wat een knappe man, heb je die ogen van hem gezien.'

'Anni stel je niet zo aan, zo zijn mannen uit de grote steden, die gedragen zich nu eenmaal anders dan die kerels die hier wonen.'

'Klets! Je denkt toch zeker niet dat we zomaar worden uitgenodigd, hij heeft een oogje op jou! Je zag toch hoe die naar je keek, echt geloof me hij is tot over z'n oren verliefd op je!'

'Ja ja weet je wel wat ze over die Joden zeggen?' vroeg ze nu op serieuze toon.

Anni keek haar met gefronste wenkbrauwen aan, 'Wat? wat bedoel je?'

'Joden verpesten alles, zij zijn de schuld van de werkloosheid, zij buiten iedereen uit en het zijn eigenlijk helemaal geen Duitsers!'

'Maria hoe kom je daar nu weer bij?'

'Gelezen.'

'Gelezen? Waar gelezen?'

Maria keek Anni ernstig aan, 'In *Mein Kampf*, van Hitler... het staat er allemaal in! Je denkt toch zeker niet dat ie dat zomaar allemaal verzint!'

Anni hief haar armen ten hemel. 'Maria doe toch niet zo vreemd. Wat een flauwekul. Joden zijn gewone mensen die doen geen vlieg kwaad. Zij zijn het juist die altijd werden opgejaagd... lees de bijbel maar daar staat het allemaal in.'

De winkelbel rinkelde, de zusjes hielden op met praten. Een jongen met een groot boeket rode rozen stond in de deuropening.

'Ik moest dit bezorgen voor ene juffrouw Maria Reiter.' zei hij met een zachte stem.

Maria deed een stap dichterbij en nam de bloemen van hem aan.

Zonder iets te zeggen verdween hij weer. Anni was opgewonden en slaakte een kreet van vreugde.

'Hij heeft smaak, hij heeft stijl! Maria deze jongen komt uit een andere wereld! Zusje van me dit is een nieuw begin geloof me!'

Anni ging maar door en door terwijl Maria een kaartje las dat aan een tak van één van de bloemen zat vast gehecht. Ze zuchtte diep en begon plotseling te stralen. Haar ogen begonnen te tranen. Ze moest huilen en lachen tegelijk.

Anni omvatte voorzichtig met twee handen het gezicht van haar zusje.

'Zoals hij naar je keek, zo kon moeder soms ook naar je kijken... zo intens... ik ben zo blij voor je!'

Maria stond tegen een boom aangeleund. Milde zonnestralen gaven haar huid een mooie tint.

'Je hebt me zo gelukkig gemaakt, ik kan je niet uitleggen hoe blij ik ben.' zei Maria stralend.

'Je bent zo mooi, het is betoverend bijna een sprookje, je bent mijn Waldfee!'

Hitler keek haar doordringend aan. Maria kon haar lachen niet inhouden.

'Ik kan er niet tegen wanneer je mij uitlacht!' zei hij boos. 'Nooit lacht iemand mij uit. Ik wil dat je dat nooit meer doet!'

Maria schrok van zijn woede uitbarsting. 'Wolf, Wolf zo bedoelde ik dat niet! Heus ik dacht... ik wist niet dat je.'

'Mizzi...mijn Mizzi,' onderbrak hij haar, 'Je hebt geen idee hoe belangrijk je voor mij bent! Juist nu, nu moet ik alles op alles zetten om die verdomde Stresemann en zijn flut regering aan de kant te zetten! En die kracht heb ik nu, die heb ik dankzij jou!'

Hitler nam Maria in zijn armen en gaf haar een kus op het voorhoofd.

'Dit is voor jou.' Ze zaten in een boerenkroegje en Adolf Hitler gaf haar een cadeautje. Maria pakte het voorzichtig uit. Een langwerpig doosje kwam tevoorschijn. Ze opende het en was sprakeloos toen ze het gouden horloge zag.

'Dat je altijd weet dat de tijd doortikt, dat ieder moment belangrijk is of kan zijn, tijd is kostbaar... vandaag komt nooit meer terug!'

Maria kon nog steeds geen woord uitbrengen.

'Er gaan dingen veranderen Mizzi...er komt een nieuwe tijd...een tijd die alles te maken heeft met een nieuw Duitsland. Ik ben niet meer te stoppen, niemand kan mij tegenhouden!'

Ze had het kleinood om haar pols gedaan en liet het nu vol trots aan Hitler zien.

'Wolf ik heb nog nooit zo iets kostbaars gekregen,' zei Maria trots terwijl ze het sierraad bestudeerde.

Hitler hoorde haar niet hij was met zijn gedachten ver weg. 'Strasser, Röhm, Streicher... de partij is niets zonder mij...en dat weten zij ook!' zei hij hardop voor zich uit.

'Wat, over wie heb je het Wolf?'

Een ober zette twee glazen bier op hun tafeltje.

Hitler proostte, 'Mizzi mijn lieve Mizzi... jij gaat het nog allemaal meemaken dat beloof ik je! Ik proost op je schoonheid maar bovenal op je oprechte en lieve uitstraling.'

Onwennig nam Maria een slok. Hitler moest lachen toen het schuim op haar bovenlip was blijven hangen.

Mannfred Reiter stormde de kamer binnen en smeet een boek met een harde klap op de eettafel waar Maria en Anni een spelletje Mühle speelden.

'Dit boek... is dat van jou?' zei hij woedend terwijl nu ook Johann en

Wilfried achter hem verschenen.

Maria keek hem even aan en richtte toen haar blik op het boek getiteld, *Mein Kampf*.

'Is het van jou ja of nee?' vroeg hij op bijna driftige toon.

Maria sloeg het boek voorzichtig open op de eerste bladzijde.

'Ik zou liegen als ik zei dat het niet van mij is!' antwoordde ze met een zachte stem.

Mannfred Reiter draaide het boek naar zich toe en las een handgeschreven tekst, '*Berchtesgaden 29 september 1925. Voor mijn Mizzi haar achttiende verjaardag. Wolf.*'

'Dat kan toch niet waar zijn, een schandaal! Jij kent die man? Dit boek is de grootste onzin aller tijden, die man is niet goed bij zijn hoofd en jij leest die rommel?'

Maria voelde zich bedreigd en verloor haar vader geen seconde uit het oog.

'Dit boek wil ik niet in huis hebben, versta je! En ik verbied je om die politieke onbenul nog ooit te ontmoeten of wie dan ook van die klootzakken!'

Mannfred maakte de kachel open en gooide het boek in het vuur.

'Zo doen wij dat...en op een dag zal die Hitler ook branden, branden in de hel! Mein Kampf! de titel zegt het precies: het is *zijn* strijd en niet de onze!'

Maria stond op trok haar jas aan en verdween naar buiten. Haar vader riep haar naam maar Maria deed alsof zij het niet hoorde en maakte zich uit de voeten.

De straten waren verlaten in Berchtesgaden. Het seizoen was voorbij.

Ze had er stevig de pas in gezet en liep zonder doel nu door het dorp.

Zij voelde zich verdrietig en onbegrepen. Haar moeder had dit nooit toegelaten. Zij was wel eerder voor Maria in de bres gesprongen maar nu stond ze er alleen voor.

Er waren plotseling voetstappen achter haar. Maria voelde een hand op haar rechter schouder.

'Zo zusje waar denk jij dat je naar toe gaat?' zei Johann plagerig.

Maria zag nu dat ze tussen haar broer en Wilfried inliep. Ze reageerde niet en versnelde haar tempo.

'Nu moet je eens goed horen,' vervolgde Johann, 'het wordt tijd dat je eens naar vader luistert. Die zogenaamde vrienden van je hebben alleen maar kwaad in de zin! Open je ogen Maria! Lees de krant en wees niet zo naïef!'

Maria ging langzamer lopen en gaf de indruk dat ze zich gewonnen gaf. Johann en Wilfried lieten zich door haar verrassen. Ze rende weg en had door haar onverwachtse actie al snel een voorsprong.

Het park kende ze op haar duimpje. Zelfs in het donker wist ze er feilloos de weg. Ze passeerde de muziektent, ging door de beeldentuin kwam bij de fontein en holde nu verder naar de rozentuin. Achter een boom kwam ze op adem. De jongens leken in geen velden of wegen meer te zien en Maria besloot om nu langzaam verder te lopen.

Zij had nog nauwelijks een stap gedaan of ze voelde hoe iemand haar van achteren vastgreep.

Zij twijfelde geen moment en zette haar tanden in het vlees van haar belager die het uitschreeuwde van de pijn en haar ogenblikkelijk losliet.

Maria rende alsof haar leven ervan afhing. Aan de andere kant van het park stak ze een straat over maar door dat het zachtjes was gaan regenen gleed zij uit en kwam ten val. Johann sprong boven op haar terwijl Wilfried haar schoppende voeten omklemde.

'Je dacht zeker dat we je zomaar lieten gaan,' zei Johann. 'Het moet afgelopen zijn met dat belachelijke gedrag van je, iedereen praat er over! Jij maakt ons te schande! Als moeder dit wist zou ze je vervloeken!'

'En dat zeg jij? Je bent een lafaard Johann, als vader haar sloeg dan deed jij niets, je keek alleen maar toe!'

Johann werd woedend en gaf haar een harde klap in het gezicht.

Maria probeerde zich uit alle macht te bevrijden maar zonder resultaat.

Johann hief zijn arm in de lucht en wilde haar vol in het gezicht meppen maar plots bleef hij als bevroren zitten toen er plotseling een auto stopte en twee mannen uitstapten

Langzaam zette de auto zich in beweging. Heinrich Hoffmann zat met Maria op de achterbank. Hij sloeg een arm om haar heen en depte met zijn zakdoek wat bloed weg bij haar neus.

'Maria wie waren dat, wat hebben ze met je gedaan?' vroeg hij bezorgd.

'Niets, heus het lijkt allemaal erger dan dat het is u hoeft zich echt geen zorgen te maken.' antwoordde Maria.

'Dat doe ik juist wel! Waarom hebben die mannen je mishandeld, waarom?'

'Ze hebben niets gedaan!'

'Niets? En dit is zeker ook geen bloed?' Hoffmann hield zijn witte zakdoek vol met bloedvlekken voor haar gezicht. 'Weet je zeker dat het niets met ons te maken heeft. De heer Wolf heeft heel veel vrienden maar ook vijanden dat is wel iets wat je goed beseffen moet Maria!'

'Hier in de bergen zijn de jongens wat ruw in de omgang en doen ze soms wat onhandig, ik kan wel tegen een stootje hoor.'

'Goed je wilt er niet over praten maar beloof me wanneer er problemen zijn dat je het me laat weten!'

'Goed dat beloof ik u.' zei Maria opgelucht. 'Bent u net aangekomen in Berchtesgaden?'

'Ja Julius heeft me zojuist van het station gehaald. Waar wil je eigenlijk dat we je afzetten?'

'Bij de winkel, ik moet nog iets ophalen wat ik vergeten ben.' bedacht Maria ter plekke.

Adolf Hitler stond op het terras van een middel groot chalet en genoot zichtbaar van het uitzicht. Beneden lag Berchtesgaden temidden van een schitterend natuurgebied.

'De huurprijs lijkt mij redelijk of valt er nog iets af te dingen?' vroeg Hitler aan Julius Schaub.

'Ik ben bang van niet want er zijn nog andere liefhebbers,' antwoordde hij.

'Mmm, misschien zou ik het moeten kopen en het dan volledig verbouwen tot een soort van zomerverblijf.' sprak Hitler meer tegen zich zelf dan tegen zijn adjudant.

Heinrich Hoffmann stelde zijn camera in en Hitler poseerde als een staatsman betaamde.

'Zeg Hoffmann wat is er nu eigenlijk precies gebeurd?' vroeg Hitler die nog even snel zijn haar fatsoeneerde alvorens Hoffmann zou afdrukken.

'Gewoon een paar rot jongens... boerenpummels die te veel gedronken hadden, zich verveelden... iets naar rechts... zo ja,' corrigeerde Hoffmann.

'Jaloers zijn ze en ook nog dom! Van politiek hebben ze hier geen enkel benul.

Over het communisme, het socialisme de Joden... ze begrijpen er niets van, ze zouden mijn boek moeten lezen.' Tijdens de stilte drukte Hoff-mann af.

'Jij hebt vast mijn boek nog niet gelezen, hè Hoffmann?' vroeg Hitler toen de fotograaf zijn apparatuur aan het opbergen was.

'Ik moet bekennen dat ik een slecht lezer ben... ik ben meer visueel in-gesteld en politiek is voor mij geen absolute voorwaarde om verantwoord te kunnen deelnemen aan het dagelijks leven. Laat ik het zo zeggen; ik registreer slechts, ik oordeel niet daarvoor beheers ik de materie niet vol-doende. Ik ben fotograaf en matig mij geen houding aan die anders doet geloven.'

Hitler moest glimlachen, 'Hoffmann wat ben jij toch een verstandig mens, jammer dat vrouwen niet die gave hebben! Over vrouwen gesproken waar is die kleine Waldfee van mij?'

Maria liep neuriënd door huis Wachenfeld.

Voorzichtig liet ze haar hand langs vensterbanken en trapleuningen glijden. Ze genoot van elke aanraking alsof het iets heel kostbaars betrof. Opeens stond Hitler voor haar. Ze schrok even maar herstelde zich snel.

'Zo mijn Mizzi, hier zal ik me thuis voelen. Het leven in hotels is on-persoonlijk en hier heb ik alleen de mensen om mij heen die mij lief en dierbaar zijn,' zei hij vol overtuiging.

'O ja Wolf het is heerlijk hier, al die ruimte. Ik zal nu veel vaker bij je kunnen zijn het is hier afgelegen niemand hoeft het te weten of te zien dat wij hier samen zijn.' zei ze met kinderlijk enthousiasme.

'Ja... maar er komt nu voor mij een drukke periode, ik moet mij voor-bereiden op een grote taak, ik wil en mag de mensen die mij steunen niet teleurstellen. Maar wanneer ik dat volbracht heb dan kan je komen wan-neer je wilt en dan neem ik je ook mee naar München en naar Berlijn!'

De teleurstelling stond op haar gezicht te lezen.

'Maar ik dacht dat wij, dat wij...'

Hij viel haar in de rede. 'Er komt een andere tijd aan Mizzi. Duitsland wordt weer een land waar gewerkt zal worden waar de wereld ontzag voor zal hebben en dat zal niet zomaar gaan. Iedereen moet klaar staan om te vechten tegen negatieve krachten die dat proberen tegen te houden, ieder-een!'

'Goed. Ik vertrouw je, ik wil alleen maar dat jij gelukkig bent en dat je zult slagen in alles wat je graag wilt doen dat is voor mij het allerbelangrijkste.'

Adolf Hitler wreef heel even langs haar wang en liep weg. Maria keek hem vol onbegrip na ze had meer tederheid en aandacht van hem verwacht.

Met een man of zes zaten ze rond de tafel in de keuken.

'Partijgenoten,' zei Johann Reiter nerveus, 'het lijkt misschien allemaal onschuldig maar we kunnen de gevolgen niet overzien. Ze spreekt hem regelmatig, stuurt hem brieven als hij in München zit en kent ook al zijn handlangers, dat kan en mag zo niet langer doorgaan!'

'Mijn zoon heeft gelijk. Ik zal dan ook harde maatregelen treffen en mijn verantwoording nemen. Ik heb hier zelfs in mijn eigen huis een door hcm gctckcnd exemplaar van "Mein Kampf" gevonden. Mijn eigen dochter met zo'n stuk tuig! Ik walg ervan! Godverdomme!' zei Mannfred ontstemd. Er viel een stilte.

Wilfried kuchte en nam het woord, 'We kunnen niet ontkennen dat er rare praatjes de ronde doen over uw dochter en die club uit München. Voor onze partij kan dat inderdaad schadelijk zijn en als penningmeester kan ik u melden dat sommige donaties op dit moment al uitblijven en dat er verscheidene leden zijn die overwegen hun lidmaatschap op te zeggen!'

Er ontstond een licht geroezemoes.

Een man met een getekend gezicht stond op. 'Vrienden, vrienden!' riep hij om aandacht, 'we moeten de eenheid bewaren. We moeten Mannfred onze voorzitter juist nu steunen en hem van onze trouw verzekeren. Die criminelen uit München hebben hier niets te zoeken en dat moeten we hun nu duidelijk maken.' Er werd geklapt en hij ging weer zitten.

'Ja zo is het! Ik zal mijn dochter toespreken en haar verbieden om Adolf Hitler waar dan ook nog te ontmoeten. Zonodig zal ik haar hier opsluiten of verbannen naar een klooster hoog in de Italiaanse Alpen.' zei Mannfred.

Om het laatste werd door iedereen gelachen.

Maria Reiter en Adolf Hitler liepen samen onder een grote paraplu door het bos, voorafgegaan door hun twee herdershonden en gevolgd door twee mannen in lange, zwarte leren jassen.

De regen kletterde op de bladeren en zorgde voor een aangenaam geluid.

'In de politiek zijn vrouwen alleen maar lastig.' zei Julius Schaub. 'Ze vragen aandacht, stellen zich aan en begrijpen meestal nooit waar het allemaal over gaat.'

'Dat is waar, maar je denkt toch niet dat ie echt iets in haar ziet?' vroeg Emile Maurice.

Hij was de vaste chauffeur van Hitler; een charmante gespierde man. Zijn arm zat in een mitella. Bij een relletje met de communisten in München had hij zijn pols gebroken.

'Nee natuurlijk niet en dat zou de partij ook niet pikken wanneer hij met zo'n jong meisje aan zou komen, dat is niet serieus. De vrouw aan zijn zijde moet een persoonlijkheid zijn, iemand met uitstraling en die niet bang voor hem is!'

'Ze heeft anders wel een lekkere kont!' zei Emile Maurice met een knipoog.

Maria keek even achterom alsof ze zijn opmerking had gehoord.

Hitler keek verstoord. 'Maria! Luister het is niet alleen het verschil in leeftijd. Voor mij ben je geen meisje... voor mij ben je al bijna een vrouw. Maar het leven van een politicus is geen leven, zo'n offer kan en wil ik niet van je verlangen.

Ik heb een roeping, een plicht te vervullen! Ik heb de taak om Duitsland van de ondergang te redden. Jij kunt nog niet beseffen wat voor een krachtinspanning dat zal kosten. Al mijn tijd zal ik nodig hebben om dat doel te bereiken. Alleen ik... ik Adolf Hitler ben daartoe in staat!'

'Ja Wolf ik begrijp het,' zei ze onder de indruk, 'maar ik zal je steunen en er zijn wanneer je mij nodig hebt. Wolf je kunt op mij rekenen, altijd!'

'Mizzi lief kind van me, ik gun jou een ander leven. Geloof me je zou er alleen maar ongelukkig van worden.'

Maria deed net of ze het niet goed verstaan had, 'Ach Wolf met al die mannen om je heen zul je verlangen naar genegenheid en misschien ook wel iets anders.' zei ze speels en keek hem ondeugend aan.

De ruitenwissers werden stil gezet.

Julius Schaub zat achter het stuur en draaide zijn raam omlaag toen hij door Johann Reiter in politie uniform werd aangesproken.

'Goedemiddag... u mag hier niet parkeren, u staat voor het postkantoor deze plaats is gereserveerd voor de postauto.'

'Werkelijk?' zei Julius en keek hem bedenkelijk aan.

Emile Maurice die naast hem zat wilde uitstappen maar Schaub hield hem tegen. 'Eén gebroken pols is genoeg Emile!' waarschuwde hij hem.

'U zult ergens anders moeten parkeren.' probeerde Johann nog een keer.

'Parkeren? Maar we staan op punt te vertrekken beste man.'

'Het spijt me. Ik moet u sommeren hier weg te gaan, u bent in overtreding!'

'Dat kan wel zo zijn maar ik laat mij echt niet wegjagen door zo'n snotneus als jij .Wat denk je wel?'

'Als u geen gevolg geeft aan mijn beveel zal ik hier rapport van moeten opmaken.' Probeerde hij streng. Schaub en Emile Maurice konden hun lachen niet inhouden.

Aan de stoepkant stapten twee mensen achterin de auto. Johann zag tot zijn ontsteltenis hoe Maria en Hitler plaatsnamen op de achterbank.Op haar schoot hield ze met twee handen een grote dood bonbons vast Julius Schaub startte de auto en reed in volle vaart weg. Johann stond er verloren bij hij beet van woede op zijn onderlip.

Het licht van een leeslampje gaf het kamertje van Maria een warme sfeer.

Ze keek uit haar zolderraam naar een heldere hemel vol sterren. Ze huilde zacht en schrok toen Anni haar kamer binnen liep.

'Maria... wat is er. Waarom ben je vanmiddag niet naar de winkel gekomen? Maria kijk me aan. Waarom huil je?'

'Niets, er is niets laat mij maar het komt wel weer goed.' antwoordde Maria.

'Waarom heb je zo'n verdriet, hebben vader en Johann je...'

'Nee,' viel zij Anni in de rede, 'wat zij vinden of zeggen interesseert mij niet.'

'Maar wat is er dan kom vertel het me, dat lucht op, je moet je problemen niet opkroppen Maria.' bleef zij aandringen.

'Wolf is weg.'

'Ja dat weet ik. Mijnheer Hoffmann is in de winkel geweest hij kwam even gedag zeggen.'

Maria droogde haar tranen en zuchtte. 'Anni ik zal hem voorlopig niet meer zien.'

'Nou dat is misschien maar beter ook, het brengt alleen maar problemen.'

Zij zweeg even. 'Hij is een unieke man, heeft geweldige ideeën en een enorme wil om zijn doel te bereiken, hij heeft tijd nodig omdat allemaal voor elkaar te krijgen, ik loop alleen maar in de weg!'

Anni staarde haar met open mond aan. 'Maar Maria wees nu eens eerlijk die Hitler is toch veel te oud voor je en echt aantrekkelijk is hij niet, dat zal je toch moeten toegeven!'

'Jij ziet alleen maar wat je zien wilt. Wolf denkt over zo veel dingen na, hij houdt zo van Duitsland, hij geeft echt om ons, hij houdt van ons allemaal, net zoals moeder deed, begrijp je dat?' zei Maria en keek haar zusje strak aan.

De hele familie Reiter zat in de keuken aan het zondagontbijt.

Niemand zei een woord. Het getik van bestek tegen de borden, het smakken van Johann en een loeiende koe waren de enige hoorbare geluiden.

'Zo mijn kind,' doorbrak Mannfred Reiter de stilte, 'eindelijk zijn we dus van die naarling verlost. Een doos chocolaatjes heb je van hem gekregen, en nu? Nu laat hij je barsten! Die Hitler is een dwaas, niemand neemt die gek serieus alleen kinderen zoals jij weet hij met mooie sprookjes te imponeren. Ik heb je gewaarschuwd! En hij is een heiden, nog nooit hebben we hem hier in de kerk gezien! Hij durft God niet onder ogen te komen en dat is maar goed ook!'

'Zo is het!' viel Johann zijn vader bij. 'Niemand zit op zo'n reactionaire praatjesmaker te wachten. In Berchtesgaden is hij niet langer welkom, we zullen zorgen dat ie voorgoed opdondert!'

Mannfred knikte instemmend.

'Hij komt ook niet meer in Berchtesgaden. Hij heeft huis Wachenfeld op de Obersalzberg gehuurd.' zei Maria alsof het een dienstmededeling betrof.

Mannfred en Johann keken haar vol ongeloof aan.

De herfst had de bomen rondom de begraafplaats in Berchtesgaden van schitterende bruine en oranje tinten voorzien. Bij een windvlaag lieten moegestreden bladeren de takken los en dwarrelden op en tussen de graven.

'Het kan me niet schelen wat iedereen denkt!' zei Maria vol overtuiging.

Ze liep samen met Anni arm in arm over een breed grindpad.

'Mensen oordelen hier zo snel,' vervolgde ze, 'dat het soms lijkt alsof ze blind en doof zijn. Misschien zijn ze hier allemaal te dom om hem te begrijpen.'

'Politiek is niet voor vrouwen, wij hebben een andere taak in het leven.' zei Anni.

'Ja, dat is ook zo. Nog een jaar en dan is het zo ver!'

'Wat?' vroeg Anni.

'Trouwen!' antwoordde ze.

'Trouwen?'

'Ja, wat dacht je dan?'

'Nou ja, weet je dat echt wel zeker, ik bedoel dan zal vader je nooit meer willen zien, hij zal je onterven je vervloeken! Zusje wat moet er dan van je terech komen?'

'Maak je maar geen zorgen,' lachte Maria. 'tegen die tijd zijn al zijn vijanden vrienden geworden, zijn we één grote familie.'

'Maar heeft hij er dan met je over gesproken?'

'Zodra hij alles op orde heeft gaan we in München wonen. En dan kom jij bij ons logeren. Neem ik je mee naar de bioscoop en gaan we naar de opera.'

'Ach hou toch op. Je droomt!' zei Anni.

'Hij heeft mij nodig!'

Anni zuchtte, 'Vader haat die man hij zou hem het liefst vermoorden!'

Maria schudde met haar hoofd. 'Moeder en Wolf hadden het goed met elkaar kunnen vinden, zijn manier van doen, stijlvol, charmant, dat had haar zeer aangesproken. Zij had mij alle steun gegeven... en nu, nu reken ik op jou!'

Anni wist niet hoe ze moest reageren en keek haar bezorgd aan. Maria hurkte bij het graf van haar moeder en legde een vers bosje bloemen tegen de gedenksteen.

'Jij hebt je dochters nog, twee prachtige meiden, Hoffmann en weet, ik ben je vriend en zal er altijd voor je zijn.' Hitler legde troostend een hand op Hoffmanns schouder. Ze hadden zojuist Hoffmanns vrouw Lelly begraven en liepen nu naar de gereedstaande auto's die hun terug naar de stad zouden brengen.

Zij was één van de vele slachtoffers van een zware griepepidemie die München al weken in zijn greep hield.

'Kijk nu eens naar mij, ik heb geen vrouw, ben soms eenzaam en mis dan de warmte van een gezin. Maar een vrouw zou inbreuk maken op mijn existeren, ik zou me in veel opzichten beperkt voelen. Nee dan maar alleen!'

Heinrich Hoffmann draaide zijn hoofd een kwart slag. 'Alleen? En Maria dan?'

Hitler fronste zijn wenkbrauwen alsof hij de vraag niet begreep. 'Maria?' herhaalde hij peinzend.

'Maria Reiter!' verduidelijkte Hoffmann.

'Ach zo'n kind...ja ik heb met haar te doen. Zij is lief en zo onschuldig. Zij is alles wat ik zou willen wanneer ik niet de politiek was ingegaan. Zij geniet zo van dingen die de meeste onder ons als vanzelfsprekend ervaren. Maria brengt mij in balans.'

'Ik zal haar vreselijk missen. Lelly was een vrouw die mij in heel veel opzichten heeft aangevuld, die mijn tekortkomingen heeft gecompenseerd. Ik kan niet zonder haar!' zei Hoffmann geëmotioneerd.

'Natuurlijk begrijp ik je verdriet, maar je moet niet wanhopen. Het zou voor ons mannen zwak zijn om de vrouw als uniek te betitelen. Zij moeten zorgdragen voor kinderen en hebben niet de kwaliteiten om verder een wezenlijke rol van betekenis te spelen in het grote denken.' zei Hitler fanatiek.

Voor Maria was het een eenzame periode. Haar vader sprak nauwelijks tegen haar.

Johann negeerde Maria volkomen. Heidi en Anni gedroegen zich ook anders.

Ze volgde in de ochtend lessen op een huishoudschool en hielp de rest van de dag Anni in de winkel.

Maar ook werd ze door veel mensen in Berchtesgaden nagekeken en roddelde de dorpsgemeenschap volop over die idioot uit München en zijn bijna twintig jaar jongere vriendin.

Ze schreef Hitler iedere week maar kreeg nooit een antwoord.

Maria was echter niet teleurgesteld. Ze leefde in de overtuiging dat haar geduld ruimschoots beloond zou worden en dat zij iedereen zou doen verbazen als de wettige echtgenote van Adolf Hitler.

'Ik stel het niet echt op prijs dat er op dit adres post voor je bezorgd wordt.' zei Anni streng terwijl zij naar achter liep om thee te zetten.

Maria was nog maar net de winkel binnengekomen en zag een grot envelop op de toonbank liggen die aan haar geadresseerd was.

De inhoud bestond uit een zwartwit foto van Hitler een krant en een briefje. Ze las: 'Beste Maria, wat kan het toch raar lopen in het leven. Zo heb ik ooit een foto gemaakt van Wolf en ben ik daarvoor tegen de grond gegooid en nu een paar jaar later heb ik het exclusieve portretrecht van Adolf Hitler. Bijgesloten een recente foto van hem.

Tevens hierbij het eerste nummer van de *Illustrierte Beobachter*. In een volgende uitgave zullen we aandacht besteden aan de werkplek van Hitler, zijn huis Wachenfeld. Over twee weken zal ik naar Berchtesgaden komen om aldaar enkele opnamen te maken. Misschien hebben we de gelegenheid elkaar te ontmoeten. De heer Wolf laat weten dat hij je brieven heeft ontvangen en bedankt je.

Met vriendelijke groet, Heinrich Hoffmann.'

Maria deed alles weer snel terug in de envelop. Ze was opgelaten maar kon haar vreugde met niemand delen. Ze keek naar buiten, naar de hemel en zei, 'Moeder ik weet het, ik weet het zo zeker, alles komt goed!'

'Ik heb genoeg armoede geleden om te weten hoe miljoenen Duitsers wonen en leven, en ik zal niet rusten voordat daar verandering in is gekomen' zei Hitler.

Hij liep trots voorop door een ruim maar nog leeg appartement in de chique wijk Bogenhausen in München.

In zijn kielzog volgden Heinrich Hoffmann, Rudolf Hess, Max Amann en Julius Schaub.

'Het enige wat hier ontbreekt is de aanwezigheid van een mooie jonge vrouw.' merkte Amann op.

'Jullie gezelschap kost mij reeds meer tijd dan mij lief is heren! Nee hier op de Prinz Regentenplatz zal ik mij zoveel mogelijk alleen ophouden, iemand van ons zal toch moeten werken!' grapte Hitler

Het gezelschap lachte beleefd.

'Maar ik mag toch aannemen dat er in de toekomst ruimte is voor ontspanning. Een vrouw kan net dat extra iets losmaken in de man waardoor hij excelleert en optimaal presteert.' Zei Max Amann belerend.

'Een vrouw laat zich alleen lijden door emoties, in moeilijke omstandigheden kunnen zij niet objectief of logisch nadenken, nee mijn beste Max je zult betere argumenten moeten aanvoeren om mij te overtuigen!'

'Maar hoe zit het dan met de jonge mevrouw Reiter?' wilde Max weten.

Hitler draaide zich om en keek hem strak aan. 'Een boerin uit Berchtesgaden! Een meisje van amper achttien! Waar zien jullie mij voor aan? Zij is de belichaming van goddelijke puurheid en heeft een sprankelende geest, zij zou een voorbeeld kunnen zijn voor alle jonge vrouwen in Duitsland! Maar als u denkt dat ik mij laat verlijden tot meer onthullende uitspraken dan moet ik u helaas teleurstellen!' zei Hitler terwijl hij de dubbele deuren opende naar een groot vertrek.

'En hier komt de vleugel, ik zal regelmatig huisconcerten organiseren u bent daarbij allen van harte welkom!' Hitler sloeg nu zijn arm om Heinrich Hoffmann die wat stil voor zich uit had staan kijken en nauwelijks aan het gesprek had deelgenomen. 'Hoffmann kijk toch niet zo somber, je kan niet je hele leven blijven rouwen! Kom we gaan een hapje eten bij de Osteria Bavaria, dat zal je goed doen!'

De bomen waren nagenoeg kaal. De bladeren lagen als een groot tapijt in het park.

'Ze komen niet meer terug. Het zijn hele gemene mannen en ze doen ook dingen die niet mogen!' zei Josef Hubner.

Maria deed alsof ze hem niet hoorde en speelde met Marko.

'Waarom ben je zo eigenwijs, wees blij dat ik je waarschuw. Als je wist wat de mensen hier over jou zeggen dan zou je schrikken. Echt je moet voorzichtig zijn. Ze slaan iedereen zomaar in elkaar, er vallen zelfs doden bij. Ze hebben wapens, geweren en pistolen m'n vader heeft het allemaal op de radio gehoord en het stond ook in de krant met een foto van een doodgeschoten man.'

Maria was plots stil blijven staan en duwde hem weg. 'Wat weet je daar nu van? Boertjes uit Berchtesgaden... denk je nu echt dat ze daar in de grote stad het iets kan schelen wat jij of je vader of weet ik veel wie er van vindt. Wat weten wij hier nou wat er in de wereld aan de hand is, laat staan in ons eigen land!'

Een windvlaag deed de bladeren opwaaien als confetti. Josef Hubner moest zijn pet vasthouden die anders de lucht in zou vliegen.

In de verte kwam een man op hen af. Hij zwaaide om de aandacht op zich te vestigen. Maria kneep met haar ogen om beter te kunnen zien. Marko rende op de man af en begon te blaffen. Als vastgenageld aan de grond bleef de man staan.

Maria en Josef liepen nu naar hem toe.

'Marko hou op, kom hier!'commandeerde Maria. De herder gehoorzaamde onmiddellijk.

'Mijnheer Hoffmann,' zei ze toen ze hem herkende, 'hoe gaat het met u?'

Hoffmann nam even zijn hoed voor haar af.

'Maria mijn kind wat goed om je weer te zien.'

Josef Hubner stond op een paar meter afstand en bekeek Heinrich Hoffmann met een argwanende blik.

'Goed, dank u. Wat brengt u hier in het park?' vroeg Maria.

'Ik hou van wandelen, honden en veel wind!' zei hij met een knipoog. 'Nee ik was in de winkel maar je zus vertelde me dat ik je hier kon vinden. Ik heb een brief voor je van Herr Wolf.'

'Voor mij persoonlijk?' zei ze stralend.

Hoffmann haalde uit zijn regenjas een bruin envelopje en overhandigde die aan Maria.

'Alsjeblieft en ik spreek de wens uit dat we elkaar nog zullen zien gedurende mijn verblijf alhier.'

'Zeker, en ik moet u ook nog bedanken voor de foto en de krant die u mij gestuurd heeft.'

'Mooi, ik ben blij dat ik je weer zie en begrijp ook steeds meer dat de Herr Wolf zo op u gesteld is.' zei Hoffmann welgemeend.

'Dat is heel aardig van u.'

'Goed ik ga weer verder. Gegroet en tot ziens.'

'Dag mijnheer Hoffmann hopelijk tot gauw.'

Hij nam wederom zijn hoed in de hand, draaide zich om en liep weg.

Josef stond met open mond te kijken.

'Nou zie je zelf dat je het helemaal mis hebt! Hoe aardig en beleefd ze zijn! Dit zijn nog eens eerlijke en nette mensen die gestudeerd hebben en ook andere talen spreken en zich nooit zullen misdragen, nooit!' zei ze bijna kwaad.

Josef keek haar geschrokken aan. Maria had de envelop opengemaakt. Ze vouwde het briefje open en begon te lezen. Na nog geen halve minuut sloeg ze kreet van vreugde en maakte een paar danspasjes. Ze liep op Josef af, die al die tijd zich nauwelijks had durven bewegen, en gaf hem een dikke zoen op z'n wang. Hij bloosde ervan en wist niet wat hem overkwam. Toen Maria de keuken in kwam zat Vader Reiter de krant te lezen. Ze zuchtte even om zijn aandacht te trekken, echter zonder resultaat.

'Ik, ik wil ...ik moet u iets vertellen!' zei ze gespannen.

Mannfred keek even op uit zijn krant maar ging vervolgens weer verder met lezen.

'Omdat ik niet wil dat u het van iemand anders hoort vertel ik het u zelf... omdat u mijn vader bent! omdat u daar recht op hebt!'

Mannfred Reiter nam een slok van zijn bier en sloeg de krant om.

Maria deed een stap naar de tafel toe en legde haar handen op de leuning van een stoel.

'Ik moet u iets heel belangrijks vertellen. Iets wat mijn leven voor goed en altijd zal veranderen.

Ik weet ook dat u het er niet gemakkelijk mee zult hebben maar ik heb een beslissing genomen!'

Nog steeds deed vader Reiter geen enkele moeite om haar de indruk te geven dat hij ook maar een moment naar haar had geluisterd.

'Morgenavond ben ik uitgenodigd... officieel... om naar Haus Wachenfeld te gaan.' zei ze trots en zelfverzekerd.

'Waar ga je heen?' vroeg hij haar alsof hij het niet goed had verstaan.

'Naar Haus Wachenfeld op de Obersalzberg. Adolf Hitler heeft mij gevraagd daar naar toe te komen.'

Voor het eerst keek Mannfred Reiter nu zijn dochter aan. Langzaam legde hij de krant op tafel.

'Beste meid, jij gaat helemaal nergens heen, jij blijft gewoon hier en nergens anders heb je me verstaan? Adolf Hitler! Mijn dochter, uitgerekend mijn dochter! Wat doe je me aan!'

'U begrijpt het niet,' zei ze rustig, 'eens zal u inzien dat ik de juiste keuze heb gemaakt.'

Mannfred werd rood van woede, 'De juiste keus? Jij maakt helemaal geen keuze, ik bepaal wat hier gebeurt en niemand anders! Ik waarschuw je wanneer je die man nog één keer ziet dan kom je der hier niet meer in, nooit meer!'

Maria draaide zich om en liep rustig de keuken uit.

Ze was opgelucht.

'Je bent een hoer, mijn eigen dochter is godverdomme een hoer!' schreeuwde Mannfred haar na.

'Maria wat ben je aan het doen?' Anni stond op een klein trapje en stak haar hoofd door het zolderluik.

'Moeder zal zo blij zijn, ik draag deze jurk morgenavond uit eerbied voor haar.'

Maria stond voor een spiegel en droeg een ouderwetse avondjurk.

'Ben je soms helemaal gek geworden!' zei Anni boos.

Maria maakte een draaiende beweging waardoor de jurk mooi uitwaaierde. 'Zij heeft mij gesterkt in mijn verdriet door haar heb ik het geduld kunnen opbrengen. Telkens wanneer ik bij haar graf was hoorde ik haar stem. Ze is altijd bij mij...zij is de enige die mij begrijpt.'

Anni klom nu verder naar boven en liep op haar zusje af. 'Doe niet zo belachelijk stel je alsjeblieft niet zo aan!'

'Niemand kan mij nog tegen houden. Ik word zo verdrietig van hoe jullie over hem praten. Jullie kennen hem niet eens!'

'Jij gaat hier niet de deur uit in moeders trouwjurk, vader zal je vervloeken!' Bonendien loop je voor gek!'

Maria haalde haar schouders op. 'Anni denk nu eens goed na. Wij moeten ons eigen leven leiden en niet bang zijn voor vader of wie dan ook.'

'Je doet nu die jurk uit!' zei Anni beslist.

'Het spijt me, dat doe ik niet!'

Anni probeerde de jurk van haar schouder te trekken maar Maria weerde de aanval met haar elleboog af.

'Hou op met deze waanzin voordat het te laat is!' waarschuwde Anni.

Maria wilde weglopen maar Anni trok haar aan een vlecht naar zich toe en gaf haar een klap in het gezicht. Maria raakte uit balans, stootte de spiegel om en viel op de grond. Even leek zij duizelig en draaide ze met haar ogen. De scherven van de spiegel lagen her en der om haar heen. Er kwam bloed uit haar neus.

Haus Wachenfeld lag gunstig op de zon.

Heinrich Hoffmann dacht daar anders over, hij had liever iets van een slag schaduw of iets van dynamiek waardoor de compositie aantrekkelijker zou worden.

Zijn oudste dochter, Henriëtte, assisteerde hem en droeg onder andere een zware tas en een houten statief. Zij zag er grappig uit. Blonde krullen, hel blauwe ogen en een slank postuur. Ze was nog geen twintig jaar.

'Hier, ja hier,' gebaarde Hoffmann, 'hier heb ik eindelijk een goede hoek!'

Moeizaam strompelde ze door het weiland naar haar vader.

'Kijk dit is mooi, zo komt het huis pas goed tot zijn recht en vanaf hier lijkt het ook veel groter.'

'Maar vader wat moet hij toch met een groot huis helemaal alleen?'

'Trouwen, kinderen, familie, logés, personeel... regeren is vooruit zien Henriëtte.' zei Hoffmann met een lach.

'Trouwen? Gaat oom Adolf trouwen, met wie dan wel?' vroeg zij nieuwsgierig.

'Kom geef me het statief eens aan lieverd.'

'Ik wist niet dat hij een vriendin had, kent hij er nog maar net?'

'Wat ben je weer nieuwsgierig!'

'Ik noem het interesse!'

'Zij is nog jong, heel vriendelijk en ze woont hier in de buurt, en verder is het staatsgeheim.' zei Hoffmann met een glimlach.

In de schemering werd de boerenkar door een oud paard moeizaam de heuvel opgetrokken. Ze zat rechtop met haar handen gevouwen in haar schoot op de bok naast een jongen van haar leeftijd.

Hij had een mongoloïde uitdrukking.

'Je lijkt wel een prinses in die jurk.' zei de jongen.

Maria bloosde, 'Wel nee, maar ik vind hem ook heel mooi, het is de trouwjurk van m'n moeder.'

'Maar wat ga je daar dan doen, werk je soms in Haus Wachenfeld?' vroeg hij.

'Nee ik werk daar niet maar ik ga er wonen.'

'Wonen? Vinden ze dat thuis wel goed?'

'Ik ben gevlucht, m'n vader wil me nooit meer zien!' zei Maria.

'Het het zijn vreemde snuiters hoor, ze rijden met heel dure auto's en denken dat ze hier zomaar alles mogen!'

'Ja dat komt omdat waar zij vandaan komen nu eenmaal alles anders gaat. Echt ze zijn heel vriendelijk!'

'Pas maar op ik heb gehoord dat er een man woont die heel hard tegen zijn hond schreeuwt en hem ook wel eens schopt.'

Maria luisterde nauwelijks naar hem. Er viel een stilte.

'En die man heeft ook iemand dood geslagen en in de gevangenis gezeten en hij stinkt naar rotte pruimen!' zei hij met een hoge stem.

Ze sprong van de kar af en pakte haar koffer uit de laadbak.

'En er wonen daar ook spoken!' Hij trok een raar gezicht en maakte daarbij enge geluiden.

Zonder iets tegen hem te zeggen liep ze nu de laatste honderd meter naar boven terwijl de boerenknecht in de verte hysterisch lachte.

Toen ze bij de voordeur van Haus Wachenfeld stond was het nagenoeg donker.

Maria trok aan een ketting waaraan een bel bevestigd was. Op de oprijlaan stonden drie auto's geparkeerd, ze herkende de Mercedes waarin ze samen met Hitler zoveel ritjes had gemaakt.

'Juffrouw Reiter, komt u verder u wordt verwacht.'

Ze draaide zich om en zag Julius Schaub die voor haar de deur openhield.

'Hallo Julius, dank je.' zei Maria.

Ze gaf haar wollen vest aan Julius af die met enige verbazing naar de avondjurk van Maria keek.

'U kunt hier plaatsnemen juffrouw Reiter.' hij wees naar een stoel die in de gang tegen de muur stond. 'Ik kom u zo dadelijk halen.'

Hij verdween door een deur aan het einde van de gang.

Maria zei niets en begreep niet waarom Julius haar opeens met u aansprak.

Ze bekeek de ruimte om haar heen. Op een tafel tegenover haar stond een vaas met een groot boeket witte rozen. Aan de muur hingen een paar schilderijen van steden die zij niet kende. En op de grond lag een dik Perzisch tapijt.

Haar hand verdween even in haar decolleté waaruit ze een dun gouden kettinkje met een medaillon, tevoorschijn haalde. Ze opende nu het sieraad waarin een klein fotootje van haar moeder prijkte.

Ze draaide het portret van zich af.

'Kijk moeder,' zei ze zacht, 'hier zal ik eerdaags wonen, hier zal ik kinderen krijgen en die dan net zo als jij liefdevol opvoeden. Hier zal ik gelukkig worden!'

Toen Julius weer verscheen hing zij het medaillon in een handomdraai op z'n plek.

'U kunt nu verder komen juffrouw Reiter.'

Ze volgde hem naar de open deur aan het einde van de gang.

Daar liet hij haar voorgaan. Toen Maria even achterom keek zag ze dat Julius niet mee naar binnen was gegaan.

In een soort werkkamer of bibliotheek zaten achter een grote tafel drie heren waarvan de gezichten spaarzaam werden verlicht door een schemerlamp die op het bureau stond. Ze herkende Alfred Rosenberg, de man in het midden die een sigaar rookte en de man rechts van hem kon ze niet thuis brengen. Ze zagen er onberispelijk gekleed uit.

'Gaat u zitten,' zei de man recht tegenover haar, 'mijn naam is Max Amann, uitgever en adviseur van Herr Hitler, de heren links en rechts van mij zijn hier aanwezig als getuigen.'

Maria voelde zich ongemakkelijk en ging op het puntje van de stoel zitten en keek schichtig om zich heen.

'Juffrouw Reiter wij stellen uw komst zeer op prijs. Wij hebben met u een belangrijke zaak te bespreken en rekenen op uw volledige medewerking opdat één en ander zo prettig mogelijk voor alle partijen zal verlopen.'

Zij knikte vriendelijk en speelde met één hand nerveus met het gouden kettinkje waaraan het medaillon hing.

'Juffrouw Reiter wij hebben de opdracht u een boodschap over te brengen en u tevens een advies te geven. Wij vragen u aandachtig te luisteren en deze kwestie als zeer serieus te beschouwen, zowel in uw eigen belang als dat van ons allen!'

'Ja, ja natuurlijk, vanzelfsprekend!' zei Maria.

'Er breekt eerdaags een nieuwe belangrijke tijd aan.

Wij allen zullen offers moeten brengen, voor iedereen is een taak te vervullen.'

'Dat begrijp ik, ik ben me daar zeer van bewust.' Ze keek de heren verwachtingsvol aan.

Julius Schaub kwam binnen en serveerde voor iedereen een kopje thee. Vervolgens nam hij plaats op een stoel en begon hij de krant te lezen.

Max Amann tuitte zijn lippen en dacht even na Alfred Rosenberg was met een zakdoek bezig zijn bril schoon te maken. De man ter rechter zijde had bij alles wat Max Amann had gezegd, hevig zitten knikken.

'Juffrouw Reiter het verheugt mij dat u zich realiseert dat de omstandigheden vragen om discretie en bescheidenheid. Ik hoef u niet uit te leggen dat wij, allen hier aanwezig, ons realiseren dat uw bijdrage in deze zaak van groot belang voor Duitsland is en met name voor uw eigen toekomst!'

'Ja maar, maar waar is Herr Wolf eigenlijk.' vroeg Maria ongerust.

'Hij laat zich verontschuldigen en heeft mij verzocht hem te vertegenwoordigen.' zei hij zonder enige emotie.

Maria knikte maar gaf niet de indruk het te begrijpen.

Uit een leren map die voor hem op het bureau lag pakte Max Amann een grote verzegelde envelop en overhandigde deze aan Maria

'U mag de envelop openmaken en ik vraag u Juffrouw Reiter het document met zorg en aandacht door te nemen.' zei hij alsof het om een examen ging.

Voorzichtig trok ze het lakzegel kapot. Ze haalde een wit vel papier tevoorschijn met een schrijfmachine getypte tekst daarop.

Voor ze ging lezen keek ze nog een keer Max Amann aan. Met zijn hand gebaarde hij dat ze moest gaan lezen.

Er werd tegenover haar in drie porseleinen kopjes geroerd. Maria probeerde zich te concentreren.

"Ik Maria Reiter wonende in Berchtesgaden verklaar Adolf Hitler gekend en ontmoet te hebben. Van een relatie of vriendschap is echter nooit sprake geweest. De schaarse ontmoetingen waren volkomen vrijblijvend van aard en voltrokken zich in het openbaar.

Alles wat zich in het verleden heeft afgespeeld kan hooguit worden omschreven als louter toevallige gebeurtenissen.

Ik Maria Reiter verklaar hierbij dat er tussen Herr Adolf Hitler en ondergetekende geen enkele vorm van intimiteit of toenadering heeft plaatsgevonden.

Ik Maria Reiter zal mij ervan onthouden om in welke vorm dan ook verder contact met Adolf Hitler te zoeken.

Was getekend: Maria Reiter, 29 oktober 1927."

Maria keek langzaam op. Ze knipperde met haar ogen en kon nauwelijks geloven wat zij zojuist had gelezen'.

'Juffrouw Reiter als u iets niet begrepen heeft kunt u mij dat nu vragen.' zei Max Amann.

'Als ik iets niet begrepen heb.' herhaalde ze langzaam op zachte toon.

'Is het u duidelijk?' zei hij kort afgemeten.

Ze zag wit en haar ogen traanden, 'Ja of nee, maakt dat nog wat uit?' vroeg ze afwezig.

'Ik adviseer u dit volledig vrijwillig te aanvaarden en bij deze te ondertekenen.'

Julius Schaub stond inmiddels naast haar en gaf haar zijn vulpen.

Max Amann boog zich naar voren. 'Hier...daar mag u uw handtekening plaatsen.' wees hij met zijn wijsvinger aan.

Met de pen in haar hand staarde Maria roerloos naar het document dat voor haar lag.

'Juffrouw Reiter, Maria! Ik verzoek u nu te tekenen!'

Met een trillende hand zette zij haar handtekening.

Max Amann trok de getekende verklaring snel naar zich toe en borg deze op in de leren map.

Maria zat hulpeloos in elkaar gedoken op haar stoel. In haar hand hield ze de vulpen stevig vast.

'U bent een verstandige jonge dame, u verdient alle respect!' zei Max Amann. De man rechts van hem knikte bevestigend.

Alfred Rosenberg was opgestaan en verliet zonder iets te zeggen de kamer.

Julius Schaub nam zijn vulpen uit haar samengeknepen vingers en trok haar stoel naar achter ten teken dat de zitting ten einde was.

'Mijn chauffeur zal u nu naar Berchtesgaden brengen of een andere bestemming in de buurt zo u wenst. Dank u. U kunt nu gaan!' zei Max Amann ten afscheidt.

'Het duurt lang. Ik ben er niet gerust op. Dit soort dingen maakt me nerveus. Hoffmann zeg nu toch eens wat!'

Hitler ijsbeerde door de zitkamer van Haus Wachenfeld. Hoffmann zat bij de openhaard en dronk een glas wijn.

'Wat wil je dat ik zeg. Het spijt me dat het zo loopt. Zij is amper achttien jaar, je mag hopen dat ze het allemaal begrijpt.'

'Wat kon ik anders? Vrouwen denken snel dat zij een man in hun macht hebben. Het moet duidelijk voor ze zijn dat zij pas op de tweede plaats komen! Zij moeten zich zonodig volledig weg kunnen cijferen! Vrouwen moeten...'

Hij stopte zijn betoog toen Alfred Rosenberg en Max Amann de kamer binnen kwamen.

De uitgever overhandigde Hitler het zojuist door Maria Reiter getekende document.

Hij kuchte nerveus. 'Heeft zij vrijwillig getekend of onder protest?'

vroeg Hitler.

'Zoals ik had verwacht, zij heeft precies gedaan wat wij verlangden. Zij heeft respect voor u en wil dat in geen enkel opzicht beschamen!' antwoordde Max Amann.

Hitler keek nu Alfred Rosenberg aan, 'Kom ik er zo makkelijk vanaf denk je?'

'Er is in principe niets voorgevallen waarmee uw positie in opspraak zou kunnen komen en met dit bewijs hebben we ons alleen nog maar meer ingedekt tegen welke lastering dan ook.'

Nu richtte Hitler zijn blik op Heinrich Hoffmann, 'Jij hebt zelf een dochter van die leeftijd, heb ik fout gehandeld?'

'Ik neem aan dat je haar alleen hebt willen beschermen tegen mogelijke toekomstige problemen en dat je voor haar alleen het beste wenst.'

'Juist ...zo is het.' zei hij opgelucht, 'Het is vanaf nu tijd voor alleen nog maar serieuze zaken. Bij het geen wij willen bereiken horen nu eenmaal harde beslissingen!'

'Ach zo'n jong meisje heeft geen besef van politieke verantwoording en kan zich ook geen enkele voorstelling maken van hetgeen ons bezig houdt en welke enorme inspanningen wij zullen moeten leveren.' zei Alfred Rosenberg.

Julius Schaub kwam de kamer in met een dienblad waarop zes glazen wijn stonden.

Een kort handgebaar van Hitler was voor de anderen het teken elk een glas te pakken. 'Goed dan heren, laten we het glas heffen op de jonge, mooie en verstandige vrouwen van ons land die mede een nieuwe natie tot bloei zullen brengen!'

Er werd geproost. Hitler, Alfred Rosenberg en Max Amann hadden plezier.

Heinrich Hoffmann hield zich iets afzijdig en las het getekende document dat op tafel lag. Met een peinzende uitdrukking bekeek hij het gezelschap en schudde met zijn hoofd.

De stal was spaarzaam verlicht. Een tiental koeien keek nieuwsgierig toe hoe Maria bij het schijnsel van een olielamp in de trouwjurk van haar moeder een briefje zat te schrijven.

Ik hou van hem, ondanks alles hou ik van hem, van hem alleen! Ik ben nu gelukkig, ik ben nu bij moeder. Het spijt me. Ik kon niet anders!'

Ze zette haar handtekening en legde het stukje papier op een melkkrukje. Een schuin geplaatste trap naar de hooizolder stond midden in de stal. Maria schopte haar schoenen uit en klom een paar treden naar boven. Ze had een stuk touw in haar hand. De ene kant maakte ze vast aan een balk aan de andere zijde had ze een strop gemaakt die ze om haar nek deed. Ze sloeg een kruisje en prevelde iets wat op een gebed leek. Er liepen tranen over haar wangen. Ze sloot haar ogen en sprong van de trap.

De strop sloot zich om haar nek. Maria maakte spartelende bewegingen. Ze probeerde het touw boven haar hoofd te pakken te krijgen. Ze draaide om haar as en ging als een wilde te keer.

Ze begon vreemde geluiden te maken die erop wezen dat ze geen lucht meer in haar longen kreeg.

Net toen het leek alsof ze haar pogingen om te overleven wilde opgeven brak het touw in tweeën. Ze viel met een klap op de grond en bleef bewegingsloos liggen.

'Deze ook?' vroeg Henriëtte en ze hield een uitvergroting van een zwart-wit foto omhoog.

Haar vader stond samen met haar in de kelder van zijn zaak in München tussen grijze archiefkasten.

'Alles, alles moet weg!' antwoordde Hoffmann.

'Maar waarom toch, zo'n leuk meisje...wat heeft ze misdaan?'

'Lieve schat vraag me het niet, maar wanneer Hitler mij dringend verzoekt al het materiaal van haar te vernietigen zal dat ongetwijfeld een reden hebben.'

Hoffmann staarde even naar een foto van Maria Reiter waar ze samen lachend met Adolf Hitler achterin zijn Mercedes zat en op een andere prent zag hij hoe ze gedurende een picknick plezier hadden.

'Ze is leuk om te zien! En kijk eens hoe ze hier zit te stralen, ze lijkt wel verliefd,' zei Henriëtte enthousiast.

'Ja dat was ze ook.' zei hij iets te spontaan.

'Was ze verliefd op *hem*?'

'Henriëtte dat doet er niet toe! Geniet jij nu maar van je jeugd en pas op voor ondeugende heren!' zei Hoffmann met een knipoog.

Het perron was verlaten. Maria droeg een opvallend grote sjaal om haar nek en had grote kringen onder haar ogen. Anni hielp haar sjouwen met de bagage.

'Weet je het zeker?'

'Natuurlijk! Anni je hoeft je geen zorgen te maken' Maar dat doe ik juist wel, ik wist niet dat hij zo belangrijk voor je was?'

'Het is allemaal een boze droom. Ik heb geluk gehad en wie weet komt het toch nog allemaal goed.'

Ze keek Maria vol medelijden aan, 'Het is een wonder ja, een wonder dat je nog leeft. Die man is het niet waard Maria, geen enkele man is het waard om voor te sterven. Juist jij die zo bruist, die zoveel te geven heeft, jij lieve Maria bent het waard om een mooi leven te hebben met kinderen en een man die echt van je houdt!'

Er viel een stilte, Ze keken elkaar verdrietig aan en vielen in elkaars armen.

Er viel niets meer te zeggen, Maria stapte in de gereedstaande trein voor Innsbruck en zocht een plaatsje bij het raam.

'We moeten nu niet meer twijfelen maar juist ons laten zien. We moeten een signaal afgeven. Al onze tegenstanders moeten ons vrezen en als daar gewonden of zelfs doden bij vallen dan is dat hun eigen schuld!' zei Hitler resoluut.

Hij liep samen met Julius Schaub en Prinz zijn herder door het park van Berchtesgaden.

'Maar hebben we dan zo'n Röhm en z'n mannen wel in de hand, is hij niet te veel op een machtspositie uit?' vroeg Julius.

'Hij wordt in de gaten gehouden. Ik zal niet toestaan dat hij in de verlegenheid komt om domme dingen te doen!'

'U kunt altijd een beroep op mij doen, dat weet u.'

'Afgesproken!' Hitler zag plotseling een andere herdershond en keek nerveus om zich heen.

'Dat meisje Reiter? Hoe zou het met haar zijn?'

Julius trok zijn schouders op. Ze was bijna dood.'

Hitler stopte en pakte Julius bij zijn arm, 'Wat!? Hoe bedoel je bijna dood?'

'Heel Berchtesgaden weet het, ze heeft zich geprobeerd te verhangen.'

Er viel een stilte.

Hitler kuchte nerveus. 'Waanzin!' zei hij bijna kwaad, 'Vrouwen kunnen gewoonweg niet op een normale manier met mannen omgaan. Vrouwen zijn laf! Wanneer het erop aankomt raken ze in paniek! Daarom heb ik dat ook in de statuten van onze partij laten vastleggen dat er nooit maar dan ook nooit een vrouw een politieke functie van welke aard dan ook mag bekleden! Vrouwen hebben nu eenmaal niet de kwaliteiten die wij mannen bezitten zij hebben een geheel andere taak te vervullen.'

Julius knikte wat onzeker bij het aanhoren van Hitler's opvattingen.

München, december 1927

Het appartement van Hitler op de Prinz Regentenplatz was comfortabel en luxueus ingericht. Ludwig Troost, een succesvolle architect, had voor Hitler de meeste meubels ontworpen. Zijn stijl was vooral zwaar en donker.

De huishoudster liet Hoffmann en zijn dochter Henriëtte binnen.

'U zult even moeten plaatsnemen in de salon. Herr Hitler is nog in zijn werkkamer.' zei ze verontschuldigend.

Toen Hoffmann en zijn dochter even later samen op een bank zaten keken ze met bewonderende blikken om zich heen.

'Dit noem ik nu een huis! Hier ben je thuis.' zei Henriëtte.

'Bogenhausen is geen goedkope buurt, je zal dan of rijk moeten trouwen of een beroemde actrice moeten worden.' stelde haar vader vast.

Aan de muur hingen tal van kunstwerken. Bismarck in uniform hing naast een portret van Frederik de Grote.

Henriëtte stond op om nog een ander doek beter te kunnen bekijken. De voorstelling liet een aantal soldaten zien die over een landweg marcheerden.

'Soldaten, wie hangt er nu een schilderij van soldaten aan de muur?'

Hoffmann draaide zich om en keek naar het kunstwerk. 'Ieder z'n smaak. Maar ik moet toegeven dat het hier niet past.'

De deur van de werkkamer zwaaide open en Hitler verscheen.

'Kijk aan vader en dochter Hoffmann, wat een eer!' zei hij met een glimlach.

Ze gaven elkaar een hand.

'En, is het niet een schitterend schilderij?' vroeg Hitler aan Henriëtte toen hij bij binnenkomst gezien had dat ze er naar stond te kijken.

'Ja, uh ja zeker.' De vraag overviel haar. 'Maar ik denk dat het mooier uitkomt in een andere omgeving, de voorstelling is misschien te dramatisch, te angstaanjagend.'

Hitler reageerde niet op haar mening. Hij keek strak naar het kunstwerk. Zijn ogen waren koud en zijn gezichtsuitdrukking verraadde een onderhuidse woede.

'Stoere mannen, gehard en moedig, op weg naar het front om Franse en Engelse soldaten te doden. Zij hebben niet tevergeefs gevochten mijn kind! Duitsland zal nooit meer een oorlog verliezen! Dat beloof ik aan iedereen die mij steunt en mij onvoorwaardelijk gehoorzaamt. Alleen dan zal Duitsland herreizen en Europa inzien dat wij wel degelijk een Natie zijn om rekening mee te houden.' zei Hitler gedreven.

Henriëtte durfde niets meer te zeggen en keek hem met grote verwonderde ogen aan.

Toen hij zich omdraaide was er plotseling weer een glimlach op zijn gezicht. Hij sloeg een arm om haar heen. Henriëtte voelde zich ongemakkelijk maar durfde zich niet te verzetten.

'Hoffmann waarom ik je gevraagd heb hier te komen samen met je lieve dochter heeft te maken met het feit dat ik vandaag gasten verwacht en ik plotseling voor een belangrijke vergadering naar Neurenberg moet. Om vier uur vanmiddag komt op het hoofd station mijn half zusje Angela met haar twee dochters Geli en Friedl uit Wenen aan. De meisjes zijn van jouw leeftijd Henriëtte, jullie kunnen het vast goed met elkaar vinden. Ik zou het op prijs stellen als jullie de dames en hun bagage zouden willen ophalen en hierheen brengen. Mijn huishoudster zal aanwezig zijn voor de ontvangst.'

Hitler haalde een foto van zijn nichtjes Geli en Friedl tevoorschijn. 'Hier kijk zo zien ze eruit, dit was geloof ik vorig jaar kerst.'

'Slecht gefotografeerd,' stelde Hoffmann vast.

'Inderdaad wat je zegt, ik kan er niets van! Je moet Geli maar eens als model vragen.' zei Hitler op dwingende toon. Hoffmann lachte zuinig.

Het alpenlandschap was bedekt met een dik pak sneeuw. De zon scheen vanuit een staalblauwe lucht op het witte tapijt wat glooiend door het dal leek neergelegd.

De trein kwam met veel bijgeluiden tot stilstand op het grensstationnetje van Duitsland en Oostenrijk.

Angela Raubal en haar twee dochters keken verschrikt op toen de deur van hun coupé met een stevige hand geopend werd. De douane beambte was een norse dikke Oostenrijker.

In een onverstaanbaar dialect vroeg hij streng de paspoorten van de drie aanwezigen. Hij bekeek de documenten lang en zorgvuldig na, vooral de foto's hadden zijn aandacht.

Geli was net twintig. Ze had donkerbruin half lang haar, spierwitte tanden en sensuele lippen. Haar ogen hadden een grijsgroene tint en leken voortdurend te stralen. Zelfs in de afdankertjes van haar oudere zus zag ze er nog modieus uit.

Friedl was twee jaar ouder dan Geli. Ze had een mager postuur en vlassig donkerblond haar.

Ze was een onzeker en schichtig meisje.

Angela Raubal was een verzorgde vrouw van nog geen vijftig jaar. Ze was stijlvol, trots en welbespraakt.

Nadat de geüniformeerde Oostenrijker zijn werk gedaan had verscheen zijn Duitse collega.

Hij was jong en vriendelijk. Hij zag Geli en wierp haar een speelse blik toe. Even was er oogcontact. Geli sloeg haar benen over elkaar waardoor haar rok iets omhoog schoof.

Haar moeder trok snel de stof glad en maakte een berispend gebaar.

Toen de trein zich weer in beweging had gezet verliet Angela de coupé om naar het toilet te gaan.

'Duitsland! Eindelijk Duitsland!' zei Geli, 'Een nieuw leven, een ander leven. Weg uit dat bekrompen Wenen met z'n zogenaamde chic! Weg uit een land zonder toekomst!'

Friedl deinde mee op het ritme van de wagon en keek Geli met een ongeïnteresseerde blik aan.

'Mijn God... Friedl waarom hebben we zolang gewacht? Wat heeft moeder weerhouden om niet veel eerder weg te gaan? Armoede! Wat een treurige tijd was het daar!'

'Doe niet zo raar we hebben ook lol gehad en genoten van Wenen in het voorjaar en hoe vaak zijn we niet in het Prater geweest?'

Geli fronste haar wenkbrauwen. 'Die paar keer... ik kan het me nauwelijks herinneren. Je zal zien hoe anders het bij oom Alf zal zijn. Hij leest en hij heeft zelf al een boek geschreven! Hij heeft oog voor kunst en hij heeft zelf heel veel schilderijen gemaakt. Maar ook muziek heeft zijn interesse en hij kan prachtig vertellen. Je denkt toch zeker niet dat al die mensen zomaar naar hem toe komen als hij ergens spreekt...duizenden mensen hangen aan zijn lippen! Oh wat heb ik naar deze dag uitgekeken eindelijk verlost van een verleden dat ik haat!'

Friedl haalde een boek uit haar tas en begon te lezen.

Toen Heinrich Hoffmann en Henriëtte op het hoofdstation aankwamen was de trein uit Wenen al vijf minuten daarvoor gearriveerd. Het parkeren van zijn auto had meer tijd gevergd dan verwacht.

Hoffmann had de foto van de zusje Raubal in zijn hand en speurde het perron af, maar de famile was nergens te zien.

Na een minuut of tien besloten vader en dochter het station te verlaten. De familie Raubal was nergens te zien. Ze reden weg en moesten na 50 meter hard remmen voor een drietal overstekende vrouwen.

'Kijk daar! Dat zijn ze!' riep Henriëtte met overslaande stem.

Hoffmann zag het ook en claxonneerde om hun aandacht te trekken. Moeder Raubal en Friedl liepen door alsof ze niets gehoord hadden, alleen Geli draaide zich om.

'Familie Raubal?' riep Hoffmann

'Ja?' zei Geli die was blijven staan terwijl haar moeder en zusje enkele meters verder op afstand toekijken.

Hoffmann stapte snel uit de auto. 'Mijn naam is Heinrich Hoffmann, Adolf Hitler heeft mij gevraagd om u van het station te halen. Hij moest met spoed naar Neurenberg.'

'Heeft u een voorspoedige reis gehad?' vroeg Hoffmann over zijn schouder aan Angela Raubal die met haar twee dochters op de achterbank van zijn auto zat.

'De reis is goed verlopen dank u.' zei ze afstandelijk.

'Wenen lijkt mij zo geweldig ik zou er alles voor over hebben om daar te mogen verblijven.' zei Henriëtte enthousiast.

Geli keek haar met grote ogen aan. 'Echt meen je dat nou?'

'Ja natuurlijk!'

'Nou als je er eenmaal woont dan wil je er het liefst zo snel mogelijk vandaan. Weet je wel hoeveel vervelende buitenlanders daar bij ons wonen en die ook nog eens net doen alsof het hun stad is!'

'Maar dat is toch leuk als er veel mensen uit andere landen zijn. Hongaren, Tsjechen al die culturen dat is toch geweldig!'

'Ze stinken en ze stelen zul je bedoelen!' zei Geli.

Henriëtte keek even opzij naar haar vader maar die concentreerde zich op het drukke verkeer.

'In Oostenrijk,' ging ze verder, 'zou oom Alf heel veel goed kunnen doen. Die politici bij ons beloven van alles maar ze zijn alleen maar met zichzelf bezig. Ik heb misschien geen verstand van politiek maar het wordt hoog tijd dat er iets gebeurt, ben zo blij dat ik weg ben uit dat stomme land!'

'Zo is het wel genoeg!' zei haar moeder streng.

Het was hard gaan sneeuwen. Snel hadden Hoffmann en zijn dochter afscheid genomen van Hitler's gasten. De huishoudster was naar beneden gekomen om de dames Raubal te helpen met de bagage.

Eenmaal boven verbaasden de logés zich over de afmetingen en luxe van het huis.

Angela Raubal kreeg een eigen slaapkamer, de twee zusjes deelden een ruim bemeten vertrek.

'Alles goed en wel maar ik zou toch wel willen weten wanneer Hij terugkomt?' vroeg Angela Raubal aan de huishoudster die met haar jas aan in de gang klaar stond om te vertrekken.

'Misschien morgen maar het kan ook zomaar overmorgen zijn, hij heeft mij dat niet precies laten weten.' Ze wenste Angela nog een prettige avond en trok de deur achter zich dicht.

Geli en Friedl lieten zich in twee grote lederen fauteuils zakken van waaruit ze vol bewondering de ruimte om zich heen in zich opnamen.

Geli pakte een grote blikken trommel, nam er een biscuitje uit en at dat met genoegen op.

'Hmmm.lekker!' zei ze met volle mond. 'Oom Alf weet wat kwaliteit is, niet zomaar koekjes maar biscuits!'

Angela Raubal kwam de kamer binnengelopen met een gezicht wat op onweer stond.

'Twee eieren, een pak spaghetti en zwiback dat is precies alles wat jullie oom Alf voor ons heeft achtergelaten, nou wat een onvergetelijk welkom.' zei ze ironisch.

'Deze zijn heerlijk.' zei Geli, 'Hier proef zelf, hmmm.' Ze strekte haar arm, met de blikken trommel, naar haar moeder uit.

'Nee dank je.' zei ze beslist.

'Ach moeder doe toch niet zo flauw, morgen is hij hier en dan begint het

85

feest, hij wil ons vast nooit meer kwijt want wat moet oom Alf nou helemaal alleen in zo'n groot huis?.'

'Mijnheer zit in Neurenberg!' mopperde Angela. 'Wij zijn toevallig wel familie en niet zomaar een stel kennissen!'

Friedl zei niets en slaakte een diepe zucht.

'Ach wat zeurt u nu toch! Hij heeft u toch gevraagd om hier de huishouding te gaan doen?' zei Geli terwijl ze weer een biscuit uit de trommel haalde.

'Waar slaat dat nou op, wat bedoel je?'

'Nou hij wil gewoon dat u boodschappen gaat doen en dat er voorraad is en u lekker voor hem kookt'

'Belachelijk! Ik laat me niet op deze manier behandelen! Als hij niets van zich laat horen gaan we morgen terug.'

'Wat?' Geli verslikte zich bijna, 'Wat zegt u? Terug naar Wenen? Nou ik niet, ik blijf hier, bij oom Alf. Nooit ga ik terug...nooit!'

Haar moeder keek haar kwaad aan draaide zich om en ging naar haar kamer.

'Doe niet zo gek je denkt toch zeker niet dat je hier zomaar mag blijven als moeder en ik weggaan?' zei Friedl onzeker.

'Waarom niet?'

'Gewoon je hebt hier niets te zoeken.'

'Zou hij een vriendinnetje hebben denk je?'

'Dat gaat je niets aan!'

'Misschien heeft hij wel iets met die huishoudster!'

'Hou op Geli doe niet zo mal!'

'Oom Alf is vast een vrouwenverslinder, wie weet ziet hij wel iets in jou.' grapte Geli.

De telefoon klonk schel en hard. De zusjes bleven zitten en keken elkaar aan. Thuis hadden ze geen telefoon, ze wisten nauwelijks hoe zo'n apparaat werkte. Angela kwam haar kamer uit en liep naar de werkkamer van Hitler. Ze knipte het licht aan en nam de telefoon op.

Het gesprek duurde nog geen minuut.

Nieuwsgierig geworden was Geli opgestaan en naar de werkkamer gelopen. Ze stond plotseling oog in oog met haar moeder.

'Hij komt zondag terug.'

'Morgen! Hoe laat?' vroeg Geli met een blij gezicht.

'Geen idee!' antwoordde haar moeder humeurig.

Friedl en haar moeder gingen naar bed.

Geli had de radio ontdekt en drukte een toets in en zocht naar een zender met muziek. Een Weense wals klonk uit de luidspreker. Ze deed alsof ze in de armen van een danspartner werd gehouden en zwierde gracieus door het appartement. Na een paar minuten liet ze zich hijgend op de bank vallen.

Ze straalde van geluk en kon een kinderlijke giechelbui nauwelijks onderdrukken.

'Oom Alf ik hou van u!' zei ze op fluistertoon.

Terwijl de organist nog wat improviseerde verlieten de kerkgangers de hoogmis.

Angela kwam gearmd met haar twee dochters naar buiten. De zon scheen maar er stond een schrale wind waardoor de meeste mensen hun gezicht bedekten met de kraag van hun jas, een dikke shawl omsloegen of gewoon hun handen gebruikten om de kou te weren.

Plotseling maakte Geli zich los van haar moeder en zette het op een rennen.

Ze had hem ogenblikkelijk herkend. Oom Alf stond tegen zijn glimmende Mercedes aangeleund.

Ze wilde hem het liefst om de hals springen maar hield zich in.

'Oom Alf wat heerlijk u weer te zien!' ze gaf hem een vluchtige kus op z'n wang.

'Geli laat me naar je kijken! Wat ben je toch een mooie meid!'

'Ik ben zo blij om hier bij u in München te zijn!'

'Goed! Dat hoor ik graag ik heb mij er ook zeer op verheugd.' zei hij en liet zijn hand even langs haar wang gaan.

De begroeting met zijn halfzusje en Friedl was vriendelijk maar ingetogen.

'Kom we gaan iets eten.' nodigde hij zijn familie uit. 'In de Osteria Bavaria, daar weet men precies wat ik lekker vind!'

Angela en de twee zusjes namen achterin de auto plaats. Hitler ging voorin naast zijn chauffeur zitten.

'Hier kijk daar kom ik graag,' ze reden langs de Opera. 'Vooral als ze iets van Wagner opvoeren daar kan ik eindeloos naar luisteren, en jij Geli, houd jij van opera?'

'Jazeker ik heb een keer Romeo en Julia gezien.' zei ze trots.

Hitler draaide zich om naar zijn nichtje. 'Maar kind dat is toch geen kunst, dat is je reinste kitsch. Nee ik zal je wel eens laten zien wat kracht en inhoud heeft, zoals Liebestod uit Tristan en Isolde of iets uit Parsifal. Bevrijdende muziek! Daar kunnen Beethoven en Weber nog wat van leren!'

Even viel er een stilte die werd doorbroken toen Hitler een wijsje begon te fluiten uit een opera van Wagner. Toen Friedl haar lachen niet kon onderdrukken kreeg ze een waarschuwende por van Geli in haar zij.

De Osteria Bavaria was geen chic restaurant maar het had zeker allure. Het was er altijd gezellig druk. Hitler moest her en der met gasten handen schudden. Het duurde wel een minuut of tien voordat ze gezamenlijk aan zijn stamtafel zaten.

Niet veel later voegden zich nog vier heren bij het gezelschap.

'Laat me jullie voorstellen' zei Hitler. 'Herr Hoffmann kennen jullie al, dit is mijn uitgever Max Amann, deze charmante heer heet Ernst Hanfstaengl is kunstminnaar heeft gestudeerd in Amerika en is de best geklede man van München! Alfred Rosenberg! Hij is het geweten van onze partij en tevens eindredacteur van de Völkische Beobachter! Eindelijk onder elkaar met mijn vrienden, lieve nichtjes en hun moeder. Liever zou ik genieten en al het politieke gekrakeel achter mij laten! Misschien was het beter geweest dat ze ons dat spreekverbod voor altijd hadden opgelegd.' zei Hitler met een lach.

'We zijn op de goeie weg. Niemand durft nog te beweren dat wij illegaal opereren. Ik sprak recent met de loco burgemeester we kunnen op hun medewerking rekenen wanneer we hier iets in München willen organiseren.' liet Max Amann aan Hitler weten.

'Mijn beste Max er komt een dag dat we aan niemand meer iets hoeven te vragen. De rollen zijn dan omgedraaid. De machtsverhoudingen zullen weldra een heel ander perspectief staan. De onderkruipers en meelopers van nu zullen we dan laten sidderen van angst, we zullen ze opruimen als ongedierte!' sprak Hitler fel.

Heinrich Hoffmann zat naast Geli en zag aan haar dat ze het gesprek tussen haar oom en de uitgever Max Amann niet begreep maar waarschijnlijk ook niet echt interesseerde.

'Zo jongedame, mag ik Geli zeggen?' vroeg hij.

'O maar natuurlijk mijnheer Hoffmann!'

'En bent u een beetje trots op uw oom?'

'Oom Alf is voor mij altijd een voorbeeld geweest. Hij weet overal zoveel van ik kan heel veel van hem leren, iedereen kan van hem leren!

Ik weet zeker dat oom Alf zijn doel zal bereiken om ons allemaal geluk-kig te maken.' zei Geli terwijl ze trots in de richting van haar oom keek.

'Wie weet heb je gelijk, laten we hopen dat Duitsland weer een gezond en sterk land wordt.' zei Hoffmann.

'Vast en zeker, ik voel mij hier thuis. Duitsland is mijn toekomst!'

Er werd geproost. Geli dronk haar halve glas bier in één teug leeg.

Angela Raubal en Friedl hadden sinds ze aan tafel zaten nog geen woord gezegd. Ze voelden zich in tegenstelling tot Geli niet thuis tussen de vrienden van Hitler.

Tegenover Geli zat Ernst Hanfstaengl. Hij was een knappe man van eind twintig. Droeg modieuze kleding en was zeer charmant. Hij had haar al een tijdje gadegeslagen. 'Juffrouw Raubal, neemt u mij niet kwalijk ik hoorde u zojuist zeggen dat Duitsland uw toekomst is, heeft Oostenrijk dan geen enkel perspectief?' vroeg hij haar.

Geli was verrast door zijn vraag en nam een slok bier om tijd te winnen. 'Misschien later. Maar u moet weten dat ik door oom Alf al heel veel van Duitsland heb geleerd en dat het daardoor voor mij in alle opzichten beter is om hier te zijn.' antwoordde ze.

'En heeft u al enig idee wat u hier gaat doen in München?'

'Ik wil gaan studeren.'

'Maar dat kon u in Wenen ook!'

'Ja, maar hier is het beter. De universiteit van München staat zeer goed aangeschreven.'

'Ik heb in Harvard gestudeerd.'

'Harvard?'

'Ja. In Amerika.'

'Nou ziet u wel u bent ook niet in uw land gebleven!' zei Geli alsof ze hem nu tuk had.

'Maar Oostenrijk of Duitsland is niet zo'n verschil.

Men spreekt de zelfde taal, de landen grenzen aan elkaar en onze culturen hebben vele raakvlakken. Ik bedoel te zeggen dat wanneer u het avontuur wil aangaan dan moet u kiezen voor een land waar alles anders is.'

'Maar Duitsland is juist heel anders. Hier heerst een vecht mentaliteit er gebeuren hier dingen die bij ons nooit zouden kunnen!' zei Geli.

'Goed ik hoor het al uw oom Adolf heeft aan u een echte steun in zijn strijd tegen de vijand! Proost!'

Zojuist waren er weer volle glazen bier op tafel neergezet.

Geli was opgelucht dat Ernst Hanfstaengl zich weer in een ander gesprek mengde en nam een flinke slok bier.

Hitler en zijn jongste nichtje hadden voor een kort moment oogcontact, zijn blik maakte haar zowaar verlegen.

De feestdagen waren in aantocht. Geli en haar zusje waren druk in de weer met het versieren van de kerstboom toen Hitler de zitkamer binnen kwam. Achter hem liep Julius Schaub, met een stapel dozen waar hij net over heen kon kijken.

'Lieve nichtjes,' zei Hitler. 'Deze dagen zijn voor mij vaak een sombere tijd geweest maar nu merk ik hoe heerlijk het is om juist te genieten van het kerstfeest en alles wat daarbij hoort.'

Inmiddels was ook Angela Raubal, met een wit schort voor, uit de keuken gekomen.

'Voor jullie,' wees hun oom naar de dozen die Julius Schaub bij de kerstboom op de grond had gezet.

Voor de dames had hij een mooie avondjurk gekocht met bijpassende schoenen.

Geli was zich snel op haar kamer gaan omkleden en kwam terug in een schitterende donkerrode creatie die ook nog was opgesierd met kleine gele handgeborduurde bloemen. De stof was van puur zijde. Een lage blote rug en dunne schouderbandjes zorgden voor een geraffineerd geheel. Ze paradeerde als een professionele mannequin door de kamer.

'Geli je bent een engel, mijn kerstengel! Werkelijk schitterend.' complimenteerde Hitler zijn nichtje.

Julius Schaub gaf haar zelfs een klein applausje.

Angela en Friedl hielden de jurken voor hun lichaam en stonden verlegen te lachen.

'Oom Alf ik voel mij als een prinses uit een sprookje. Hier heb ik van gedroomd en nu...nu is het werkelijkheid.' Geli omhelsde haar oom en zoende hem op beide wangen.

'Wacht,' zei Hitler terwijl hij iets uit de binnenzak van zijn colbert haalde. 'Hier voor jou.' Hij gaf Geli een klein mooi ingepakt doosje.

Toen ze het had uitgepakt was ze even sprakeloos.

'Dit, dit is zo mooi, ik kan u niet zeggen hoe blij u me heeft gemaakt!'

'Jij hebt mij blij gemaakt lieve Geli! Het is heerlijk om jullie hier om mij heen te hebben vanaf nu weet ik weer hoe belangrijk familie voor mij is. Ik zal nooit meer alleen zijn, die tijd is voorgoed voorbij! Hier in Duitsland zal voor ons alle een nieuwe toekomst aanbreken die de wereld om ons heen zal doen verrassen.'

Hitler hield even stil, liep rood aan en keek met een starre blik naar het schilderij van Bismarck.

'Het verdrag van Versailles zullen wij vernietigen en de genen die het hebben opgesteld kunnen maar beter vast een doodskist bestellen!'

'Bravo!' riep Julius Schaub.

'Bravo oom Alf!' viel Geli hem bij.

Angela en Friedl knikten instemmend.

Geli liet nu vol trots aan iedereen haar cadeau zien.

Hitler hielp haar met het omhangen van de gouden halsketting met een hangertje dat afgezet was met briljanten. Angela en Friedl konden met moeite hun afgunst verbergen.

'Tweemaal Wienerschnitzel met rösti, een salade met ei en tomaat, een glas bier en een mineraalwater.' herhaalde de ober van Café Heck de bestelling die Hoffmann zojuist had opgegeven.

'Putzi Hanfstaengl, wie is dat eigenlijk?' vroeg Henriëtte Hoffmann aan haar vader toen ze de uitnodiging voor een kerstdiner had gelezen.

'Ze zijn rijk, heel rijk. Ze doen in kunst en hebben belangen in tal van bedrijven.' antwoordde Hoffmann. 'En Hitler aast op hun geld?' raadde Henriëtte.

'Dan zal toch eerst zijn vader moeten sterven, Putzi is volgens mij een mislukte zakenman, een klaploper, z'n broer Edgar wil hem absoluut niet in het familiebedrijf hebben.'

'Moet ik daar echt mee naar toe?'

'Ze weten dat mijn vrouw is overleden dus mag ik meenemen wie ik wil en trouwens ik weet zeker dat Hitler je aanwezigheid erg op prijs zal stellen.'

'Hitler?'

'Ja je weet wel die kerel met die snor.' plaagde haar vader.

'Ja en hij heeft ook heel enge ogen en zijn stem vind ik soms zo griezelig... zouden er überhaupt vrouwen zijn die iets in hem zien?'

'Natuurlijk wel!' zei Hoffmann met nadruk. 'Wat denk je, Hitler heeft heel veel kwaliteiten. Hij is niet opdringerig, is een echte heer en heeft kennis van zoveel zaken. Geloof maar dat er heel veel vrouwen zijn die graag de kans zouden willen hebben om bij hem aan een diner te mogen zitten.'

'Meent u dat nou echt?'

'Let op mijn woorden, de vrouw die Adolf Hitler trouwt zal samen met hem geschiedenis maken!'

'Zal best.' zei Henriëtte ongelovig. 'Wie komen er nog meer?'

'Dr. Goebbels, Rudolf Hess, Herman Göring, Max Amann, en zo nog een stuk of wat.'

'Gezellig!' zei ze ironisch.

Putzi Hanfstaengl had niets aan het toeval overgelaten.

De oprijlaan was sneeuwvrij gemaakt, de Petrus was op temperatuur gebracht en de Steinway vleugel was gestemd.

De dames waren allemaal in het lang en de heren in smoking.

Na het drinken van champagne werden de gasten door Putzi aan tafel genodigd

Geli straalde en kreeg van menigeen complimentjes over haar nieuwe jurk.

Ze zat tussen Hitler en Heinrich Hoffmann in. Tegenover haar zat Henriëtte Hoffmann.

Hitler onderhield zich met zijn andere tafeldame Helene, de vrouw van Putzi Hanfstaengl.

'Geli mag ik zeggen dat je er oogverblindend uitziet.' zei Hoffmann.

'Dank u mijnheer Hoffmann. Oom Alf is geweldig hij heeft deze jurk persoonlijk voor mij uitgezocht!

Ik ben zo blij hier tussen zijn vrienden aanwezig te mogen zijn, dat is echt een hele eer.'

'Zeker. Ik mis je moeder en je zusje Friedl.' zei Hoffmann om zich heen kijkend.

'Friedl is verkouden en heeft koorts en daarom is mijn moeder vanavond bij haar gebleven. Maar ach ze drinken geen wijn en houden niet zo erg van ingewikkeld eten.' zei Geli lacherig met haar blik gericht op al het bestek wat links en rechts en boven haar boord was neergelegd.

'Jammer, dat spijt me te horen wens haar beterschap van mij.'

'Ja dat zal ik doen, dank u. Oom Alf vertelde mij dat u fotograaf bent.'

'Ik fotografeer dat is juist.'

'Zou u een keer van mij, in deze jurk, een foto kunnen maken die schenk ik dan aan oom Alf als een verrassing uit dank voor alles wat hij voor ons doet.'

'Maar natuurlijk dat doe ik graag. Je laat me maar weten wanneer het je schikt dan maken we een afspraak.' zei Hoffmann.

Geli genoot zichtbaar van deze avond. Ze sprak beurtelings met Hitler en Hoffmann. Kaviaar, schildpaddensoep en zwezerik waren voor haar nieuw te ontdekken gerechten.

Ze proefde juist van een crème brullé toen er pianomuziek uit de aangrenzende kamer klonk.

"Stille nacht Heilige nacht" speelde Putzi op de noot nauwkeurig uit z'n hoofd.

Geli was opgestaan en liep naar de salon waar de gastheer zich heer en meester toonde op het klavier.

Ze hield zich met één hand aan de vleugel vast en zong nu met volledige overgave het bekende kerstlied. Al snel vulde de salon zich met de andere gasten die vol bewondering naar haar luisterden. Hitler stond op de achtergrond en was geroerd door Geli's spontane optreden. Zijn ogen glansden en hij had moeite zijn tranen te bedwingen.

Men was onder de indruk van Geli's stem en applaudisseerde voorzichtig omdat dit eigenlijk niet gepast was bij een kerstlied.

Putzi Hanfstaengl zette Geli even op het verkeerde been, zo leek het, toen hij "Bei mir bist du schön" begon te spelen. Maar het duurde slechts luttele seconden voordat ze inviel.

Er werd geklapt maar Hitler leek zijn handen zowat stuk te slaan. Zijn enthousiasme was overdreven maar niemand wilde zijn vreugde verstoren en gunde hem zijn blijdschap en trots die hij voor zijn nichtje zo openlijk liet blijken.

'Dames en heren mocht u het nog niet weten hier in München hebben we zojuist een nieuw talent ontdekt, mag ik u voorstellen aan Geli Raubal het mooie en lieve nichtje van Adolf Hitler.' zei Putzi aangeschoten.

Even leek het erop dat ze reeds oud en nieuw aan het vieren waren, de stemming was uitbundig en had nog maar weinig van doen met het kerstgevoel.

'Natuurlijk was de geboorte van kindeke Jezus een feest maar dit lijkt me toch wat overdreven.' zei Henriëtte tegen haar vader.

'Ja,' zei Hoffmann, 'we moesten maar eens gaan.'

'Dit is mijn nichtje Geli Raubal. Zij is uniek!.' zei Hitler trots tegen de directeur en zangleraar van de muziekschool in München.

'Adolf Vogel aangenaam.' Hij was een kleine tengere man met wit haar en sprak op zachte toon.

'Juffrouw Raubal ik heb van uw oom begrepen dat u graag opera zangeres wilt worden.'

'Het lijkt mij geweldig ja, oom Alf is zo'n stimulans hij heeft mij absoluut overtuigd.'

'Tja als u talent heeft.' zei Vogel. 'En u zich optimaal inzet dan is het wellicht de moeite waard om daaraan te werken.'

'Zij heeft het in zich! Zij kan het, zij wil het en zij zal daarin ook slagen, dat staat vast!' was Hitler's stellige mening.

Adolf Vogel had ondertussen plaatsgenomen achter een vleugel.

Hij improviseerde even om zijn vingers los te maken en hield ook weer abrupt op met spelen.

'Juffrouw Raubal gaat u daar maar even staan, u hoeft niets anders te doen dan mij te herhalen.'

Voor iets meer dan drie minuten zongen zij om beurten toonladders. De leraar gaf geen commentaar ook corrigeerde hij haar niet wanneer Geli er even naast zat.

'Juist. Laten we afspreken dat uw nichtje hier dagelijks twee uur les krijgt. Zo kan zij wennen aan de discipline en bouwen wij verder aan haar opleiding.' zei Adolf Vogel.

'En heb ik teveel gezegd?' vroeg Hitler met enige trots.

'De tijd zal het leren. U moet weten dat het een lange weg met zeer veel hindernissen.' zei de leraar weinig enthousiast.

'Zij is mijn nichtje mijnheer Vogel! Mijn familie kent geen verliezers! Wij zijn allen hard en gedisciplineerd opgevoed. Als wij een doel voor ogen hebben dan zullen wij dat bereiken! En u heeft de verantwoordelijkheid om daar alles aan te doen! Geld speelt geen rol, ik reken op u!'

Nadat Hitler en Geli afscheid hadden genomen bleef Adolf Vogel nog even zitten.

'Mijn God!' verzuchtte hij en speelde een nocturne van Chopin.

'U heeft het toch maar goed voor elkaar! Hoeveel prachtige jonge vrouwen heeft u hier al niet voor uw camera gehad?' zei Julius Schaub tegen Heinrich Hoffmann die bezig was zijn camera op te stellen.

'Genoeg. Maar geloof me ik zie dit puur als werk.'

'Ja ja,' zei Julius met een ongelovige blik.'Professionele ethiek! Hoffmann laat me niet lachen!'

De fotograaf ging niet in op de opmerking van Hitler's adjudant.

'Mooi! Wat fantastisch zie je er weer uit!' riep Hoffmann toen Geli uit de kleedkamer kwam. Ze droeg de donkerrode avondjurk en had ook de gouden ketting met briljanten om haar nek.

Julius stak zijn duim omhoog als blijk van waardering.

'Hou op jullie!' zei Geli. 'Wacht maar als ik een keer mijn badpak aan heb...dan zie je pas wat!'

'Zonder mag ook!' zei Julius speels.

Geli moest lachen en liet zich even op zijn schoot vallen.

'Zeg Hoffmann kunt u ons zo niet fotograferen.' vroeg Julius brutaal.

Hoffmann deed of hij hem niet hoorde en was druk in de weer met zijn apparatuur.

'Oom Alf zou je vermoorden als je een vinger naar me zou uitsteken!' zei Geli waarschuwend.

'Welnee, hij zou het misschien juist leuk vinden als hij zag dat wij goed bevriend zijn...en trouwen kan altijd nog!' plaagde Julius.

'Trouwen? Jongen als jij met mij wilt trouwen dan moet je rijk en be-roemd zijn! Je denkt toch zeker niet dat mijn oom Alf toestemming zou geven als ik met jou zou aankomen!' Geli maakte zich snel los van hem.

'Ha! Hoor haar nou toch! Over een paar jaar praat je wel anders, dan ben ik generaal of misschien wel minister!'

'Geli kom eens hier!' riep Hoffmann.

Hij instrueerde haar hoe ze voor de camera moest gaan staan, nam haar gezicht in zijn handen en zocht naar de perfecte lichtval op haar huid. Voor-zichtig liet hij zijn hand langs haar haren glijden, daarna streek hij de stof van haar jurk glad. Alles moest perfect zijn.

'Ja...ik begrijp dat je oom trots op je is, je hebt pure schoonheid het zal van de foto afspetteren... dat verzeker ik je!' zei een geconcentreerde Hoff-mann.

'Schiet nou maar op! Aan mooie praatjes hebben we niets, ik heb beloofd dat we maar even weg zouden blijven. Herr Hitler weet niet beter dat ze even naar het postkantoor is om een verjaardagstelegram naar haar broer te sturen.'

'Julius stel je niet aan.' zei Geli.

'Stel je niet aan? Ik ben verantwoordelijk voor je jongedame.'

'Wie zegt dat?'

'Je oom natuurlijk, wie denk je anders?!'

'Die heeft toevallig niets over mij te zeggen, hij is m'n oom niet m'n vader!'

'Geli sta eens stil!' commandeerde Hoffmann.

Toonladders galmden door het appartement.

Angela Raubal kon het niet aanhoren en deed de keukendeur dicht. Friedl deed meestal even een boodschap. Maar Hitler ging er voor zitten alsof hij in de Opera naar de Fidelio van Beethoven luisterde.

Na een kwartier stond hij op en klopte voordat hij naar binnen ging.

'Geli, mijn lieve Geli,' onderbrak hij haar, 'we gaan naar de Opera!'

'Maar oom Alf, ik... ik moet nog zoveel leren, ik bedoel is dat niet veel te vroeg?,' stamelde Geli onhandig.

'Lieve Geli we gaan naar Verdi's Aida ik heb kaarten!'

Opgelucht keek ze Hitler aan en begon te lachen.

'Fantastisch, dat lijkt mij heerlijk! Misschien willen moeder en Friedl ook wel mee?' vroeg ze voorzichtig.

'Dat zal niet gaan. We zijn door Putzi Hanfstaengl in zijn privé loge uitgenodigd.' antwoordde hij zichtbaar geïrriteerd.

'Goed oom Alf. Wat zal ik aantrekken?'

'Een nieuwe jurk. Je krijgt een nieuwe jurk, nieuwe schoenen en nieuwe lingerie! Alles wat je draagt moet perfect zijn. Jij bent voor mij niet zomaar een nichtje Geli. Ik voel het als mijn taak jou dromen te verwezenlijken, ik ben dat aan je verplicht. Jij hebt zoveel talent! Zelf weet ik als geen ander hoe het is als domme of jaloerse mensen je niet de kans gunnen om je creatieve gaven te ontwikkelen!

In Wenen hebben ze getracht mijn inspiratie en zelfvertrouwen als kunstenaar te vernietigen, men wilde niet dat ik zou doorbreken als een succesvol schilder! Maar met jou zal dat niet gebeuren, ik sta volledig achter je en niemand, maar dan ook geen mens krijgt de kans om dat kapot te maken!'

'Chauffeur, muzikant, bodyguard en partijlid van het eerste uur?' vroeg Geli die achterin de Mercedes van Hitler zat.

'Ja zo ongeveer.' zei Emile Maurice. 'Voor Hitler werken is een hele eer. Het liefst zit ik achter het stuur en scheur ik met hem door het hele land!'

'Maar is het niet een beetje saai altijd alleen maar met mannen onder elkaar?' vroeg Geli.

'Daarom ben ik zo blij dat ik u naar de stad mag begeleiden.' antwoordde hij haar aankijkend in zijn achteruitspiegel.

Geli gunde hem een gespeelde verlegen glimlach.

'Maar een man als u heeft vast wel een mooie en aardige vriendin, lijkt mij zo.'

'Ik? Nee dan vergist u zich. Ik ben vrijgezel, mijn leven is te druk en zal in de toekomst alleen nog maar drukker worden. Uw oom heeft grootse plannen en ik hoop de dag te mogen beleven waarop dat allemaal gaat gebeuren.'

'Hier is het!' riep Geli spontaan toen ze langs "Mode Haus Weber" reden op de Maxmillianstrasse.

Ze kwam uit de kleedkamer in een groene avond jurk van tafzijde met dunne schouderbandjes.

De verkoopster sloeg haar handen voor haar mond en deed alsof zij sprakeloos was.

'Als ik eerlijk ben zie ik u toch in een andere creatie, iets moderners, iets speelser.' zei Emile Maurice.

'Dat hebben we ook! De laatste mode is bij ons altijd het eerst in huis.' zei de verkoopster. 'Als u even wacht laat ik u iets van het huis Dior zien.'

'Emile kun je me even helpen?' vroeg Geli vanuit de paskamer.

Hij deed voorzichtig het gordijn opzij en trok de rits op haar rug naar beneden. Geli draaide zich om en liet het avondtoilet langs haar lichaam op de grond vallen. Ze droeg roze lingerie met veel kant. Zonder enige gene stak ze haar borsten naar voren. Met een ondeugende blik duwde ze hem zachtjes naar buiten en schoof ze het gordijntje weer dicht.

Toen de verkoopster terug kwam met een opzichtige jurk hoorde ze Geli in de paskamer giechelen en zag ze hoe Emile Maurice met een roodhoofd als een stout schooljongetje op de chaise longue zat.

Na een opera kon het tot laat erg druk zijn in restaurant Osteria Bavaria aan de Briennerstrasse.

Hitler, Geli, Putzi en Helene Hanfstaengl waren aan de stamtafel aangeschoven bij Heinrich Hoffmann, zijn dochter Henriëtte en Max Amann.

'Geli je lijkt wel een ster uit Hollywood.' complimenteerde Heinrich Hoffmann haar.

'Mooi hè, Dior! Bij Weber hebben ze echt alles!'

'Schitterend! Hoe was de Aida?' vroeg Hoffmann.

'Nog nooit heb ik zo genoten van opera, echt het was overweldigend! Wat een ervaring, alles tot in de detail perfect!' antwoordde Geli vol enthousiasme.

'Er valt nog zoveel voor je te ontdekken Geli! De toekomst is één groot avontuur.'

'O ja zeker dat geloof ik ook. Ik wil gaan reizen en me verdiepen in andere culturen. Eindelijk ben ik wakker geworden lijkt het!'

Hoffmann knikte, 'De wereld heeft veel te bieden.'

'Ja en dat allemaal dankzij oom Alf.' zei Geli die trots naar Hitler keek.

'Hoffmann! Heinrich Hoffmann!' zei een man van nog geen veertig die plotseling achter Geli en de fotograaf stond. Hij had een mediterraan voorkomen. Mooi dik zwart haar, sprekende ogen en was gekleed volgens de laatste mode. Alleen zijn neus deed afbreuk aan zijn voorkomen.

'Heron Finkelstein!' zei Hoffmann opgetogen en schudde hem uitbundig de hand..

'Man! Is dat lang geleden! Hoffmann, mijn oude buurjongen uit Regensburg!'

Hitler had moeite zich te concentreren op het gesprek wat hij met Putzi Hanfstaengl voerde. Voortdurend hield hij Hoffmann en zijn gezelschap in de gaten.

'Kom laat me je voorstellen aan een paar vrienden van mij.' zei Heron Finkelstein.

Hoffmann verontschuldigde zich tegen Geli en liep achter hem aan.

'Jouw vader kent ook de halve wereld is het niet?' zei Geli tegen Henriëtte die tegenover haar zat.

'Dat is wat overdreven, hij is nooit verder dan Engeland geweest!

'Een Jood, die man is een Jood!' zei Hitler terwijl hij in de richting keek waar Hoffmann zojuist gelopen was.

'Ja, is dat zo? In Wenen stikt het er van!' zei Geli.

'Hier ook.' bevestigde Henriëtte. 'Maar deze kerel heeft wel wat.'

'Joden hebben niets! Geen cultuur, geen geweten en zijn bovendien lui het is een volk zonder normen en waarden!' zei Hitler streng.

'Daar proosten we op!' zei Putzi met een lach.

'Weet je wel hoe laat het is?' zei Angela Raubal toen Geli in haar nachthemd de keuken in kwam.

'Goedemorgen moeder.' zei ze met een geeuw.

'Het is al middag hoor!'

'Koffie, ik heb zo'n zin in koffie.'

'Er is thee.'

'Nee ik wil koffie.'

'Ik wil dit! Ik wil dat! Wie denk je wel dat je bent!' snauwde haar moeder.

'Het nichtje van Adolf Hitler en wie weet over niet al te lang een beroemde operazangeres!'

'Geli zo gaat het niet langer!'

'Het gaat juist goed, heel goed zelfs!'

Angela hield op met in een grote pan soep te roeren. Ze draaide zich om en ging met haar handen in haar zij pal voor haar dochter staan.

'Jongedame je denkt zeker dat je leuk bent? Maar ik heb er schoon genoeg van en je zusje Friedl ook!'

Geli ging op een keukenstoel zitten en geeuwde nog een keer. 'Wat jammer nou! Jullie zouden juist dankbaar moeten zijn.'

'Dankbaar? Waarvoor? Wij worden niet uitgenodigd voor diner's of de opera, wij krijgen niet om de haverklap dure cadeaus. Wij zijn alleen maar aan het werk en jij, jij hangt de dure mevrouw uit en doet maar waar je zin in hebt!'

'Oom Alf heeft plannen met mij. Wanneer u zich zorgen maakt dan moet u dat maar met hem bespreken!' zei Geli opeens fel.

Angela schudde met haar hoofd. 'Nee ik praat met jou. Je houding bevalt me helemaal niet en ik denk dat oom Alf eerdaags ook wel inziet dat jij een spelletje speelt! Geli ik zeg dit in je eigen belang; Hou op met je geflirt en gedraag je zoals ik je heb opgevoed...als een echte dame!'

'Moeder we leven in een andere tijd, we zijn niet meer in Wenen! Hier wordt geleefd! Door oom Alf kom ik in een andere wereld, krijg ik de kans om eindelijk te laten zien wie ik ben en wat ik kan! Ik ben hem daar dankbaar voor en dat zou u ook moeten zijn!'

Angela liep de keuken uit, 'Dankbaar?!' herhaalde ze spottend, 'Je moest je schamen!'

'Ze heet Erna Gorebke en ze is een prachtige vrouw.' zei Hoffmann die onderuit achter zijn bureau zat en van zijn koffie slurpte.

'Gorebke? Is ze dan de dochter van Adolf Gorebke?' vroeg Hitler. 'Die opera tenor?'

'Ja dat is haar vader en haar moeder is een bekende Weense actrice.' antwoordde Hoffmann.

'En die Jood is haar agent?'

'Nee Heron Finkelstein is de manager van haar vader en was vroeger in Regensburg mijn buurjongen. Ik kwam hem stom toevallig tegen in de Osteria Bavaria, die avond dat jullie naar de opera geweest waren.'

'Joden en kunst Hoffmann dat deugt niet, die buiten alleen het talent van de kunstenaar uit. Zelf kunnen ze niets, het zijn parasieten!'

'Ach Heron Finkelstein is geen kwaaie.'

'Klets niet...van dat soort moeten we af, hoe eerder hoe beter!'

'Je kan ze moeilijk allemaal het land uitzetten en trouwens de meeste Joden hebben hun zaakjes goed voor elkaar ze zijn een belangrijke factor in onze economie.'

'Joden zijn van geen enkel nut Hoffmann, het zijn bloedzuigers!'

'Zolang ze Erna geen kwaad doen vind ik het best.' zei Hoffmann met een verliefde blik in z'n ogen.

'Ik hoop niet dat je nog veel meer van die Finkelsteins kent anders kunnen we voortaan maar beter in de Synagoge afspreken om koffie te drinken.' stelde Hitler spottend voor.

Na haar zangles bij Adolf Vogel kwam ze zingend naar buiten.

Emile Maurice hield galant het portier van de Mercedes voor haar open.

'Dat lijkt wel Italiaans wat je zong.' zei hij.

'Uit de Aida van Verdi, heerlijk! Ik geniet van iedere minuut hier!'

Emile startte de motor en reed weg.

Zonder dat Geli er erg in had reed hij naar het Nymphenburg park.

Het was zacht gaan sneeuwen en het begon te schemeren. Hij parkeerde de auto op een verlaten plek met uitzicht op de stad.

'Emile wat doen we hier!' vroeg Geli op vriendelijke toon.

'Verrassing!' zei hij terwijl hij was uitgestapt en iets uit de kofferbak van de auto haalde.

'Emile Maurice weet mijn oom Alf hiervan?' vroeg ze ondeugend.

Hitler's chauffeur stond nu naast het achterportier en begon op zijn gitaar te spelen. Geli draaide het raam naar beneden ze wilde niets missen.

Hij zong voor haar een liefde's ballade. Zij keek hem ondeugend aan en flirtte zonder enige schroom.

Na nog een lied opende zij voor hem het achterportier. Ze stak haar been naar buiten en trok haar rok uitdagend langzaam, tot aan het boord van haar kous, omhoog. Met haar andere hand maakte ze een uitnodigend gebaar.

Hij ging naast Geli op de achterbank zitten en sloeg zijn armen om haar heen.

Hitler proefde met zijn vinger uit de pan soep die zacht op het vuur stond te pruttelen.

Hij schrok toen Angela Raubal plotseling de keuken in kwam.

'Ik moet met je praten.' zei ze kortaf.

Hitler reageerde niet.

'Het gaat over Geli.'

'Geli? Heeft ze een probleem?'

'Nee zij niet. Ik!.'

'Dus het gaat over jou?'

'Nee niet over mij, maar over hoe het hier gaat en dat dat voor Geli niet goed is.'

'Ik begrijp er niets van!' zei Hitler en fronste zijn wenkbrauwen.

'Ik begrijp best dat je Geli wilt verwennen en dat je haar het allerbeste gunt. Alleen je moet het ook weer niet overdrijven. Het kind denkt echt dat zij operazangeres gaat worden en deel uitmaakt van de elite van München. Ook heb ik bezwaar tegen alle late uitstapjes en de hoeveelheid drank die haar wordt aangeboden.'

Hitlers mond verstrakte en zijn ogen hielden op met knipperen. 'Ik dacht dat jij verstandiger zou zijn, dat jij zou begrijpen dat ik nooit maar dan ook nooit iets zou doen waardoor Geli's opvoeding in gevaar zou komen dan wel dat zij beschadigd zou worden! Ik verdien het niet zo te worden aangesproken en ik weiger nog één minuut langer met je te praten over deze absolute onzin.'

'Het is mijn dochter!' beet Angela hem toe.

'Helaas! Maar ik zal er alles aan doen om haar dat gene te geven waarop zij recht heeft. Met of zonder jouw toestemming!'

Zo wordt het niets juffrouw Raubal!' zei Adolf Vogel. 'Als u niet oefent en ook mijn kritiek niet ter harte neemt dan zijn we hier bezig om mijn energie en kennis te verspillen, en dat is iets wat ik verfoei!'

'U stelt te hoge eisen, u kunt van mij niet verwachten dat ik nu al op een top niveau kan presteren.' verdedigde Geli zich.

'Uw oom stelt te hoge eisen! Ik moet u helaas zeggen dat ik er de voorkeur aan geef om mijn onderricht aan u te staken.'

Geli was met stomheid geslagen. 'Goh... dus u... u geeft het op?'

'Nee zo zie ik het niet,' zei Vogel, 'ik constateer te weinig ambitie en tevens een te kort aan talent, dat zijn feiten die mij tot dit besluit dwingen, niets meer en niets minder.'

Geli rende de muziekschool uit, opende het portier van de Mercedes en ging naast Emile Maurice zitten die een krant aan het lezen was.

Hij keek haar aan met een verbaasde blik, 'Geli het is nog maar tien over twee.' zei hij nadat hij zijn horloge had geraadpleegd.

'Pfff wat een kwal van een man is dat zeg!' zei Geli boos

'Vogel? Je was juist zo enthousiast over hem!'

'Oom Alf was enthousiast, ik niet! Hij stinkt uit z'n bek, kan helemaal niet piano spelen en denkt dat ie God is!'

'Maar Geli die man is echt heel goed, iedereen weet dat!'

'Onzin! Die man is gewoon een vervelende over het paard getilde idioot! Ik zet daar geen stap meer binnen, hij zoekt het maar uit!'

Emile moest glimlachen, 'Goed juffrouw Raubal wat doen we nu?'

'Ik wil naar Hellbrun!'

'Naar de dierentuin?' vroeg Emile

'Ja ik wil zoenen met je in het apenhuis!' zei Geli opgewonden.

De voorbereidingen van de deelname van de N.S.D.A.P aan de rijksdagverkiezingen was in volle gang. Door het hele land werden grote manifestaties georganiseerd. Het gonsde van de activiteit in Das Braune Haus, het partij bureau, te München.

Adolf Hitler verliet de vergadering samen met Rudolf Hess en Heinrich Hoffmann.

'Goebbels en Himmler kunnen dat prima zonder ons. Hoeveel stoelen, hoeveel toiletten, hoeveel luidsprekers, wat kan mij dat allemaal schelen! zei Hitler geërgerd.

'De organisatie is in goeie handen, het moet een afspiegeling zijn van wat wij kunnen, onze leden moeten niet alleen vertrouwen hebben in onze politieke idealen maar ook zien dat wij in staat zijn een complexe manifestatie perfect te laten verlopen.' zei Rudolf Hess.

'Ja zo is het Hess en niet anders! Heel goed!' zei Hitler alsof hij tegen een kind sprak.

'Hess ik heb nog iets te bespreken met Hoffmann.' verontschuldigde Hitler zich.

'Goed, ik ga nu informeren of er voldoende parkeergelegenheid is voor alle bussen en vrachtwagens die we in Berlijn verwachten dat kan nog een heel probleem worden.'

Zonder te groeten liep hij door.

'Zo Hoffmann ik heb een heel ander probleem, een echt probleem!' Ze namen plaats op een houten bankje in de gang.

Heinrich Hoffmann keek Hitler bezorgd aan.

'Adolf Vogel heeft Geli de laan uit gestuurd!'

'Hoezo? Waarom?' vroeg Hoffmann.

'Die gek heeft gezegd dat Geli geen talent en te weinig ambitie zou hebben!' antwoordde Hitler boos.

'Ach dat is toch belachelijk, en nu?'

'Nu zoek ik voor haar een andere leraar. En aangezien jij nu midden in die operawereld zit dacht ik dat jij dat wel kunt oplossen.'

Hoffmann knikte en moest glimlachen. 'Ja ja,' zei hij, 'Erna heeft les van een zekere Streck, een vriend van haar vader.'

'Maar die Streck heeft toch weer niets te maken met die Finkelstein hoop ik?' vroeg Hitler.

'Wat kan jou dat nou schelen, en geloof me je hebt ook Joden waar je heus nog wel iets aan hebt.' antwoordde Hoffmann laconiek.

'Kijk hier Geli, wat een schoonheid en zie toch eens wat een talent hier in München aanwezig is.'

Samen stond Adolf Hitler met Geli en Emile Maurice op de gang van de kunstacademie en keken ze door een glazenwand naar een aantal studenten die een vrouwelijk naakt aan het tekenen waren.

'Ze heeft het vast heel koud.' zei Geli.

'Dat zou je dan aan haar tepels moeten kunnen zien.' grijnsde Emile.

'Harde tepels winden mij op, een vrouw geeft daar een signaal mee af dat zij gevoelig is voor haar omgeving, voor haar gezelschap. Erotiek is een belangrijk onderdeel wanneer we het over hechte vriendschap hebben. Het blootgeven van de ziel is soms eenvoudiger dan zich letterlijk naakt te vertonen. Mijn interesse is niet zozeer gericht op het seksuele maar heeft vooral te maken met het wetenschappelijke aspect van mens en natuur.' zei Hitler.

Emile Maurice gaf Geli een knipoog.

'Geli jij zou eigenlijk een perfect model zijn!' stelde Hitler haar voor.

'Ik? Nee hoor oom Alf geen denken aan!'

'Emile heeft mijn lieve Geli niet het meest schitterende lichaam wat je je maar kunt voorstellen?'

'Ja u heeft gelijk maar ik denk dat menig student zich niet meer zou kunnen concentreren!'

Hitler reageerde niet op zijn opmerking, 'Kom Geli dan stel ik je voor aan je nieuwe zangleraar.'

Hans Streck huurde een studio in de kunstacademie aan het eind van de gang.

Hij was een vriendelijke man van een jaar of vijfenvijftig en had lang blond krullend haar. Zijn kleding was artistiek vooral zijn fel rode vlinderstrikje viel op.

'Natuurlijk zal Geli hard moeten studeren en mij overtuigen dat ze alles geeft!' zei Hans Streck nadat ze zich aan elkaar hadden voorgesteld.

'In u zie ik haar mentor! U heeft het talent in u om haar dat gene te laten bereiken waarvoor zij hier ter wereld is!' zei Hitler.

'Ik zal mijn uiterste best doen heer Hitler, dat verzeker ik u! Laten we beginnen met drie keer per week ander half uur.'

'Is een uur niet meer dan voldoende?' vroeg Geli geschrokken.

'Mijn lieve nichtje Geli wees blij dat de heer Streck zoveel tijd en aandacht aan je wil besteden, stel hem niet teleur, wees niet snel tevreden want applaus zal je moeten verdienen!'

Het was één van de eerste warme voorjaarsdagen van het jaar.

Met twee auto's waren ze in minder dan een uur vanuit München naar de Chiemsee gereden.

Max Müller had moeite gehad om Compressor Mosl ,de bijnaam van Emile Mauric, bij te houden.

Adolf Hitler, Geli Raubal, Heinrich Hoffmann zijn dochter Henriëtte, Erna Gorebke, Julius Schaub en Lotte Müller, de dochter van Max Müller genoten van het uitstapje.

'Wie het eerst in de Chiemsee ligt!' daagde Julius Schaub het gezelschap uit.

Emile Maurice, Geli en Henriëtte renden naar de oever en hadden zich in luttele seconden ontkleed maar Julius was ze te snel af, hij nam een duik in het meer met z'n kleren aan.

Uiteindelijk had iedereen zich in het water gewaagd. Alleen Adolf Hitler was niet gaan zwemmen. Met blote voeten en opgerolde broekspijpen deed hij voorzichtig een paar stappen in het ondiepe water aan de kant.

Geli en Maurice zwommen samen een eind het meer op.

'Nee wacht Maurice, niet doen! Ze kunnen ons zien!' zei Geli toen Maurice haar plotseling van achter vastpakte.

'Ach wat... we hoeven ons toch zeker niet te schamen dat we van elkaar houden, kom hier ik wil je zoenen.'

'Maurice ik zou de hele dag niets liever doen dan hier met je te vrijen! Maar oom Alf zal daar zeker anders over denken.'

'Daar moet ie dan maar aan wennen! Je bent zijn nichtje, niet z'n liefje!'

De drie meisjes hadden zich afgezonderd en lagen naakt te zonnebaden.

'En hoe bevalt het bij Hans Streck?' vroeg Henriëtte Hoffmann aan Geli.

'Hij is aardig en heeft geduld,' antwoordde ze.

'Erna, de vriendin van mijn vader, zegt dat hij geweldig is!'

'Geweldig? Oom Alf is geweldig! Emile is geweldig!' zei Geli lachend.

'Emile Maurice? Hij ziet iets in je, hè?'

'Misschien, ik weet het niet.' zei Geli bescheiden.

'Ben je wel eens verliefd geweest, ik bedoel echt verliefd?' vroeg Lotte

'Ik geloof het niet nee...en jij?'

'Ja ik wel, ik ben heel erg verliefd!'

'Op wie, hoe heet ie?' wilde Henriëtte weten.

'Abraham. Abraham Lippschitz.'

'Klinkt Joods.' zei Geli.

'Ja hij is Joods en hij is de beste minnaar die ik ooit gehad heb.'

'Gaan jullie trouwen?' vroeg Geli opgewonden.

'Ik zou wel willen maar m'n vader zegt dat Joden onderkruipers zijn, ongedierte! Hij wil er niets van weten!'

'Ik heb niets tegen Joden maar ze zijn anders dat is gewoon nou eenmaal zo.' zei Henriëtte.

'Ze zeggen dat het vreemde mensen zijn die niet eerlijk aan hun geld komen, maar Abraham werkt juist heel hard en is goud eerlijk!'

'En nu,' zei Henriëtte, 'wat doe je nu?'

'Hij gaat naar Amerika, hij heeft daar familie, die doen in diamanten. En als ik klaar ben met m'n studie ga ik daar ook naar toe en dan heet ik voortaan Lippschitz...Lotte Lippschitz!'

'Joden zitten overal, eigenlijk hebben ze niet eens een eigen land, dat is best wel zielig voor ze.' zei Geli vol medelijden.

Plotseling klonk er gitaar muziek. Emile Maurice zong een liefde's liedje. Geli neuriede het zachtjes mee.

Hitler zat met gesloten ogen in de studio van Hans Streck en genoot van Geli's stem die iets uit Tristan en Isolde zong. Emile Maurice zat naast hem en tikte met zijn vingers op de leuning van z'n stoel de maat mee.

'Hoor,' zei hij zacht, 'ze zit er weer naast, ze moet hier versnellen en met meer volume zingen!'

Hitler keek hem verstoord aan. 'Sinds wanneer denk jij Hans Streck te kunnen verbeteren?'

'Nee! Nee! Nee! Zo is het niet goed! Waarom maak je steeds dezelfde fout jongedame!?' onderbrak de zangleraar haar en zong vervolgens de passage aan haar voor.

Emile Maurice voelde zich even superieur ten opzichte van Hitler. 'Is het misschien een goed idee als ik Geli eens les ga geven, ik doe het voor de helft van Streck z'n honorarium.' zei hij met een grijns.

'Ik zou jou haar niet snel toevertrouwen. Ik ben bang dat jij liever met haar zou kussen dan zingen! Jij bent een rokkenjager Emile! Ik waak over mijn Geli als is zij mijn eigen dochter!'

'En u bent wellicht mijn ideale schoonvader!' grapte Emile.

Hitler probeerde zijn lachen in te houden en begon te klappen toen Geli uitgezongen was. Ze maakte een buiging en huppelde naar haar oom.

'Geweldig, heel goed!' zei hij.

'En jij Emile vond jij het mooi?' vroeg Geli speels.

'Heel aardig ja. Hier en daar zou het nog wat beter kunnen, denk je niet?'

'Inderdaad!' vulde Hans Streck aan, 'Geli mist discipline en moet zich beter leren concentreren.'

Hitler drukte zijn nichtje stevig tegen zich aan.

'Mijn lieve Geli! Jij zal de wereld nog doen verbazen!'

'Hier kijk,' zei Friedl die voor de etalage van modehuis Weber stond, 'dat is nog eens een schitterende jurk, zoiets zou ik nog wel eens willen hebben!'

'Stel je niet aan Friedl weet je wel wat dat kost?' zei Angela Raubal streng.

'Geli bedacht zich geen moment en liep de winkel binnen. 'Kom!' Ze hield de deur uitnodigend voor haar zus en haar moeder open.

'Goedemiddag juffrouw Raubal wat kan ik voor u doen?' zei een verkoopster.

'Niet voor mij...maar voor mijn zusje.'

'Maar natuurlijk.'

'Die blauwe jurk in de etalage, die zou zij graag passen.'

'Geli!' waarschuwde Angela haar dochter.

'Als u mij wilt volgen?'

'Geli doe niet zo mal.' zei haar moeder terwijl ze achter de verkoopster aanliepen. 'Je maakt ons nog belachelijk, dit slaat nergens op!'

Friedl stond even later voor de spiegel en kon haar ogen niet geloven. 'Mijn God, wat is dit mooi, ik heb nog nooit zo'n mooie jurk aangehad.'

'Prachtig, het staat u geweldig, alsof het voor u gemaakt is, die kleur is perfect voor u!' kreeg Friedl te horen van dames die er verstand van hadden.

'Schoenen! Ze moet bijpassende schoenen hebben.' zei Geli enthousiast.

Friedl stond wat onwennig op een paar beige pumps. Ze kon maar niet kiezen uit de drie verschillende modellen die voor haar uit het magazijn waren gehaald. Waarop Geli uiteindelijk besliste, 'Ze neemt ze alle drie!'

'Geli!' fluisterde haar moeder, 'Wat ben je in hemelsnaam aan het doen?'

'Alstublieft. Alles bij elkaar is het zevenhonderdvijfenzestig mark juffrouw Raubal.' zei de medewerkster van Weber Mode die de kassabon had opgemaakt.

Angela Raubal had gewacht totdat Geli naar zangles was en Friedl samen met Emile Maurice boodschappen was gaan doen.

Ze sprak hem aan toen hij zijn werkkamer uit kwam.

'Ik moet je helaas nogmaals met een verzoek lastig vallen.'

'Dat klinkt officieel,' zei hij met een grijns terwijl hij het toilet binnen ging en de deur op slot deed.

Geli's moeder leunde tegen de muur tegenover de ruimte waar Hitler had plaatsgenomen 'Adolf je moet naar me luisteren!'

'Ik luister!' Hij liet een harde wind.

'Zo gaat het niet langer, echt we zijn je dankbaar begrijp me niet verkeerd, maar...'

Nog een keer werd Angela door een knetterende scheet onderbroken.

'...maar ik kan niet toestaan dat jij haar nog langer op deze manier behandelt.'

Hitler kuchte nerveus. 'Angela zeur niet zo, en laat me nu met rust!'

'Het is ronduit schandalig. Voortaan gaat mijn dochter niet meer tot diep in de nacht met jou en je vrienden op stap. En het is onverantwoord dat jij haar overal op rekening zomaar van alles en nog wat laat kopen!'

Vanachter de toiletdeur verzuchtte Hitler, 'Maar Geli is geen kind meer, ik behandel haar juist als een volwassen vrouw!'

'En dat verbied ik je!'

'Jij denkt mij iets te kunnen verbieden?! Ik geloof dat je gek aan het worden bent! Hoe durf je hier in mijn huis mij de les te lezen! Ik accepteer dit niet!' tierde Adolf Hitler en trok het toilet door..

'Misschien moesten we het hem maar gewoon zeggen.' stelde Emile Maurice voor.

'Wat zeggen?' vroeg Geli met haar ogen dicht genietend van een sorbet in Café Heck.

'Van ons.'

'Dat we zoenen en dat we, dat we het bijna gedaan hebben?' vroeg ze ondeugend.

'Geli ik meen het! Hij zal het alleen maar op prijs stellen wanneer we het hem vertellen.'

'Misschien...misschien ook niet.'

'Zou hij boos worden denk je?'

'Boos?'

'Ja, jij bent toch zijn lieve kleine nichtje. Hij begrijpt heus wel dat ik niet alleen met je de krant zit te lezen.' Hij sloeg een pagina van de *Münchener Post* om.

'Emile ik wil dat je me een keer meeneemt naar een hotel. Dan zal ik laten zien hoe ondeugend ik kan zijn. Samen voor een spiegel...lijkt je dat wat?'

Hij keek haar opgewonden van achter z'n krant aan. 'Geli liefje, toe nou!

We hebben het over de toekomst, onze toekomst!'

'Schatje het gaat juist om vandaag, morgen is alles weer anders. Nu! Nu moet je genieten!'

'Hier moet je horen wat ze nu weer over je oom schrijven. "Adolf Hitler lust Karl Marx rauw!" las hij hardop voor. 'Dit stond te lezen op een groot spandoek tijdens rellen in Berlijn. Aanhangers van de N.S.D.A.P. hebben zeker 5 leden van het Rode Front, de gevechtsorganisatie van de communisten, gedood tijdens hevige straatgevechten in het oosten van Berlijn. Pas na massaal ingrijpen van de politie en met steun van pantserwagens wist men een eind aan de strijd te maken. Daar had ik bij moeten zijn!' zei Emile fel.

'Doe niet zo eng!' zei Geli. 'Je bent toch geen moordenaar?'

'Zij zijn begonnen! Die vuile communisten! Laat ze lekker naar Rusland gaan kan Stalin voor ze zorgen!'

'Emile hou op, ik wil daar allemaal niets mee te maken hebben!'

'Hoeft ook niet! Zolang jij maar van mij houdt vind ik alles best.'

'Ik hou van jou...en ik hou van oom Alf.' zei Geli plagerig.

Friedl zwaaide nog even naar boven maar Angela Raubal kon het niet opbrengen om haar half broer te groeten en stapte meteen de auto in. Emile Maurice worstelde met de bagage die maar net in de kofferbak paste.

Door de vitrage en de tranen in haar ogen zag Geli het allemaal in een waas.

'Je zal zien dat ze het daar veel beter hebben!' zei Hitler die achter haar stond.

'U stuurt ze zomaar naar een afgelegen bergdorpje, eerlijk' zei ze verwijtend.

'Mijn lieve Geli, Haus Wachenfeld wordt definitief mijn zomerverblijf ik wil daar de boel op orde hebben, geloof me, je moeder en je zusje hebben daar een heuse taak te verrichten.'

'Maar oom Alf ik vond het juist zo gezellig met z'n alle, dat familiegevoel daar genoot ik intens van!' huilde Geli.

'Dat blijft ook zo, we zullen regelmatig naar de Obersalzberg gaan, dat beloof ik je.' zei Hitler plechtig.

Geli draaide zich om. Hitler keek haar aan en sloeg zijn armen om haar heen.

'Voor jou is het ook beter zo. Je kunt niet altijd bij je moeder blijven, een zeker mate van zelfstandigheid op deze leeftijd is heel normaal.' zei hij vaderlijk, terwijl hij zacht over haar rug streelde.

'Maar u was toch helemaal niet gelukkig toen u alleen in Wenen woonde?' vroeg Geli.

'Dat is ook niet belangrijk, het gaat om het proces, het bouwen van een sterke geest en dat laat weinig ruimte voor emotionele zwakheden.'

'Maar ik ben een meisje, u kunt moeilijk vrouwen met mannen vergelijken.'

'Precies Geli! Ik beschouw het als mijn verantwoordelijkheid om je te vormen tot een perfecte vrouw, waar alle kwaliteiten tot bloei komen. Je kunt op mij rekenen als oom maar nog veel meer als een vriend, een echte vriend!'

Hij gaf haar een kus op het voorhoofd.

Samen keken ze de Mercedes na die de Prinz Regentenplatz verliet.

De Osteria Bavaria was al gesloten maar Adolf Hitler en zijn gasten leken zich daar weinig van aan te trekken. Er heerste een opgewonden stemming.

Julius Schaub en Max Müller hadden zowat de hele dag met half Duitsland naar de radio geluisterd om uiteindelijk te horen dat de NSDAP op de negende plaats was geëindigd bij de rijksdagverkiezingen van 1928.

Aan de stamtafel gezeten zongen ze nu samen met Emile Maurice een overwinningslied. Heinrich Hoffmann richtte zijn camera op het uitbundige gezelschap, terwijl Max Amann de ene grap na de andere vertelde die steevast net daverende lachsalvo's werden gehonoreerd.

Geli begreep de clou niet altijd maar glimlachte uit pure beleefdheid.

'Liefst 12 zetels,' zei Putzi Hanfstaengl tegen Geli. 'Ben je niet vreselijk trots op ons?'

Ze keek hem aan en knikte ter bevestiging.

'Nu gaat het pas spannend worden! Doktor Goebbels zal ze daar in Berlijn eens gaan vertellen hoe wij van Duitsland weer een groot en belangrijk land zullen maken! Ons verachtelijke parlementaire stelsel zal ze nog zelf de das omdoen!'

Toen Putzi in de gaten kreeg dat het Geli nauwelijks interesseerde sloot hij de conversatie af door met haar het glas te heffen. 'Proost op je schoonheid dan maar.' Hij stond op en ging naast Hitler zitten.

'Weet je dat ik al een tijdje een oogje op je heb.' zei Julius Schaub die op de vrijgekomen stoel naast Geli ging zitten.

'Volgens mij heb jij een glaasje te veel op mijnheertje Schaub.' Ze haalde voorzichtig zijn hand van haar schoot.

'Maar Geli zeg me eens is er dan niemand hier aan tafel waarmee je een keer ondeugende dingen zou willen doen?' vroeg hij met een dubbele tong.

'Ik ben erg kieskeurig Julius en voor ondeugende dingen misschien nog wat te jong.'

'Ik zou je dat heel goed kunnen leren, ervaring genoeg, je zal er geen minuut spijt van krijgen.'

'Goed, afgesproken.' zei Geli onverwachts.

Julius Schaub leek opeens een stuk minder aangeschoten. Hij ging rechtop zitten en keek haar met lodderige ogen aan. 'Zie je wel ik wist dat je een verstandig meisje bent.'

'Het lijkt me reuze spannend.' zei ze quasi uitdagend.

'Mooi, ik zal je verwennen, ik zal je laten voelen wat echte liefde is. Je zegt maar waar en wanneer?'

'Goed Julius... er is alleen één ding je moet het wel aan oom Alf vragen, hij moet het ook goed vinden.' Ze stond op en liet Julius vertwijfeld achter. Ze ging achter Hitler staan en boog zich voorover om hem iets toe te fluisteren.

'Oom Alf is het goed dat ik vast naar huis ga? Ik ben echt doodop?'

'Alleen over straat op dit uur? Geen denken aan Geli!' zei Hitler streng.

'Emile kan me weg brengen?' probeerde ze.

'Emile? geen sprake van, hij heeft de hele avond naar je zitten loeren!'

Geli schrok even en zag hoe Emile haar geen moment uit het oog verloor.

'Franzl!' riep Hitler tegen een ober, 'Franzl bel even een taxi voor deze jongedame!'

Geli zat in haar ochtendjas een roman te lezen toen Hitler om half drie in de ochtend de salon van zijn appartement aan de Prinz Regentenplatz binnen kwam.

Geli je was zo moe, je wilde slapen.' zei hij geprikkeld.

'Ja, nee... ik...ik voelde me gewoon een beetje alleen.'

Hitler ging naast haar op de bank zitten.

'Lieve Geli wat is er met je, zeg het me.'

Hij legde zijn arm om haar schouder.

Geli vleide zich tegen hem aan.

'Niets, ik voel me soms een beetje eenzaam, ik mis Friedl en moeder.' zei ze bijna verlegen.

'Geli ik beloof je dat ik vanaf nu meer tijd en aandacht aan je zal schenken. En over een paar weken gaan we voor een lang weekend naar Berchtesgaden.'

'Oh dat zou ik heerlijk vinden oom Alf, dat maakt me blij!' zei ze opgetogen.

Voorzichtig liet Hitler zijn andere hand in haar half open ochtendjas glijden. Geli durfde zich niet te bewegen.

'Oom Alf?' zei ze angstig.

'Rustig Geli, ik doe je niets.' zei hij met licht bevende stem.

Hitler trok langzaam de ene helft van het zijden kledingstuk naar zich toe waardoor Geli's borst zichtbaar werd.

'Kijk toch wat een schoonheid, zo puur, mijn lieve Geli wat heerlijk om je hier bij mij te hebben.'

Hitler stond vervolgens op en nam afstand van haar. Ze keek hem met grote ogen aan en zei niets.

'Geli ik wil je naakt zien.' zei Hitler vol bewondering.

'Naakt...maar waarom oom Alf?' vroeg ze onzeker.

'Omdat ik je zo zou willen schilderen, zoals je werkelijk bent. Onschuldig en rein, een jonge vrouw in al haar pracht.'

Geli gehoorzaamde. Onwennig en krampachtig zat ze naakt op de bank. Hitler deed zijn armen over elkaar en bestudeerde haar alsof zij een model was op de tekenacademie.

'Je bent mooi weet je dat?' Geli glimlachte nerveus.

'Doe je benen eens uit elkaar.'

'Nee ...nee waarom?'

'Omdat dat juist dat laat zien waarom je een vrouw bent. Geli ik smeek je laat me zien dat je een vrouw bent, vertrouw me Geli.'

Langzaam spreidde ze haar benen en raakte enigszins opgewonden. Ze liet zich iets onderuit op de bank zakken. Uitdagend zette ze één voet op de rand van de zitting terwijl ze haar andere been languit strekte. Eerst voelde ze aan haar borsten en speelde ze met haar hard geworden tepels niet veel later verdween een hand tussen haar benen.

'Geli voel je nu hoe bijzonder dit is, hoe wij hier en nu iets beleven wat alleen kan bestaan door respect en overgave.'

Haar gekreun werd luider.

'Oh mijn God...dit is zo heerlijk, het lijkt wel of ik zweef...dit is niet normaal ...oh wat lekker!'

'Geli je bent lief, je bent mijn Geli!' moedigde Hitler zijn nichtje aan.

'Oh Emile.' kreunde Geli zacht.

Het was aan de vooravond dat Adolf Hitler zijn volgelingen in München in een tent van circus Krone zou toespreken.

Vlaggen met het hakenkruis werden rondom de piste opgehangen. Repetities van het entree van de bruinhemden in combinatie met stevige marsmuziek waren in volle gang. Adolf Hitler zat samen met Heinrich Hoffmann op een hooggelegen rij van een verlaten tribune.

'Ik heb ze niets te zeggen!' zei Hitler kribbig.

'Dan doe je toch gewoon iets met olifanten.' grapte Hoffmann.

'Nee werkelijk! Ik kan me de laatste tijd zo slecht concentreren, mijn gedachtegoed krijg ik niet op orde.'

'Misschien moet je eens op reis, naar een andere omgeving die voor rust en inspiratie zorgdraagt.' opperde Hoffmann.'

Hitler reageerde niet en keek strak voor zich uit.

'Naar Parijs!' probeerde Hoffmann. 'Renoir, Toulouse L' Autrec, de Moulin Rouge!'

'Ik spreek geen Frans!' zei Hitler.

'Londen dan! Ik ken daar de weg!'

'Ik spreek geen Engels.'

Heinrich Hoffmann deed z'n armen over elkaar en zweeg.

'Heeft Geli iets met Emile Maurice?' vroeg Hitler na enkele minuten stilte.

'Heeft Geli iets met Maurice?' herhaalde Hoffmann. 'Hoezo, waarom denk je dat?'

'Het zou toch kunnen, Geli is een aantrekkelijk meisje...of niet soms?'

'Zondermeer, zeer aantrekkelijk.'

'Nou dan!'

'Het zou kunnen ja, maar hoe kom je daar zo bij?'

'Noem het een vaag vermoeden.' zei Hitler bijna kwaad.

Om niet onnodig op te vallen had hij de Mercedes om de hoek van de Prinz Regentenplatz geparkeerd.

Ze sprong hem in z'n armen en zoende hem waar ze hem zoenen kon.

Geli trok Emile Maurice mee naar haar kamer.

'Hoelang hebben we?' vroeg Geli opgewonden.

'Twee uur, ik moet hem pas vanmiddag om half drie bij de Osteria Bavaria ophalen.' zei Emile die zich samen met Geli op haar bed liet vallen.

'Emile! Ik moet je iets vertellen.'

'Nee nu niet! Ik wil van je genieten, kom hier!'

'Wacht, Emile wacht!' Geli duwde hem van zich af.

'Wat? Wat is er Geli?' vroeg Emile opeens bezorgd.

'Oom Alf, ik maak me zorgen over hoe hij over ons denkt.' Even viel er een stilte.

'Goed dan, laten we het hem vertellen. Waarom zouden we nog langer geheimzinnig doen over onze liefde. Ik wil niet langer, nee ik wens niet langer een spelletje te spelen. Niets beter dan de waarheid!' zei Emile zelfverzekerd.

'Maar ik weet niet zeker of hij dat zal goedkeuren, hij is niet gemakkelijk dat weet je.'

'Geli luister, ik houd van je zoals ik nog nooit in m'n leven van een vrouw gehouden heb. Laten we ons verloven!'

Geli keek hem verrast aan, 'Meen je dat? Emile word ik je vrouw? Schat wat heerlijk, wat ben je toch lief!'

'Als wij ons serieus opstellen kan hij niet anders dan positief reageren. Hij zou jouw geluk nooit in de weg willen staan, dat weet ik zeker!'

'Wat zal mijn moeder blij zijn! En Friedl die weet niet wat ze hoort!' Er verschenen tranen in haar ogen.

'We zeggen het hem vandaag nog!' zei Emile vastberaden.

Frau Winter, de nieuwe huishoudster, had voor Hitler een glas water en een aspirine gepakt.

'Dank u. M'n kop barst uit elkaar.' Hij nam een slok en slikte de pijnstiller door.

'Wilt u iets voor de lunch?' vroeg Frau Winter.

'Nee doet u geen moeite, ik heb zojuist een kop soep in de Osteria gehad. Is Geli er?' vroeg hij.

'Ik zou het niet weten, ik ben net een paar minuten voor u aangekomen, ik was in het stadhuis een nichtje van mij trouwde en...'

Ze hield op met praten omdat Hitler zonder iets te zeggen de keuken had verlaten.

Hij liep door de gang naar de kamer van zijn nichtje terwijl hij zijn rechter slaap met de toppen van zijn vingers masseerde.

Hij klopte op de deur maar er kwam geen reactie. Hij klopte nog een keer.

Toen er weer geen antwoord kwam wachtte Hitler niet langer en opende hij de deur.

Geli lag in haar lingerie op bed. Emile Maurice stond naast het bed en was bezig met het dichtknopen van zijn overhemd.

Ze keken Hitler vol angst aan.

'Zo! Jij dacht zeker dat ik dit niet wist!' zei Hitler op harde toon terwijl hij vlak voor z'n chauffeur ging staan.

'Ik begrijp uw woede, ik ... Geli... wij willen u graag iets zeggen.' stamelde Emile.

'Jij houdt je mond!' schreeuwde Hitler.

'Alstublieft laat me het aan u uitleggen.' smeekte Emile.

'Houd je smoel lummel! Je bent niets, je bent nog minder dan stront!' raasde Hitler vol van drift.

'Heet dit vertrouwen, is dit kameraadschap?

Rot op! Verdwijn!'

Hitler deed een stap opzij waardoor Emile Maurice Geli's kamer kon verlaten.

'Zo Geli,' zei hij kalm, 'vanaf nu hoef je niet meer bang te zijn dat dit soort situaties hier ooit nog zullen plaatsvinden!'

Met het schaamrood op haar kaken en met opgetrokken knieën tegen haar kin liet Hitler zijn nichtje alleen. Hij trok hij de deur rustig achter zich dicht alsof er niets gebeurd was.

Soms klonk het vals en haalde ze de hoge noten niet.

'Geli! Let op je ademhaling! Vanuit de buik en dan naar boven en denk aan het tempo!' doceerde haar zangleraar.

Geli probeerde het opnieuw maar zonder succes.

Hans Streck werd zo kwaad dat hij plotseling ophield met pianospelen en de klep hard dicht sloeg. Geli schrok en keek hem met betraande ogen aan.

'Geli wat is er met je? Waarom hoor of zie ik geen vreugde in wat je doet? Ik heb je oom beloofd dat ik alles in het werk zal stellen om het talent wat je hebt tot bloei te laten komen! Je bent mij verplicht alles te geven wat je in je hebt. Ik neem geen genoegen met middelmatigheid!'

Geli was gaan zitten. Julius Schaub die haar begeleidde gaf haar zijn zakdoek.

'Laten we even pauzeren,' zei Hans Streck en verliet de studio.

'Waarom is oom Alf zo boos op Emile?' vroeg Geli.

'Waarom?' Julius Schaub trok een gezicht alsof hem iets heel ingewikkelds werd gevraagd. 'Ja dat weet ik ook niet. Misschien is hij jaloers, misschien heeft hij heel andere plannen met je, is ie bang dat je een verkeerde keuze zult maken!' antwoordde hij terwijl hij wat op de piano pingelde.

'Maar Emile is toch juist een goede vriend van mijn Oom?'

'Vraag het hem zelf. Hij zal z'n reden wel hebben Geli. Adolf Hitler doet niets zonder dat hij daarover goed heeft nagedacht. Hij is bezorgd, hij wil voor een ieder alleen het beste en zeker voor de mensen om hem heen!'

'Denk je echt?' vroeg ze met een zucht. 'Ik heb hem nog zelden zo kwaad gezien.'

'En wat zei Emile dan?'

'Niets, hij leek wel bang voor hem.'

'Nou zie je wel dat is precies wat ik bedoel.'

'Wat?'

'Dat je Oom geen angsthaas naast zijn nichtje wenst. Jij verdient een echte vent, iemand met lef!'

Heinrich Hoffmann had Emile Maurice, die veel van auto's afwist, gevraagd met hem mee te gaan naar een garage waar een tweede hands Opel werd aangeboden.

'Nou wat vind je ervan?' vroeg Hoffmann die trots achter het stuur van de cabriolet had plaatsgenomen.

'Ik zou me er niet in durven vertonen.' plaagde hij de fotograaf.

'Ja natuurlijk rijd ik ook liever in een nieuwe Mercedes of een Horch maar dan hebben we het wel over andere prijzen!'

'Ik vind het niet een echte auto, nee ik zou nog even verder kijken als ik u was.' zei Emile.

'Maar dit is een betrouwbaar adres, deze jongens hebben een goeie naam.'

'Autohandelaren die betrouwbaar zijn bestaan niet Herr Hoffmann... eigenlijk is niemand meer te vertrouwen.'

'Hoe kom je daar nu bij? Wat bedoel je?'

'Ik heb het over Adolf Hitler en z'n vrienden.'

Hoffmann stapte uit de auto. 'Die zijn niet te vertrouwen zeg je?' zei hij vol ongeloof.

'Ik ben verraden of in ieder geval iemand wil niet dat Geli en ik gelukkig met elkaar zijn.'

'Emile waar heb je het over jongen?'

'Geli Raubal en ik zijn verliefd!'

'Geweldig! Ik hoor graag wanneer mensen met elkaar gelukkig zijn.' lachte hij.

'Dat is nu juist het probleem, we zijn niet gelukkig!'

'Verliefd maar niet gelukkig?' Hoffmann schudde met z'n hoofd.

'Hitler wil het niet, hij heeft het ons verboden.'

'Maar waarom?'

'Geen idee, wist ik het maar!'

'Misschien moet je duidelijker zijn Emile.'

Hoffmann sloeg z'n arm om z'n schouder en liep met hem tussen de tweedehands auto's door.

'Mijn Henriëtte heeft pas geleden iemand ontmoet. Ze spraken stiekem af en rommelde met elkaar in het park. Kijk dat keur ik dus niet goed.

Als iemand iets met mijn dochter wil... prima! Maar dan zijn er wel regels die in acht genomen moeten worden. Henriëtte is namelijk net zo als Geli een uniek meisje. Ik ben heel zuinig op haar'

'Maar ik wilde het hem ook zeggen.' verdedigde Emile zich.

'Zeggen? Je moet het vragen beste jongen!'

'Vragen?'

'Ja, zeggen dat je van haar houdt is overbodig dat is reeds een publiek geheim als ik het goed begrepen heb?' zei Hoffmann.

'Ik wil maar één ding... ik wil dat Geli mijn vrouw wordt.' zei Emile bijna wanhopig.

'Precies! Dat is nu precies wat je tegen Hitler zeggen moet...en niets anders!'

'Nooit, versta je me nooit!' bulderde Hitler in zijn werkkamer van Das Braune Haus.

Emile Maurice stond geslagen als een klein kind voor het bureau van zijn werkgever.

'Nooit zal ik daarin toestemmen! Geli is nog helemaal niet toe aan verloven laat staan een huwelijk! Zij is hier bij mij om zich te ontwikkelen, een leerproces van jaren en ik draag de verantwoordelijkheid om haar te beschermen tegen invloeden die dat in gevaar zouden kunnen brengen. Dit laat ik niet toe!'

'Maar Herr Hitler,' probeerde Emile, 'ik werk al zo lang voor u, ik ben toch geen vreemde, u vertouwt mij toch?'

'Vertrouwen? Ik vertrouw je als chauffeur! Maar niet als de aanstaande echtgenoot van Geli! Wie denk je wel dat je bent?'

'Herr Hitler ik weet precies wie ik ben en wat ik wil! Geli en ik houden van elkaar, wij...'

'Wij zijn uitgepraat!' viel Hitler hem in de rede.

'Ik verzoek u dringend mijn nichtje niet langer meer lastig te vallen. Als u in functie wilt blijven waarschuw ik u deze zaak niet verder te laten escaleren.' zei Hitler dreigend. 'Zo nodig neem ik passende maatregelen, ik hoop dat ik duidelijk geweest ben mijnheer Maurice!'

Emile Maurice zag in dat het geen enkele zin had om het gesprek voort te zetten. Hij draaide zich om en liep weg zonder een woord te zeggen.

'Rij de auto voor! Ik heb een lunchafspraak in de Osteria Bavaria!' schreeuwde hij hem na.

Een donkerrode Opel stopte voor het zwembad.

'Om vier uur sta ik hier weer voor de deur.' zei Heinrich Hoffmann. Hij wachtte tot zijn dochter en Geli met hun tassen met badgoed veilig waren uitgestapt en reed weg.

Nog geen twee minuten later verscheen de Mercedes van Hitler.

Geli ging voorin naast Emile zitten en sloeg een arm om hem heen. Henriëtte keek vanaf de achterbank of ze gevolgd werden.

'Hij heeft geen vermoeden denk je?' vroeg Emile nerveus.

'Nee hij weet toch dat ik elke vrijdag met Henriëtte ga zwemmen, oh Emile ik vind het zo spannend!' 'Hoe is het gegaan?' zei Geli opgewonden.

'Hij is razend! Ik zeg je hij is tot alles in staat!'

Geli keek hem vol verbazing aan. 'Oom Alf is boos?'

'Hij raakte bijna buiten zinnen, ik heb hem zelden of nooit zo kwaad gezien!'

Henriëtte boog zich voorover vanaf de achterbank, 'Maar wat heb je dan gezegd?' vroeg ze.

'Ik heb hem keurig gevraagd, of liever gezegd, op de hoogte gesteld van het feit dat Geli en ik voornemens zijn ons te gaan verloven, niets meer niets minder.'

Geli nam geschrokken wat afstand, 'En toen, wat gebeurde er toen?'

'Hij explodeerde zowat...hij vloog me nog net niet aan. Zijn ogen spuwden vuur hij was onthutst, het leek wel of ik hem beledigd had.'

'Ongelooflijk, dat is toch bizar!' zei Henriëtte voor zich uitkijkend.

Geli sloeg haar arm weer om hem heen. 'Ik praat wel met hem! Niemand kan tussen ons komen Emile, niemand!'

Hij schudde z'n hoofd, 'Daar vergis je je in Geli, heus hij wil er niets van weten. Zijn besluit staat vast.'

Ze keek hem angstig aan, 'En nu, wat doen we nu?'

'Doc het dashboardkastje eens open.' zei Emile.

'Er ligt alleen een pistool in!.' zei ze geschrokken.

Op een verlaten plek diep in de bossen ten zuiden van München bracht Emile Maurice de Mercedes tot stilstand. Hij stapte uit en hield in zijn rechterhand het pistool vast.

Henriëtte kwam langzaam de auto uit. 'Emile wil je nu alsjeblieft zeggen wat je wat van plan bent?'

Geli was ook uitgestapt, 'Doe geen domme dingen schat, je maakt ons bang!'

'Nee hij maakt ons bang! Hij heeft kwaad in de zin niet ik!' zei hij overtuigend van zijn gelijk. 'Geli kom eens hier!'

Ze keek even Henriëtte aan alsof ze bescherming bij haar zocht. Ze knikte naar Geli alsof ze wilde zeggen, vertrouw hem nu maar. Vervolgens ging ze naast hem staan.

'Dit is een Walther zes punt vijfendertig,' zei hij. 'Kijk zo ontgrendel je hem en zo laadt je hem door.'

Geli luisterde aandachtig en keek soms even opzij naar Henriëtte die met haar armen over elkaar en een sigaret in haar mondhoek een ontspannen indruk maakte.

'Zo houd je hem vast... zo richt je en vervolgens haal je de trekker over.' demonstreerde hij Geli.

Ze knikte een paar keer alsof ze alles begrepen had.

'Die boom daar,' wees hij, 'daar met die knoest, let op!' Emile strekte zijn hand, richtte en schoot in het hart van de knoest.

Geli schrok even van de knal en lachte nerveus.

'Nu jij!'

'Ik?'

'Ja Geli jij, ik wil dat je je kunt verdedigen! Dat je weet hoe een pistool werkt.'

'Maar lieverd je denkt toch niet dat mijn oom mij ooit iets zou willen aandoen, dat hij...'

'Hij is ziekelijk jaloers.' onderbrak Emile haar. 'Ik heb geen idee wat Hitler zich allemaal in z'n hoofd haalt. Ik zou graag anders willen maar dit is pure noodzaak!'

Hij gaf haar het pistool. Ze draaide het wapen naar links en naar rechts en bestudeerde het aandachtig.

Geli zuchtte diep. 'Goed dus zo moet ik ontgrendelen, doorladen, richten en...'

Er klonk een knal. Geli keek geschrokken naar Emile.

'Mis! Probeer het nog maar eens!' zei hij aanmoedigend.

'Mijn lieve nichtje Geli,' zei Hitler, 'het lijkt mij vanaf nu beter dat je je in de eerste plaats richt op je toekomst. Een man, trouwen, een gezin lijken mij op dit moment niet relevant. Je opleiding heeft nu prioriteit.'

Geli en haar oom zaten aan de eettafel. Mevrouw Winter serveerde groentesoep.

'Door omstandigheden heb ik helaas nooit de kans gehad om te studeren,' vervolgde Hitler toen de huishoudster de eetkamer weer verlaten had.

'Mijn situatie nu laat toe dat ik jou die kans wel kan geven en ik verwacht dat jij dat serieus neemt!'

'Vanaf nu zal ik je persoonlijk zoveel mogelijk begeleiden en als ik niet in de gelegenheid ben nemen Julius Schaub of Wilhelm Brückner die taak van mij over.'

'Maar u heeft toch geen hekel aan Emile Maurice?' vroeg Geli voorzichtig.

'Nee natuurlijk niet! Hij is een goede chauffeur!'

Er viel een stilte.

'Emile Maurice is bang dat u hem zult ontslaan.'

Hitler hield op met eten en keek haar doordringend aan.

'Zo? Heeft hij dat tegen jou gezegd? Dat is dus precies wat ik bedoel. Ik wil niet dat jij langer wordt lastig gevallen met dit soort zaken!'

Hitler stond op en smeet zijn servet op tafel.

'Volkomen belachelijk, de man is mijn chauffeur en dient zich overeenkomstig te gedragen! Schande!'

Hitler liep met driftige pas naar zijn werkkamer.

Niet veel later hoorde Geli hoe haar oom, door de telefoon, Emile Maurice schoffeerde.

Geli was in bad geweest. Ze genoot van het feit dat haar oom voor een paar dagen naar Berlijn vertrokken was. Ze had de radio in de kamer aangezet en door het hele appartement klonk jazz muziek.

In haar badjas maakte ze kleine danspasjes en zong 'Ain't she sweet...'

'Juffrouw Raubal!' probeerde mevrouw Winter de muziek te overstemmen, 'Juffrouw Rau-bal!'

Geli hoorde haar pas toen ze voor de derde keer haar naam riep. Snel liep ze naar de radio en zette het geluid zachter.

'Neemt u me niet kwalijk ik dacht dat u vrij was van het weekend.' zei Geli.

'Dat is ook zo maar ik moest dit nog even aan u afgeven. Hij stond erop dat ik het persoonlijk zou doen.' Ze overhandigde Geli een witte envelop.

'Hij?' vroeg Geli.

'Ja mijnheer Maurice,' antwoordde Mevrouw Winter.

'Mijnheer Maurice,' herhaalde Geli opgewonden.

'Ja! Ik wens u nog een aangename zaterdag.'

'Tot maandag mevrouw Winter en nog zeer bedankt.' Snel maakte ze de envelop open en haalde er een wit opgevouwen brief uit. Ze ging zitten en begon te lezen.

Mijn lieve Snoes,

Dit is nu al de vierde brief. Uit jouw schrijven aan mij blijkt dat mijn post niet is aangekomen.

Daarom probeer ik het deze keer via een andere weg. Hopelijk heb je dit op tijd ontvangen. Je oom besloot op het laatste moment toch met de trein naar Berlijn te reizen. Vandaag, zaterdag, heb ik vrij misschien kunnen we elkaar om twee uur in de Alte Pinakothek treffen. Ik zal op je wachten, desnoods tot sluitingstijd. Mocht het niet lukken geef dan maandag een briefje aan mevrouw Winter zij zorgt ervoor dat ik het krijg! Je weet niet hoezeer ik je mis. Ik houd zielsveel van je. Lieve snoes niemand kan ons scheiden! Nog twee jaar dan kun

je gaan en staan waar je wilt. Zo is de wet en daar zal ook je oom zich
aan moeten houden!
   Ik verlang naar je. Ik hou je vast en laat je nooit meer los! Emile.

In minder dan een kwartier had zij zich aangekleed, opgemaakt en ook haar haren verzorgd.

Voor eind september was het ongewoon warm.

Geli had zich gekleed in een modieuze zomerjurk en hield een vest in haar arm. Ze had nog maar twee passen op de Prinz Regentenplatz gezet toen plotseling Julius Schaub pal voor haar stond.

'Juffrouw Raubal waar mag ik u naartoe brengen?' vroeg hij haar met gespeelde vriendelijkheid.

'Julius!' zei ze en nam een stap achteruit. 'Je hoeft me nergens naar toe te brengen. Het is zulk mooi weer, het is heerlijk om nu te wandelen.'

'Maar laat me u dan naar het park rijden of waar u ook moet zijn.'

'Dat is heel aardig maar echt ik verkies het om te lopen.'

'U weet dat uw oom mij opdracht heeft gegeven om u buiten de deur te begeleiden als hij niet aanwezig is?'

'Ja dat weet ik maar dat betreft alleen s'avonds.' probeerde ze handig.

'Toch niet, hij heeft mij duidelijk te verstaan gegeven dat ik uw altijd escorteren moet.'

'Goed als u erop staat dan zou ik graag naar de dierentuin gaan, loopt u mee?' zei ze vrolijk.

'Lopen? U gaat toch zeker niet een uur lopen als ik u met de auto kan brengen?'

'Ik loop graag...ik wens u nog een fijne dag.'

Ze draaide zich om en liep weg.

Julius bleef even vertwijfeld staan en haastte zich vervolgens naar z'n auto.

Geli had er flink de pas ingezet toen ze even over haar schouder keek zag ze hoe de zwarte Mercedes haar volgde. Ze versnelde haar tempo en hoorde hoe Julius direct reageerde door iets gas bij te geven. Plotseling hield Geli in, ze draaide zich om en begon te rennen. Julius stopte en schakelde de achteruitversnelling in. Door achteropkomend verkeer moest hij vaart minderen en verloor hij haar even uit het oog. Ze was de straat overgestoken zonder dat hij het gezien had.

Julius was uitgestapt, keek in het rond en had al snel in de gaten dat

Geli hem te snel afgeweest was. Hij schopte uit frustratie tegen de linker voorband.

De Madonna met kindeke Jezus van Breughel en van Eck was één van de topstukken van de Alte Pinakothek. Geli bewonderde het ademloos en wende haar gezicht naar Emile Maurice.

'Dit soort ontmoetingen maakt het alleen maar spannender.' zei ze verliefd. 'Vrijen in een museum!'

'Geloof maar dat Julius goed de pest in heeft. Die laat je de volgende keer geen moment meer alleen!'

Geli keek hem ondeugend aan. 'Ik verzin wel wat! Kat en muis spelen vond ik altijd al leuk!'

Emile kon er niet om lachen, 'Ik begrijp niet waarom hij zich zo gedraagt. Dan is hij weer afstandelijk dan weer vriendelijk en vervolgens maakt hij mij openlijk belachelijk.'

'Maar jullie waren toch juist vrienden?' vroeg Geli.

'Ja vanaf het begin dat hij in München is. Ik heb heel wat met hem meegemaakt en waarom hij nu zo doet is voor mij een totaal raadsel.'

Geli trok haar schouders op. 'Het gaat wel weer voorbij.'

'Maar het is toch vreemd dat je zelfs mijn drie brieven niet ontvangen hebt. Als hij ook je post onderschept en openmaakt dat kan toch niet, dat is verboden... dat is strafbaar Geli!'

'Dat kun je niet bewijzen.'

Emile schudde met zijn hoofd, 'Er is iets anders aan de hand.'

'Ik zou niet weten wat.'

'Je oom is gewoon verliefd op jou! Of wil je beweren dat dat niet zo is?' zei hij geëmotioneerd.

Even moest Geli lachen maar al snel veranderde dat in een verontwaardigde blik. 'Emile hou op, doe niet zo idioot!'

'Idioot?' reageerde hij fel. 'Wat wil je dat ik zeg? Dat dit allemaal normaal is? Dat hij het recht heeft om zo te doen? Het is absurd!'

Geli beet op haar onderlip en keek hem zwijgend aan.

'Blijf hier wachten!' zei Hitler onvriendelijk tegen Emile Maurice terwijl hij met Geli uit de Mercedes stapte.

Herman Göring, Joseph Goebbels, Heinrich Himmler, Rudolf Hess, Otto Strasser, Wilhelm Frick en vele andere prominente partijleden waren aanwezig op het verjaardagsfeest van Putzi Hanfstaengl in hotel Die Vier Jahreszeiten te München.

Zijn nieuwe smoking stond Hitler goed maar de meeste ogen waren toch op Geli gericht. Haar diepe decolleté van een zilverkleurige avondjurk en hoge split deden veel mannen maar ook veel vrouwen omkijken. Het regende complimenten die Geli onder goedkeurende blikken van haar oom, maar al te graag in ontvangst nam.

Tijdens de cocktail verontschuldigde zij zich om het toilet te bezoeken.

'Waarlijk zeg ik u, zelden zag ik zo'n schoonheid van een vrouw!' Geli draaide zich om en zag Joseph Goebbels die achter haar liep op weg naar het herentoilet.

'Doktor Goebbels wat vriendelijk van u.' zei ze stralend. Ze liepen nu naast elkaar door een brede hotelgang.

'Oogverblindend! Gelooft u mij, het is dat ik weet dat uw oom het niet op prijs stelt maar anders zou ik u het hof maken!' verzekerde Goebbels haar zonder enige gene.

'Ik weet niet wat ik zeggen moet. U maakt me verlegen maar ook blij.' zei Geli.

Goebbels sloeg een arm om haar middel. 'Het is misschien vreemd dat ik het zeg maar u en Adolf Hitler horen bij elkaar. Een soort van eenheid, iets bijzonders! Ik moet toegeven ik ben jaloers op hem!'

'Maar hij is mijn oom, dat weet u toch?'

'Natuurlijk maar hij heeft toch het recht om van u te houden... zoals een vader van zijn dochter... u te beschermen tegen het kwaad en u met zijn liefde te omgeven?'

'Het lijkt wel of u het over God heeft!' zei Geli met een lach.

Goebbels bleef plotseling staan en liet Geli los.

'Zo zie ik hem ook.' zei hij vol ernst. 'Zonder hem is mijn leven niets waard! Mijn inspanningen, mijn trouw en onvoorwaardelijke gehoorzaamheid komen hem toe en niemand anders! En dat is ook precies wat hij van u verwacht! Wat hij eigenlijk van iedereen verwacht, van iedereen die ons Vaderland respecteert! Heil Hitler!' Met zijn rechterhand schuin omhoog keek hij haar doordringend aan. Geli leek even te willen lachen maar zag dat Goebbels absoluut serieus was.

Ze bedacht zich geen seconde, 'Heil Hitler!' groette ze met gestrekte arm.

Tijdens het diner zat ze naast Hitler en links van haar zat de uitgever Max Amann. Nadat ze gezamenlijk "Er lebe hoch er lebe hoch" hadden gezongen begon er een orkest te spelen.

Geli probeerde Hitler tot een dansje te verleiden maar deze liet zich niet strikken.

'Mijn lieve prinses doe geen moeite, ik praat liever met je, met dat gewiebel verdoe je alleen maar tijd!' zei hij denigrerend.

'Ach oom Alf het zou me zo plezieren.' zei ze smekend met een kinderstem.

'Geli vanavond zeg ik je iets wat ik je maar één keer zeg!'

Ze keek hem aan en ging rechtop zitten.

'Lieve Geli je moet weten dat ik intens veel van je houd, dat ik bepaalde verlangens heb die alleen jij kunt beantwoorden. Je moet me vertrouwen! Schoonheid is geen kwaliteit dat is er of is er niet maar genieten is een heel ander verhaal. De kunst om te zien en te ontdekken, er is een wereld die niet voor iedereen toegankelijk is. Maar jij en ik hebben die kans, wij samen Geli en niemand anders!'

Ze was geroerd door zijn woorden al begreep ze niet precies wat hij bedoelde. Ze omhelsde hem. Hitler gaf haar een zoen op de wang.

Toen Otto Strasser, een niet bijzonder knappe man, achter hen voorbij liep sprak Hitler hem aan.

'Otto doe me een plezier,' zei hij vlak bij z'n oor. 'Vraag mijn nichtje eens te dans, ik heb last van m'n knie.'

Strasser gehoorzaamde onmiddellijk. Geli genoot op de dansvloer en wierp over de schouder van haar danspartner Hitler liefdevolle blikken toe.

'Maar hij begrijpt het niet! Je kan hem toch niet zomaar laten vallen?' vroeg Henriëtte aan Geli die zat te flirten met een knappe jongeman die aan een tafeltje naast hun zat in de Carlton Tearoom.

'Voorbij, het is voorbij! Oom Alf wil het niet!' zei ze vluchtig.

'Maar het is toch vreemd dat hij je voortdurend in de gaten wil houden?'

'Ik heb er geen last van en het is best gemakkelijk hoor een auto met chauffeur.' grapte ze.

'Onzin Geli, je oom speelt gewoon met je! Hij heeft toch ook niet zomaar je moeder en je zusje naar Berchtesgaden gestuurd?'

Geli keek haar nu plotseling streng aan. 'Hoe durf je dat te zeggen? Oom

Alf heeft juist heel goed voor ze gezorgd!'

'Zeker net zo goed als voor Emile!' zei Henriëtte spottend.

'Hoe bedoel je?' vroeg Geli.

'Hij heeft Emile Maurice ontslagen, zomaar van de ene op de andere dag!'

'Niet waar!'

'Hij was vanochtend bij m'n vader op de zaak. Hij was er flink van in de war!'

'Maar waarom dan, waarom is ie ontslagen?'

'Om jou natuurlijk! Het is niet eerlijk, hij heeft altijd voor je oom klaar gestaan, heeft hem beschermd tegen allerlei tuig en hij was nooit te beroerd om wat dan ook voor hem te doen!' zei Henriëtte vol medeleven.

'Ik kan er niets aan doen, het zijn mijn zaken niet.' zei Geli.

'En hij heeft de laatste drie maanden ook geen salaris ontvangen, dat kan toch niet!'

'Oom Alf heeft nog nooit iemand tekort gedaan! Ik weet zeker dat hij z'n reden heeft om Emile zo te behandelen!'

'Goed dan zal ik je nog wat vertellen Geli Raubal.' zei ze terwijl ze dichterbij schoof. 'Jouw oom was laatst bij ons in de winkel. Het was na sluitingstijd. Ik was alleen mijn vader was even naar een klant. Ineens komt hij voor mij staan en begint hij heel vreemd met een zweepje tegen zijn laarzen te slaan. Hij kijkt me heel eng aan en vraagt of ik verliefd op hem ben. Ik wist niet zo snel wat ik zeggen moest.' Ze haalde even adem. 'Hij bleef me maar aankijken met die ogen van hem en toen vroeg hij of ik hem kussen wilde.'

'En toen, wat gebeurde er toen?' vroeg Geli opgewonden.

'Niets! Ik begon te lachen en toen draaide hij zich om en weg was ie!'

Samen gierden ze het uit dit tot ergernis van een groepje dames die zichtbaar de oudste rechten in de Carlton Tearoom meenden te hebben.

Adolf Hitler zat in zijn werkkamer achter zijn bureau de krant te lezen toen Geli kwam binnenlopen.

'Oom Alf stoor ik u?' vroeg ze aan Hitler die haar nog nauwelijks had opgemerkt.

'Ach mijn lieve prinses wat heerlijk is het toch om je hier om mij heen te hebben.' zei hij en sloeg de *Völkischer Beobachter* dicht.

'Oom Alf,' ze ging uitdagend op de rand van zijn bureau zitten, 'ik wil u iets vragen.'

Hitler maakte een gebaar met zijn hand waarmee hij aangaf dat ze verder mocht gaan.

'Er is zaterdagavond een feest. Henriëtte Hoffmann heeft mij uitgenodigd. Er komen alleen studenten en ik wilde u vragen of ik...'

Hitler bracht een opgestoken vinger naar zijn mond 'Sssssssst' siste hij.

Geli keek hem met grote ogen aan en zag dat hij een boek wat prominent op zijn bureau lag in zijn hand nam.

'Mijn liefste Geli...ik heb hier een boek wat ik je ooit een paar jaar geleden gegeven heb.'

'*Mein Kampf.*' zei Geli zonder nadenken.

'Juist! Ik stel je vijf vragen wanneer je er drie goed hebt mag je naar dat feest.'

Geli fronste haar wenkbrauwen, 'Oom Alf het is lang geleden dat ik het gelezen heb... ik weet echt niet meer precies alles wat er in staat. Van muziek weet ik veel meer.' probeerde ze hem op andere gedachte te brengen.

Hitler hield op met bladeren en kuchte. 'Wie produceren de meeste literaire vunzigheid en artistieke rotzooi?' vroeg hij haar streng aankijkend.

Ze twijfelde en gokte, 'Amerika?'

'De Joden! Die vuile Joden natuurlijk! N.S.D.A.P. staat voor?' ging hij verder.

'Uh ja, Nieuwe Socialistische Deutsche.'

'Nieuwe? Nationaal zul je bedoelen!' corrigeerde hij geïrriteerd.

'Dat bedoelde ik ook...Nationaal!' verdedigde Geli zich.

'Fout! Aan wie heb ik het eerste deel van dit boek opgedragen?'

'Uw moeder?' zei Geli onzeker.

'Fout! Aan de dappere mannen die zijn gedood bij de Putsch in München op 9 november 1923! Je hebt er geen letter uit gelezen, daar beledig je me mee! Feesten, dansen, lachen dan doen alleen domme mensen! Eerst ga je je maar eens verdiepen in hoe onze toekomst eruit gaat zien! Niets wat hierin staat is fantasie maar het is een visie op historische gebeurtenissen en ik wens daarom meer dan serieus genomen te worden!'

Geli was lijkbleek geworden en durfde niets meer te zeggen.

De middagvoorstelling werd door een handje vol mensen bezocht.

Het bioscoopjournaal deed verslag van de dood van Gustav Stresemann, de minister van buitenlandse zaken.

'Politiek, zonde van de tijd!' fluisterde Geli tegen Henriëtte Hoffmann.

'Heb je zeker ook een hekel aan je oom?' plaagde Henriëtte haar.

'Oom Alf is anders die is echt niet alleen met politiek bezig.'

'Hou toch op! Hij is juist alleen maar met politiek bezig!'

'Niet waar! Muziek, literatuur, architectuur noem maar op dat is voor hem veel belangrijker! Ik wil wedden dat hij in zijn hart veel liever schilder of schrijver was geworden.'

'Hij kan helemaal niet schrijven!'

'Oh nee? En *Mein Kampf* dan?' zei Geli haastig.

'Dat heeft ie helemaal niet zelf geschreven !'

'Toevallig wel... dat heeft ie wel zelf geschreven.'

'Hij heeft het gedicteerd en Rudolf Hess heeft het geschreven!'

'Ja die heeft het opgeschreven maar oom Alf heeft het bedacht!'

'Het zal wel.' zei Henriëtte sceptisch.

'Ik heb het in één keer uitgelezen.'

'En net zeg je dat politiek zonde van de tijd is!'

'Het gaat juist niet alleen over politiek maar ook over religie, over Joden, over volk en ras en opvoeding!' zei ze alsof het een meesterwerk betrof.

'Mijn vader zegt dat het saai is en vol herhalingen staat.'

'Sommige dingen zijn gewoon niet voor iedereen te begrijpen zelfs al heb je gestudeerd dan is het nog moeilijk.'

'Maar voor jou is het allemaal duidelijk?'

'Het zijn visies op historische gebeurtenissen en die moet je heel serieus nemen.'

'Geli hou op, je lijkt wel een schooljuf!'

Pas toen de hoofdfilm begon hielden ze op met praten en maakten ze met veel geritsel de papiertjes van hun snoepjes open.

Mevrouw Winter had zojuist voor het avondeten twee schotels met koud vlees voor Hitler en zijn nichtje geserveerd.

Geli had gewoontegetrouw een kruisje geslagen, haar handen gevouwen en hardop gebeden.

'Ik wil dat niet meer horen.' zei Hitler toen ze haar ogen had open geslagen.

'Wat? Wat wilt u niet meer horen?' vroeg ze aarzelend.

'Bidden! Voor religie is geen plaats in ons bestaan!

De kerk zorgt alleen maar voor verwarring en heeft geen functie van betekenis in het nieuwe Duitsland!'

'Maar oom Alf.'

Hij luisterde niet naar haar. 'Het is een leugen, de bijbel is een sprookjes-boek! Eerst zullen we ons verlossen van de Joden en daarna zal ook snel de rol van de katholieke kerk zijn uitgespeeld!'

'Dat kunt u toch niet menen?' vroeg Geli bezorgd.

'Het moet afgelopen zijn! De mensen moeten niet langer de kerk vrezen maar moeten hun politieke leider gehoorzamen. In de kerk komt niets tot stand wij moeten ons niet richten op het leven na de dood maar op het leven hier en nu!'

'De kerk afschaffen? Er zijn miljoenen mensen opgevoed met de bijbel dat kunt u ze toch niet zomaar afnemen?' protesteerde ze.

'Lieve Geli we staan voor een nieuw tijdperk. De mens hunkert naar een nieuwe wereldorde!

Wat hebben ze aan een God die niet zichtbaar is, die geen oplossingen aandraagt, die zich verschuilt achter de rug van geestelijken die wartaal spreken?

Mijn ideeën zijn helder! Ik ben bereid om mij volledig op te offeren en werkelijk in te zetten voor een andere wereld, een betere wereld waar wij als Duitse natie het voorbeeld zullen zijn voor miljoenen mensen! Eet smake-lijk!'

Hitler begon te eten terwijl Geli met open mond tegenover hem zat.

'Ik ben gelovig. Ik ben katholiek, mijn moeder is katholiek, mijn broer en zusje zijn katholiek.' zei ze verschrikt.

'Geli doe alsjeblieft niet zo kinderachtig! Deze salami is werkelijk uitzon-derlijk lekker.' zei hij met z'n mond vol.

'Geli!' riep Heinrich Hoffmann, 'Geli hier!'

Tijdens de pauze bij Die Zauberflöte van Mozart in het National Theater verdrong het publiek zich voor een kopje koffie of thee bij het buffet.

'Hallo mijnheer Hoffmann hoe gaat het met u?' vroeg ze schichtig om zich heen kijkend.

'Goed Geli dank je, en met jou?'

'Goed! Bent u alleen?'

'Ja na afloop moet ik Bertha Morena fotograferen. Wie weet kom ik hier ooit nog eens een keer om de wereldberoemde Geli Raubal op de foto te zetten!' zei hij met een grijns.

Ze lachte nerveus en pakte Heinrich Hoffmann bij zijn arm en trok hem met zich mee naar een gang waar het rustig was. 'Mijnheer Hoffmann heeft u ooit nog iets van Emile Maurice gehoord.' vroeg ze.

'Emile Maurice? Voor het laatst sprak ik hem in een café in Schwabing. Hij is boos op Hitler maar is ook bang om iets tegen hem te ondernemen.'

'Bang?'

'Je oom is duidelijk geweest, hij duldt nu eenmaal geen tegenspraak van zijn personeel.'

'Van niemand als je het aan mij vraagt?' zei ze somber.

'Maar je oom is toch wel aardig tegen jou? Hij is gek op je!'

Die opmerking deed Geli zichtbaar goed ze begon plotseling weer te stralen. 'Oom Alf is de liefste!

Alleen af en toe dan begrijp ik hem soms niet zo goed. Misschien omdat ik zelf geen vader heb gehad. Zijn bezorgdheid om mij is bijzonder ik heb dat nooit eerder mee gemaakt. Al die aandacht!

Mijn moeder moest immers drie kinderen alleen opvoeden en ook nog de kost verdienen!'

Hoffmann keek haar liefdevol aan. 'Geli het is net zoals met mijn Henriëtte, jullie zijn een stel schitterende meiden met heel veel talent maar geen geduld.'

'Soms lijkt het andersom dan lijkt het of Oom Alf geen geduld heeft, hij kan heel erg driftig worden en gaan schreeuwen.'

Hij schudde met zijn hoofd. 'Jouw oom laat zijn emoties zien en hij heeft temperament! Dat maakt hem menselijk daarom geloven steeds meer Duitsers in zijn politieke ideeën!'

Geli keek over Hoffmann zijn schouder en zag dat haar oom haar zocht 'Fijn even met u gesproken te hebben ik moet nu weer gaan.'

'Geli maak je geen zorgen, echt ik ken je oom hij wil maar één ding en dat is dat jij gelukkig bent!'

Ze gaf Hoffmann vluchtig een zoen op z'n wang en verdween tussen de mensen in de foyer in de richting waar ze Hitler had gezien.

Na afloop van de opera hadden ze nog iets in de Osteria Bavaria gedronken.

Het was rond middernacht toen Hitler en Geli terug keerden in het appartement op de Prinz Regentenplatz.

Geli zong uit haar hoofd de aria Der Hölle Rache uit Die Zauberflöte terwijl Hitler onderuit in een stoel zat.

Onder het licht van een kroonluchter zong ze met volle overgave. Ze schopte haar schoenen uit om beter te kunnen bewegen.

'Bravo Geli bravo!' riep Hitler toen ze uitgezongen was en gaf haar een staande ovatie.

Ze nam het applaus met een professionele buiging in ontvangst.

'Nog een keer!' zei Hitler enthousiast. 'Maar dan naakt!'

'Naakt?' vroeg Geli met een lach.

Hij schoof de zware groen fluwelen gordijnen dicht. Geli begon te giechelen en had duidelijk een glaasje teveel op.

Ze liep naar de radio en zocht naar toepasselijk muziek. Hoewel ze wist dat haar oom een hekel had aan jazz stemde ze af op een zender die de zwoele stem van Billie Holiday de huiskamers in joeg.

Geli kon Hitler nauwelijks zien omdat hij in de zitkamer, waar geen licht brandde, op de bank was gaan zitten.

Ze bewoog met haar heupen op de maat van de muziek en zette een voet op één van de eetstoelen.

Ze schoof haar avondjurk omhoog, maakte een kous los van haar jarretelgordel en rolde die langzaam naar beneden. Het zelfde deed ze nu met haar andere kous. Ondeugend keek ze achterom in de richting van de donkere zitkamer.

Voorzichtig schoof ze de fruitschaal die midden op de eettafel stond opzij en beklom het meubelstuk alsof het een bühne was. Met haar rug naar Hitler toe ritste ze haar zwart satijnen avondjurk open. Hierna tilde ze subtiel haar schouderbandjes een fractie omhoog en liet ze allebei tegelijkertijd los zodat de jurk langs haar lichaam naar beneden gleed.

Nu stond ze alleen nog in zwarte lingerie. Met een snelle beweging gespte zij haar bh los.

Geli raakte in extase en begon haar borsten te strelen. Even later lag ze languit naakt op de eettafel en verdween een hand tussen haar benen.

Opwindend gekreun en gehijg overstemde zo nu en dan de jazzmuziek van de radio. Zonder enige schaamte liet Geli zich volledig gaan en genoot van een absoluut hoogtepunt.

Met haar ogen dicht lag ze na te genieten en neuriede mee met "I wanna be loved by you."

'Mijn lieve, lieve Geli,' zei Hitler die plotseling naast de tafel stond.

Geschrokken ging ze rechtop zitten en sloeg haar armen voor haar borsten. 'Oom Alf, mijn God wat heb ik gedaan?'

'Je bent zo mooi. Ik heb ervan genoten. Hier kijk!' Vanachter zijn rug haalde hij een stuk papier waarop hij met potlood Geli op de eettafel in verschillende posities had getekend.

'Maar...oh nee! Iedereen herkent mij meteen!' zei ze geschrokken.

'Dit krijgt nooit iemand te zien, dat beloof ik je, eerlijk! Dit is alleen voor mij!'

'Oom Alf ik schaam me dood, het spijt me, ik, ik beloof dat ik me voortaan zal gedragen.' zei ze stamelend.

'Maar dit is juist perfect, ongeremde schoonheid! Ik wil alles van je weten, ik wil alles van je zien!'

Geli stond op en verzamelde haar kledingstukken die rondom de eettafel lagen.

'Het spijt me, het zal niet meer gebeuren... welterusten oom Alf.' zei ze en ze haaste zich naar haar slaapkamer.

Geli voelde het als een bevrijding toen ze samen met Henriëtte in een eerste klas coupé van de trein naar Berchtesgaden zat.

Julius Schaub had hun koffers boven in het bagagerek gezet en kon nog net op tijd uit de trein springen die langzaam het hoofdstation verliet.

'Een slaaf, hij is gewoon een slaaf, doet alles wat mijn oom zegt.' zei Geli die samen met Henriëtte naar Julius zwaaiden.

'Ze kijken tegen hem op, ze hebben gewoon respect voor hem.' stelde Henriëtte vast.

'Respect? Wel nee ze zijn allemaal hartstikke bang voor hem!'

'Zou Rudolf Hess bang voor hem zijn?'

'Die hielenlikker? Geloof maar dat ie precies doet wat mijn oom tegen hem zegt!'

'En Goebbels?'

'Goebbels? Die adoreert hem, die verafgoodt hem! Die man gaat voor hem door het vuur!'

'Heinrich Himmler dan?' probeerde Henriëtte.

'Die engerd! Wat een griezel is dat toch met die opgeschoren nek en die heks van een vrouw van hem!'

'Maar die lijkt me wel tegen hem opgewassen, weet je dat die vent landbouwkundig ingenieur is?'

Geli trok haar schouders op. 'Nou en? Oom Alf heeft nooit gestudeerd, geen diploma, geen titel en moet je horen hoe hij iedereen de les leest... die

Himmler die steekt ie zo in z'n zak!'

'En jij? Ben jij bang?'

Ze zuchtte. 'Nee. Waarom zou ik bang zijn? Ik ben zijn lieve nichtje, zijn mooie prinses.' zei ze met een Oostenrijks accent Hitler imiterend.

Ze keken elkaar aan en barsten in lachen uit.

'En sinds wanneer ben je model voor je oom?' vroeg Henriëtte met een ondeugende blijk toen ze weer tot bedaren waren gekomen.

De lach op Geli's gezicht had plaats gemaakt voor een verbaasde en hulpeloze blik.

'Wat? Wat bedoel je? Waar heb je het over?'

'Die tekeningen die je oom van je gemaakt heeft... dat ben jij toch... of niet soms?'

Geli was sprakeloos en schudde met haar hoofd.

'Het is niet waar! Wanneer heb je dat gezien?'

'Hij heeft ze aan mijn vader laten zien. Hij vond ze heel goed, heel artistiek maar ook heel erotisch.'

'Maar hij had me beloofd, hij zou ze aan niemand laten zien, aan niemand!' zei ze bijna wanhopig.

Zonder verder nog iets te zeggen keken ze hoe het Beierse landschap aan hen voorbij trok.

Angela Raubal had met haar Wanderer, een kleine auto die ze van haar halfbroer had gekregen, Geli en Henriëtte van het station opgehaald.

In de keuken van Haus Wachenfeld op de Obersalzberg dronken ze thee en genoten ze van een appeltaart die Friedl, het zusje van Geli, gebakken had.

'Wat heerlijk om hier bij jullie te zijn. Een hele week rust, geen gedoe of wat dan ook, wat zal ik genieten.' zei Geli en sloeg haar armen om haar moeder.

'Maar in München is het toch veel leuker?' vroeg Friedl zeurderig.

'Lief zusje van me ik woon bij Oom Alf, ik ontbijt met oom Alf, ik dineer met oom Alf in ik weet niet hoeveel restaurants, ik ga met hem naar de opera, naar het theater, naar de bioscoop, zangles, wandelen, winkelen, en als hij er niet is dan stuurt ie één van zijn waakhonden met mij mee! Nooit ben ik alleen, nooit kan ik doen wat ik zelf wil!'

Friedl keek vragend naar haar moeder. 'Is dat echt waar?'

Angela Raubal haalde haar schouders op. 'Wel nee ze overdrijft! Geli leeft als een vorstin en heeft niets te klagen bij haar oom. Wij mogen van geluk spreken dat hij zo goed voor ons zorgt, of niet soms?' Ze draaide zich naar Geli toe en keek haar afwachtend aan.

'En hoe is het hier?' vroeg Geli die duidelijk een ander onderwerp wilde aansnijden.

'Saai!' zei Friedl.

'Waarom?' vroeg Geli, 'Waarom juist nu? Hij zou in Berlijn blijven! Of waarom gaat ie niet gewoon naar München?'

Ze liep in haar ochtendjas achter haar moeder aan die door het hele huis met een grote gieter bloemen en planten water gaf.

'Ziet u nu wel! Ik ben hier nog maar twee dagen en hij komt me al weer achterna, hij gunt me gewoon geen rust. Om stapelgek van te worden!'

'Geli dit is toevallig wel zijn huis! Wij zijn hier te gast. Hou op met zeuren gedraag je niet als een klein verwend kind wat denk je wel!' zei Angela geïrriteerd.

'U heeft makkelijk praten, u kunt hier doen en laten wat u wilt maar wat hij met uw dochter doet schijnt u niets te interesseren!'

'Hij houd van je, is dol op je. Wees blij dat hij je als z'n dochter beschouwt en je alle kansen geeft om te studeren en dat hij je meeneemt naar de opera en al die andere dingen waar maar heel weinig mensen de kans voor krijgen! En laat me nu met rust want over twee uur zijn ze alhier'

'Maar begrijpt u dan niet dat dat allemaal niet zomaar is, dat ik hem daarvoor altijd moet gehoorzamen en, dat ik er nauwelijks een eigen mening op na mag houden en hij mij beperkt in m'n vrijheid! Moeder luistert u eigenlijk wel?' zei Geli kwaad geworden en gaf haar een duw. Angela verloor haar evenwicht en stootte per ongeluk een grote kristallen vaas om die in ontelbare stukjes op de houten vloer uit elkaar spatte.

'Het spijt me.' zei Geli, 'Moeder het spijt me zo.'

Angela zette de gieter op de grond en nam haar dochter in haar armen. 'Geli ik zal met hem praten...het komt wel goed, heus het komt goed.'

Rond het middaguur was Adolf Hitler samen met Julius Schaub bij Haus Wachenfeld aangekomen.

Geli en Henriëtte hadden de grote Mercedes compressor nog net zien aankomen toen ze al een behoorlijk eind de helling van de Obersalzberg op waren geklommen.

Ze hadden zich warm aangekleed en droegen stevige wandelschoenen. In een rugzak die Geli meetorste zaten verse broodjes en een thermosfles met warme chocolademelk.

'Maar is dit nou wel verstandig? Je moeder kan er toch ook niets aan doen?' vroeg Henriëtte bezorgd.

Geli liep voorop en deed net als of ze haar vriendin niet had gehoord.

'Geli! Kunnen we niet beter terug gaan?' zei ze nu met harde stem.

Ze hield op met lopen en plaatste haar handen demonstratief in haar zij.

'Dus jij bent ook al bang voor hem?'

'Nee helemaal niet! Maar wanneer hij je moeder belt en zegt dat ie speciaal voor jou naar Berchtesgaden komt dat lijkt het mij dat ie je thuis verwacht en niet ergens bovenop een berg?'

Ze draaide zich om naar Henriëtte. 'Ik heb niet gevraagd of ie wilde komen! We zouden hier een week samen met mijn moeder en zusje zijn en geen kerels om ons heen... dat was de afspraak!' zei ze fel.

Stapvoets gingen ze verder. In het dal hoorden ze de stoomfluit van een locomotief en verder was er alleen het geluid van kabbelend bergwater en stukjes steen die ze onder hun zolen kapot trapten.

'Ge-li! Ge-li!,' galmde het plotseling door de bergen. De meisjes stonden stokstijf en keken elkaar met grote ogen aan.

Vanaf het slingerende bergpad zagen ze tussen de bomen Julius Schaub achter hun aankomen.

'Geli stop!' riep hij gebiedend.

'Hij kan de pot op! Kom we lopen door!' zei Geli vol goede moed.

'Ik ga terug! Dit heeft helemaal geen zin misschien is er wel iets aan de hand! Julius komt ons niet zomaar achterna!' zei Henriëtte

'Ons? Laat me niet lachen! We blijven hier staan en horen wel wat ie te vertellen heeft.'

Henriëtte was er niet gerust op en beet nerveus op haar lip. Geli ging op een omgevallen boom zitten en zuchtte. Julius kwam hijgend aangelopen. Hij ging voor Geli staan en boog zich voorover om op adem te komen.

'Julius jij hier? Dat is nou ook toevallig?' zei Geli plagerig.

'Geli...ik....moet...je vragen... om met mij mee te gaan.' zei hij met horten stoten.

Ze keek hem minachtend aan. 'Vragen of dwing je me om met je mee te gaan?'

'Hou nou alsjeblieft op! Je oom wil je spreken!'

'Waarover? Wat is er zo belangrijk?'

'Dat gaat mij niet aan. Schiet op hij heeft een hekel aan wachten!'

'Waarom denkt hij toch dat ie alles naar zijn hand kan zetten, dat iedereen maar doet wat hij wil!?' zei ze moedeloos.

'Omdat hij onze Führer is!' zei Julius vol overtuiging.

'En jij een grote sukkel!' zei ze kwaad. Ze stond op en begon met de afdaling naar Haus Wachenfeld. Henriëtte en Julius volgden haar zonder iets te zeggen.

Geli stond in de gang en hoorde hem praten in de zitkamer. Hij was telefonisch druk in gesprek met Joseph Goebbels.

Ze ging op een dekenkist zitten en bladerde door een modeblad. Na een kwartier stond ze op en wilde naar de keuken lopen toen plotseling Adolf Hitler de deur voor haar open zwaaide.

Ze draaide zich om en liep de zitkamer binnen.

Miljoenen stofdeeltjes dwarrelden door banen zonlicht die de kamer verdeelde in een kontrast van licht en donker. Hitler was bij het raam gaan staan en keek naar buiten terwijl hij op zijn nagels beet.

'Goedendag oom Alf, wat een verrassing u hier te zien.' zei ze terwijl ze de deur achter haar sloot.

Hitler zei niets en staarde voor zich uit.

'We waren gaan wandelen... ik wilde Henriëtte laten zien waar u altijd met de hond loopt.' zei ze enthousiast en verontschuldigend tegelijk.

Hij sloeg zijn armen over elkaar en reageerde niet.

Geli ging naast hem staan en probeerde zo met hem oogcontact te krijgen. 'Gisteren was het heel slecht weer, we hebben de hele dag zitten kaarten en ik heb geoefend. Ik zal vanavond iets voor u zingen uit Tristan en Isolde.' Er viel een stilte.

Hitler boog zich iets naar voren en zette zijn handen op de vensterbank. Met zijn blik gericht op de bergen en het dal waar Berchtesgaden lag bleef hij zo minuten staan. Geli begreep dat ze beter haar mond kon houden en zocht een zonnestraal op die haar als een engel met licht overspoelde. Ze sloot haar ogen en genoot van de warmte die haar gezicht streelde.

De houtenvloer kraakte toen Hitler zich van het raam verwijderde. Geli had er nauwelijks erg in de zon maakte haar slaperig.

'Mijn beste Geli,' zei Hitler alsof hij een toespraak ging houden.

Ze schrok, draaide zich om en zag dat haar oom in een donkere hoek van de kamer was gaan staan.

'Ik ben nog nooit verliefd geweest. Een vrouw kan mij gewoon weg niet echt bekoren. Natuurlijk zijn er momenten dat ik het gezelschap van een vrouw waardeer maar het is voor mij niet van wezenlijk belang. Natuurlijk heb ik zoals iedere man mijn verlangens en wil ik die ook niet onderdrukken.'

Doordat hij een stap dichterbij kwam scheen de zon nu opeens pal in zijn gezicht. Hij knipperde nauwelijks met zijn ogen en keek Geli strak aan.

'Met jou zou ik het aandurven. Ik zie in jou niet alleen mijn nichtje, jij bent voor mij niet alleen de dochter van mijn halfzusje, jij bent voor mij zoveel meer, jij en ik zijn één, als jij er niet meer zou zijn heeft mijn leven geen zin!'

'Maar oom Alf dat moet u niet zeggen!'

'En dan denken zij,' hij verhief zijn stem, 'dat ik Adolf Hitler jou aan de kant zou zetten! Zij zeggen dat onze politiek, onze idealen in gevaar zouden komen omdat jij en ik verliefd op elkaar zijn!'

Geli pulkte aan haar vest tot dat Hitler haar bij de schouders vatte.

'Geli mijn prinses ik zal ze doen verbazen wat jij in mij losmaakt, wij zullen die jaloerse homofiele kleinzielige figuren vernederen! Ze verdienen niet beter!'

Met één beweging duwde hij Geli van zich af, hield haar stevig bij haar schouders vast en keek haar doordringend aan. 'Geli beloof mij nooit ontrouw te zijn zolang je bij mij woont, beloof mij onvoorwaardelijk te gehoorzamen totdat je meerderjarig bent! Alleen dan staan wij sterk en zullen zij afdruipen die laffe honden!'

Hij liet haar los en draaide zich om. 'Kom ik heb honger, je moeder heeft vast nog wel iets lekkers voor ons.' Hij liep weg terwijl Geli zich op een stoel liet zakken en vertwijfeld een hand voor haar mond sloeg.

Modehuis Weber stond bekend om zijn jaarlijkse modeshow van bontjassen in Hotel die Vier Jahreszeiten.

Geli zat op de eerste rij samen met Putzi en Helene Hanfstaengl en bewonderde de schitterende creaties die door beeldschone mannequins werden getoond.

'Jammer dat je oom hier niet bij kan zijn.' zei Helene.

'Ach ik geloof dat ie niet zoveel interesse in mode heeft.' antwoordde Geli.

'Nee hij ziet jou liever naakt geloof ik.' zei Putzi lachend.

Geli keek hem even met een waarschuwende blik aan en reageerde verder niet.

'Weet je waar mijn Putzi heel opgewonden van wordt?' fluisterde Helene in Geli's oor. 'Als ik m'n nerts aan doe en daaronder niets behalve hoge hakken.'

'O ja?' reageerde Geli uit beleefdheid.

'Ik weet zeker dat je oom dat ook heel spannend zou vinden.'

'Misschien, ik weet het niet. Ik ken zijn fantasieën niet.'

'Vreemd.' zei Helene met gefronste wenkbrauwen.

'Hoezo vreemd?' vroeg Geli.

'Hij is volgens mij stapel gek op je. Hij vertelde Ernst laatst dat hij vrouwen eigenlijk helemaal niet interessant vindt maar dat hij met jou alles zou willen doen wat God verboden heeft!'

'Mijn oom?' zei ze, 'Mijn oom heeft dat gezegd?'

'Geli doe toch niet zo naïef, hij is blind van je misschien zou hij zelfs wel met je willen trouwen!'

'Hou op! Zeg niet van die gekke dingen!'

'Je moet goed nadenken, je moet hem geen pijn doen. Hitler is eigenlijk een heel eenzaam mens die moeilijk echte vrienden maakt. Jij staat dichter bij hem dan wie ook, hij heeft vertrouwen in jou dat mag je nooit beschamen.' zei ze belerend.

'Nee natuurlijk maar geloof me ik hou van mijn oom maar ik ben niet verliefd op hem.'

'Een kwestie van tijd Geli, hij heeft je nodig!'

'Misschien ga ik wel terug naar Wenen!' zei ze opgelucht.

'Wenen?' herhaalde Helene verbaasd.

'Ja dat is de hoofdstad van Oostenrijk!' zei Geli met een grote grijns op haar gezicht.

Hand in hand schaatsten ze over het bevroren meertje van de Englisher Garten. Julius Schaub die nog nooit op schaatsen had gestaan kon hen met geen mogelijkheid bijhouden. Uitgeput zocht hij de kant op en hield van een afstand Geli en Henriëtte in de gaten.

'Ik zie hem gewoon veel minder. Dan zit hij in Berlijn dan weer in Hamburg. Ik zou best wel eens mee willen!' zei Geli.

'Dus je mist hem?' vroeg Henriëtte.

'Soms wel soms niet.' antwoordde Geli onverschillig. 'En jij, zie jij je vader vaak?'

'Waar Hitler is, is mijn vader. Hij heeft nog nooit zoveel foto's gemaakt als nu. Steeds meer belangrijke mensen willen je oom spreken en dat maakt hem ook steeds belangrijker, daardoor krijgt hij aanzien wordt zijn positie steeds machtiger.'

'Begrijp jij er wat van, van al dat politieke gedoe?'

Henriëtte trok haar schouders op. 'Niet echt. Maar alles beter dan die communisten!'

'En Joden!' vulde Geli aan.

'Welnee met Joden is niets aan de hand.'

'Maar wel als ze communist zijn!'

'Het gaat om heel andere dingen Geli! Over de herstelbetalingen, de werkloosheid, het onderwijs het gaat om jouw en mijn toekomst! Het is niet zomaar dat zoveel jonge mensen zich aangetrokken voelen tot de Nationaal Socialisten.'

'Ja oom Alf is een echte kindervriend!' spotte Geli.

Henriëtte moest lachen en lette even niet goed op waardoor ze uitgleed en samen met haar vriendin op het ijs viel.

Gevolgd door zijn vrouw Ilse en Geli Raubal liep Rudolf Hess trots door Das Braune Haus in München, het zojuist verbouwde onderkomen van het partijbestuur.

'Dit is werkelijk magnifiek, hier heeft Hitler zich zelf overtroffen.' zei Hess onder de indruk toen hij de dames voorging de senaatszaal in. De ruimte werd gevuld door een hoefijzervormige tafel met zestig in rood leer beklede stoelen met op de rug een afbeelding van de partijadelaar.

Op twee sokkels waren buste's geplaatst van Bismarck en Dietrich Eckart.

'Het is nauwelijks te geloven. Vinden jullie het niet schitterend geworden?' vroeg Hess overdreven.

'Adembenemend mooi.' zei Ilse en ze sloeg haar handen voor haar mond.

'Maar dit heeft mijnheer Troost toch ontworpen?' zei Geli onschuldig.

'Adolf Hitler heeft dit ontworpen en Paul Ludwig Troost heeft het uitgevoerd precies zoals je oom het wilde!' zei Hess geïrriteerd.

'Geniaal!' zei Ilse.

Geli inspecteerde alles tot in detail. 'Ik vind het allemaal zo donker, zo zwaar het maakt me triest!'

'Dit hier straalt kracht uit! Hier zullen belangrijke beslissingen worden genomen die grote gevolgen zullen hebben voor Duitsland daar past geen overbodige franje of niet terzake doende opsmuk.' zei Hess die tranen in z'n ogen had.

'Fascinerend.' zei Ilse bewonderend.

'Kom ik laat jullie de werkkamer van Hitler zien.' ging Hess de dames voor.

Op de gang kwam een partijmedewerker hen tegemoet. 'Neemt u mij niet kwalijk mijnheer Hess,' verontschuldigde de jongen van amper twintig zich. 'Der Führer heeft zojuist gebeld en laat weten dat hij nog voor werkzaamheden in Heidelberg is.'

'Dank je.' zei Hess. De jongen sloeg zijn hakken tegen elkaar, draaide zich om en verdween.

'Dat is nu al de vierde keer deze week!' zei Geli teleurgesteld. 'Vorige week heb ik hem helemaal niet gezien!'

'Over enkele maanden vinden de Rijksdagverkiezingen plaats, heb je wel enig idee hoe belangrijk die zijn?' zei hij corrigerend.

Geli keek hem ongeïnteresseerd aan.

'Wij kunnen allemaal een voorbeeld nemen aan je oom ik ken niemand die zo hard werkt en betrokken is met het lot ons volk, dat meen ik uit de grond van mijn hart.' zei Hess ontroerd.

Geli liep de trap af naar beneden zonder iets te zeggen.

'Geli! De werkkamer van je oom is hier!' riep hij haar na.

Ze draaide zich even om. 'U heeft vast veel belangrijkere zaken te verrichten, ik wil u verder niet tot last zijn! Totziens!'

Julius Schreck, de nieuwe chauffeur van Adolf Hitler, hielp de serveerster van Cafe Heck met doorgeven van de koffie en thee voor Max Amann en Alfred Rosenberg. Ondertussen lieten Heinrich Hoffmann en Rudolf Hess zich de cake goed smaken.

'En maandagmiddag?' vroeg Hitler aan Julius Schaub die rechts naast hem zat.

'Heb ik haar naar zangles gebracht.' antwoordde hij. Hitler knikte goedkeurend, 'Ja...en s'avonds?'

'Heeft ze mevrouw Winter geholpen met koken.'

'Dinsdag?'

's'Ochtends heb ik haar naar de bibliotheek gebracht en s'middags naar Hess voor een rondleiding in Das Braune Haus en daarna.'

'Daarna,' onderbrak Geli hem die alles had gehoord, 'daarna heb ik op u gewacht in de Osteria Bavaria waar u nooit bent aangekomen.' zei ze brutaal.

Hitler negeerde haar. 'Woensdag!' vroeg hij aan Julius.

Het zweet brak Julius uit 'Woensdag?' zei hij onzeker. 'Uh toen heb ik haar naar de kapper gebracht.'

'Nee dat was gisteren.' verbeterde Geli hem.

'Ik vraag het aan Julius.' zei Hitler streng.

'Waarom? Ik zit naast u! U kunt het toch gewoon aan mij vragen?'

Hitler keek haar vernietigend aan. 'Jij hoeft mij niet te zeggen wat ik moet doen, jij moet je mond houden en verder niets!'

Iedereen keek naar Geli en haar oom die zijn glas opnam en de tafel rond keek.

'Ik drink op de enige vrouw hier aan tafel, op mijn prinses en mooie nichtje Geli. Vrouwen moeten door ons worden opgevoed en laat er geen misverstand over bestaan, vrouwen willen dat ook niet anders! Zij moeten op ons als leider kunnen rekenen. Een man moet zijn stempel kunnen drukken op iedere vrouw.' Hij richtte zijn blik voor enkele seconden op zijn nichtje.

Geli had haar handen op haar schoot gelegd en staarde naar haar lege soepbord.

Hij schraapte zijn keel. 'De wereld van de man is groot in vergelijking met die van de vrouw. De wereld van de vrouw bestaat puur en alleen uit de man. En dat moet ook zo blijven, de verhoudingen moeten helder te zijn. Wij zijn het intellect en de vrouw is er vooral voor de simpele zaken waarmee wij alleen maar onze tijd zouden verdoen!'

Langzaam schoof Geli haar stoel naar achter en wilde opstaan.

'Blijf zitten! Ik ben nog niet uitgesproken!' zei Hitler alsof hij zijn hond commandeerde.

Langzaam liet Geli zich terug in haar stoel zakken.

Met een woedende blik keek ze strak voor zich uit.

Terwijl Heinrich Hoffmann Geli zijn servet gaf om haar tranen af te drogen begon een ober kippensoep uit een grote kom aan Hitler en zijn gezelschap te serveren. Nadat men elkaar een smakelijke maaltijd had gewenst tikten de lepels zachtjes tegen de borden en slurpte Julius Schreck de bouillon naar binnen.

Ze was in slaap gevallen met de *Münchener Post* op haar schoot toen ze om een uur of acht s'avonds wakker werd van de deurbel.

Geli hoorde mevrouw Winter open maken en hoe zij met haar Beierse accent iemand begroette.

'Juffrouw Raubal.' zei mevrouw Winter nadat ze op de deur van Geli's kamer had geklopt. 'Er is iemand voor u.'

Ze deed de deur voorzichtig open en stak haar hoofd naar binnen. 'Juffrouw Raubal mijnheer Schreck is hier voor u.'

'Voor mij?'

'Ja uw oom heeft hem gestuurd.'

'Uit Neurenberg?'

'Ik geloof het wel ja.'

'Zegt u maar dat ik al slaap.'

Mevrouw Winter fronste haar wenkbrauwen en schudde met haar hoofd terwijl Geli zogenaamd begon te snurken. 'Hij moet u persoonlijk spreken. Het is belangrijk!'

Geli was nu zichtbaar geschrokken en was bang dat er iets ernstigs gebeurd was.

Ze sprong op uit haar stoel, duwde mevrouw Winter opzij en rende de gang op.

Schreck keek haar verbaasd aan, 'Goedenavond juffrouw Raubal.' zei hij verlegen.

'Goedenavond mijnheer Schreck.' zei Geli terwijl mevrouw Winter zich in de keuken terugtrok.

'Uh ik of liever gezegd uw oom heeft mij verzocht u te vragen of u vanavond met hem wilt dineren?'

'Maar ik dacht dat hij in Neurenberg was?'

'Dat klopt, uw oom logeert in hotel Deutscher Hof. Ik breng u naar hem toe.'

'Maar dat is zeker ruim twee uur rijden!'

'Ik rij u er binnen anderhalf uur heen!' zei hij trots.

'Ja wat moet ik zeggen?' zei Geli onzeker. 'Ik heb hem al meer dan een week niet gezien of gesproken, ik begrijp het niet.'

'U zou hem meer dan teleurstellen als u niet zou komen. Ik mag het misschien niet zeggen maar tijdens onze autoritten praat hij graag over u. Hij is erg trots op u.'

'Misschien. Misschien ook niet' zei ze onverschillig.

'Ik zou hem opbellen zodra ik hier ben, wat kan ik Herr Hitler zeggen, gaat u mee of blijft u hier?' zei Schreck plotseling zakelijk.

'Ik ben bang dat ik geen keuze heb.' zei ze in zich zelf.

Schreck keek haar vragend aan. 'Neemt u me niet kwalijk maar ik verstond u niet.'

'U kunt hem zeggen dat ik...dat hij mij geen keus laat!' zei ze emotieloos.

'Elk woord van hem is historisch!' dicteerde Hitler. 'Bij ons zijn Führer en ideaal een eenheid en elke partijgenoot behoort te doen wat de Führer beveelt, hij belichaamt het ideaal en hij kent het laatste doel! En iedereen die er anders overdenkt is er niet één van ons en hoort ook niet in onze partij! Die donderen we er meteen uit! Zo moet u het maar tegen die stomme journalisten zeggen! Tot morgenochtend dokter Goebbels!'

Hitler hing de telefoon op, zijn strenge blik veranderde bij toverslag toen hij tegenover Geli plaatsnam. De suite van hotel Deutscher Hof was smaakvol ingericht. De stijl was een combinatie van Biedermeier met moderne accenten.

Op de eettafel stond een koeler met een fles champagne en een schaal met een hors d'oeuvres.

Een kandelaar met vijf kaarsen zorgde voor een sfeervolle ambiance. Geli droeg een schitterende goudkleurige avondjurk die van boven strak langs haar lichaam zat en bij haar middel ruim en soepel naar beneden viel. Hitler's smoking was aan vervanging toe maar zijn witte hemd en zwarte strik waren nieuw.

'Wat doet het me goed je weer te zien mijn mooie prinses!' zei hij opgewekt.

Geli zuchtte, 'Ik ben sprakeloos.'

'Ik moet je nog mijn excuus aanbieden.' zei hij en pakte haar hand vast.

'Bent u ondeugend geweest.' grapte Geli.

'Nee ik bedoel het serieus Geli. Vorige week in de Osteria Bavaria, dat spijt me oprecht. Wat ik toen zei over vrouwen heb gezegd heeft niets met jou van doen. Ik bewonder vrouwen, ik geniet van hun schoonheid en erken hun kwaliteiten.'

Uit de binnenzak van zijn jasje haalde hij een klein doosje en gaf het aan Geli.

'Maar oom Alf, eerst deze jurk en toen nog schoenen ik weet niet wat me overkomt.'

'Vooruit maak open!'

Nerveus probeerde ze het knopje in te drukken waarmee het doosje moest open gaan.

Hitler schoot haar te hulp, een gouden ring met briljanten werd zichtbaar.

'Ik droom! Mijn god wat is dit mooi!' zei ze onder de indruk.

Voorzichtig schoof ze de ring aan haar ringvinger en toonde het sierraad vol trots aan haar oom.

'Mooi, heel mooi.' zei hij zonder er echt naar te kijken.

'Zoiets kostbaars heb ik nog nooit gekregen, oom Alf u maakt me zo gelukkig.' Ze stond op ging achter hem staan, zoende hem op zijn wang en bracht haar hand met het juweel voor zijn gezicht en bewoog het langzaam waardoor het kaarslicht de steentjes liet flonkeren.

'Nog één week en dan zal blijken of Duitsland klaar is voor een nieuw begin!' zei Hitler.

'En dan, bent u dan nog vaker weg?' vroeg Geli en ging weer tegenover hem zitten.

Hij keek haar bedenkelijk aan. 'Alleen wanneer wij een uiterste inspanning leveren kunnen wij deze schaamteloze corrupte en misdadige regering naar huis sturen en hun laten zien waar wij toe in staat zijn!' Hitler nam een slok champagne en schraapte zijn keel.

'Politiek is niets anders dan de strijd van een volk voor zijn bestaan op deze wereld. De mens is het wreedste, het meest resolute wezen op aarde. Hij kent niets anders dan de uitroeiing van zijn vijanden op deze wereld.

Duitsland zal zegevieren!'

Geli klapte zacht in haar handen en knikte instemmend met haar hoofd.

Hitler ging, nadat hij Geli nog een glas champagne had ingeschonken, achterover in zijn stoel zitten en ontspande zich.

'Lieve Geli zoals je weet vertaal ik fantasie graag in werkelijkheid, is een droom slechts een slap aftreksel van de realiteit...ik heb een wens die jij werkelijkheid kan laten worden!' zei hij met een geamuseerde blik in zijn ogen.

'Moet ik het raden, is het een spelletje?' vroeg Geli onschuldig.

'In die koffer, daar bij de deur.' hij draaide zijn gezicht naar de hoek waar nog meer bagage stond.

'Die koffer met die gouden sloten daarin zit jouw uniform, speciaal voor jou en alleen voor bijzondere gelegenheden zoals deze.'

Geli was langzaam opgestaan en liep naar de koffer die Hitler beschreven had.

'Nog een cadeau? oom Alf wat nu weer?'

Ze klikte de sloten open en voorzichtig sloeg ze de kofferdeksel naar achteren. Bovenop wit vloeipapier lag een zwart leren officierspet die Geli onmiddellijk op haar hoofd zette.

'Oom Alf,' zei ze terwijl ze hem speels aankeek, 'weet u zeker dat dit voor mij is?'

' Ik vergis mij nooit!'

'Geeft u me een paar minuten... ik zal u verrassen!' zei ze opgewonden.

Geli leunde met één hand tegen de deurwand van de badkamer en was gehuld in een zwart leren lange jas die nonchalant open hing en weinig van haar naakte lichaam verborg. De lieslaarzen die zij droeg glommen als een spiegel.

'Alleen kijken oom Alf! Ik wil niet dat u mij zo tekent!' zei ze waarschuwend.

'Schitterend! Mijn mooie prinses!'

'Prinses? Ik ben nu uw officier, ik sta onder uw bevel en ben volledig ter uwer beschikking!' zei ze stoer.

Hitler die uit zijn stoel kwam maakte een hand gebaar dat ze naar hem toe moest komen. Ze liep uitdagend op hem af. Toen ze voor hem stond schoof ze de jas naar achter en deed zij haar handen in haar zij. Geli duwde haar volle borsten naar voren tot vlak bij zijn gezicht. Hitler stak zijn tong uit en likte aan haar tepels die zo hard als kogels waren.

Plotseling pakte hij haar stevig beet en draaide hij haar om zodat ze met haar rug tegen hem aan stond.

'Wat, wat gaat u doen oom Alf?' vroeg ze geschrokken.

'Niets griezeligs, niet bang zijn lieve Geli!' zei hij geruststellend. En deed haar een blinddoek voor.

'Wat doet u, waarom mag ik niets zien?'

'Blindemannetje, we spelen blindemannetje.'

Hij begon Geli rond te draaien, steeds sneller en sneller.

'Oom Alf hou op alstublieft, hou op!' protesteerde ze.

Toen hij Geli los liet kon ze nog maar net haar evenwicht vinden en hield ze zich staande aan de leuning van een stoel.

'Dit vind ik niet leuk, u maakt me bang.'

'Geli doe niet zo kinderachtig!' zei hij en streelde met zijn hand over haar borsten.

'Als je mij hebt gevangen is het mijn beurt!'

Hij liep op zijn tenen van haar vandaan en ging in het midden van de suite staan.

'Pssst,' siste hij kort.

Geli liep op het geluid af met haar armen gestrekt voor zich uit. Net voordat ze hem kon aanraken deed Hitler snel een stap opzij.

'Waar bent u? Oom Alf kunnen we niet een ander spelletje doen?'

'Hier, ik ben hier.' grinnikte Hitler.

Geli taste de muur af en voelde aan de gordijnen bij het raam maar was telkens net te laat om haar oom te vangen.

'Psst hier, hier Geli...kom dan pak me dan als je kan!' zei hij lachend.

Geli liep nu snel op hem af maar een salontafel stond in de weg waardoor ze struikelde en hard op de grond viel.

'Au! ik heb me pijn gedaan, oom Alf ik doe niet langer meer mee.' jammerde Geli en wilde haar blinddoek afdoen maar een stevige hand van Hitler belette dat.

'Blijf liggen en houd je mond! Doe wat ik zeg! Ga op je rug liggen!'

'Maar oom Alf het was toch maar een spelletje?'

'Stil, wees stil!'

Hitler sloeg de jas open en betaste haar tussen haar benen. Alsof het een anatomische les betrof inspecteerde hij haar lichaam.

Geli kreunde zacht deels van de pijn die ze door de val had opgelopen en deels van opwinding.

Ze hoorde hoe haar oom de rits van zijn gulp open maakte.

'Oom Alf ik wil dit niet, alstublieft! Laten we verstandig zijn. Ik wil zo graag dat wij vrienden blijven en...'

'Verdomme Geli!' onderbrak hij haar ruw. 'Ik beveel je nu je mond te houden en te doen wat ik je zeg!'

Toen voelde ze plotseling een warme straal over haar lichaam vloeien. Het rook naar urine!

"Duitsland houdt van Adolf Hitler" kopte de *Münchener Post*. Het was 15 september 1930 de dag na de rijksdagverkiezingen. Geli zat in de Carlton Tearoom en las de krant maar sloeg al het politieke nieuws over en verdiepte zich in een reisartikel over Venetië.

'Excuus dat ik zo laat ben Geli en gefeliciteerd met je oom is hij niet geweldig!' zei Henriëtte die naast haar ging zitten en een kop thee bestelde bij een roodharige ober.

'Ach ik weet het niet hoor... al dat politieke gedoe het zegt me niets.' zei Geli.

'Lieve schat de N.S.D.A.P. heeft 107 zetels we zijn de tweede partij van Duitsland!'

Geli trok haar schouders op. 'Nou en... wat dan nog?'

'Bijna zes en half miljoen mensen hebben op je oom gestemd.'

'Op de partij!' verbeterde Geli Henriëtte.

'De partij **is** Adolf Hitler!' zei Henriëtte resoluut.

'Mijn oom is een toneelspeler, hij is niet de persoon die mensen denken die hij is, het zal alleen nog even duren voordat ze daar achter komen!'

'Wat bedoel je? Waar heb je het over?' ze keek Geli geërgerd aan.

'Niets!'

'Hoezo niets?'

'Wil je het echt weten?' vroeg Geli die de krant dichtsloeg en Henriëtte strak aankeek.

'Ja natuurlijk wil ik dat.'

'Ik heb er genoeg van. Al die zogenaamde belangrijke mannen, Hess, Goebbels, Göring wat moet ik er allemaal mee?'

'Het gaat ook niet om hun Geli, het gaat om wat je oom zegt, wat ie schrijft en vooral wat hij doet! Hij is de hoop voor zoveel mensen!'

'Ja vast! Nou als je hoort wat sommige mensen over hem zeggen of schrijven dan vraag ik me af of dat echt wel zo is. En Joden hebben helemaal de schurft aan hem!'.

'Joden?' zei Henriëtte. 'Joden moeten hun kop houden! Zij profiteren van ons en hebben geen enkel respect! Alleen de artiesten dat zijn de goeie Joden die kunnen tenminste ook echt wat!'

'En het schijnen heel goeie minnaars te zijn.'

Henriëtte keek haar verbaasd aan. 'Wat weet jij daar nou van?'

'Ze zijn besneden.'

'Ze zijn wat?'

'Hun piemels!'

'Die zijn er af?' riep ze ontzet.

'Nee! Ach laat maar het is ook niet belangrijk.'

'Vertel nou Geli, toe!'

'Oom Alf heeft thuis een boek met plaatjes daar heb ik het gezien, het heeft iets met hun geloof te maken.'

'Maar wat heeft dat dan met seks te maken?'

'Ze worden sneller opgewonden en ze beleven het daardoor veel intenser!'

'Precies daarom kijken die Joodse kerels altijd zo geil uit hun ogen, het zijn allemaal viezeriken! Je oom weet wel raad met ze!'

Geli zuchtte, sloeg de krant open en las verder over "Sprookjesachtig Venetië".

Het Deutsches Theater in München was éénmaal per jaar het domein van een feestend en uitgelaten publiek wat zich tot vroeg in de ochtend vermaakte op het Pares Bal.

Geli zwierde op de maten van Mozart over de dansvloer in de armen van een goed uitziende jongen van haar leeftijd. Ze was gekleed, voor haar doen, in een weinig opzichtig avondtoilet.

'Christof...Christof ik ben zo blij je hier te zien.' zei Geli hijgend tegen haar danspartner toen ze bij de bar stonden om hun dorst te lessen.

'Zeker, ik ook Geli! Je ziet er schitterend uit!'

'Dat meen je niet. Deze jurk heeft mijn oom voor me uitgezocht. Ik hou van wat gewaagder, vrouwelijker. Dit is zo ouderwets het past helemaal niet bij me.' zei ze verontschuldigend.

'En waar is je oom dan?' vroeg Christof.

'Thuis of misschien wel in het café.'

'Maar lieve Geli ben je hier dan alleen?'

'Oh nee, ik mag nergens alleen naar toe. Mijn oom zorgt ervoor dat ik permanent in de gaten wordt gehouden.'

'Onzin, dat meen je toch zeker niet?' zei hij vermakelijk.

'Hij heeft het idee dat ik heel bijzonder ben, dat ik een unieke vrouw ben.' zei ze lachend.

'Ik ben het volledig oneens met zijn politiek maar zijn oordeel over jou deel ik voor honderd procent!'

Hij keek haar verliefd aan. 'Kom laten we hier weg gaan. Ik weet een veel leukere plek.'

'Weg? Dan moet hij daar ook mee.' Geli wees in de richting waar Julius Schaub stond die zodra ze oogcontact met hem had haar een vriendelijk knikje gaf.

'Die hoort bij jou?' vroeg Christof.

'Ik heb hem niet gevraagd maar hij is met me meegestuurd.' antwoordde Geli.

Christof pakte plotseling haar hand en trok Geli achter zich aan.

'Christof! Waar gaan we naar toe?'

'Weg, de vrijheid tegemoet!'

Dwars tussen de dansende gasten baande hij zich een weg met in zijn kielzog Geli die verontrust achterom keek of ze aan Julius Schaub z'n aandacht ontsnapt waren. Bij de garderobe gaf hij zijn fiche waarmee hij zijn jas terug kreeg.

Geli keek Christof paniekerig aan, 'Julius heeft mijn fiche.' zei ze.

'Rood, groen, blauw?' vroeg hij terwijl hij over de balie sprong.

De twee oudere dames die verantwoordelijk voor de garderobe waren sprongen geschrokken opzij.

'Zwart met een bontkraag!' riep ze terwijl hij tussen de rekken verdween.

'Deze of is het deze?' vroeg hij haar met in iedere hand een zwarte jas omhoog houdend.

'Nee... nee met een bontkraag zei ik toch.'

Na nog twee pogingen had hij uiteindelijk de juiste te pakken. Hij hielp haar snel in haar jas en ze renden door de hal de trap af naar buiten waar het stroomde van de regen.

Zijn auto, een kleine DKW, stond niet ver van het theater. Hij hield de deur voor Geli open die snel instapte. Toen hij achter het stuur had plaatsgenomen vielen ze elkaar in de armen. 'Christof je bent geweldig, niemand zou dat durven!' zei ze bewonderend.

Hij nam haar gezicht in zijn handen en wilde haar kussen toen zijn portier ruw geopend werd. Voor hij het wist had Julius Schaub hem de auto uitgetrokken.

'Julius houd op!' riep Geli die snel was uitgestapt.

Julius reageerde niet en sloeg en schopte Christof waar hij hem raken kon.

'Doe niet zo idioot! Hij heeft niets gedaan.' schreeuwde Geli.

Christof wist de meeste klappen te ontwijken en besloot het op een rennen te zetten.

'Kijk eens wat een held...lafaard!' riep Julius hem na.

'Hij heet Christof Fritsch,' zei Geli die met natte haren en in haar avondjurk tegenover Hitler in zijn werkkamer zat.

'Ken je hem al lang?' vroeg Hitler.

'Hij zat bij mij op school in Wenen en hij studeert hier nu medicijnen. Ik had hem jaren niet meer gezien!'

'En jij denkt dat je dan zomaar met hem weg kunt gaan? Dat is toch ronduit schandalig! Ik doe alles wat in mijn macht ligt om te zorgen dat er niets op ons valt aan te merken en jij...jij gedraagt je als een sloerie, als een slet!'

'Dat is niet waar oom Alf!'

'Durf je mij tegen te spreken?'

'Oom Alf!'

'Je liegt dat je barst! De hele avond heb je met hem gedanst, geflirt en weet ik wat nog meer!

Ik accepteer dit gedrag niet! '

'Het spijt me oom Alf maar heus ik zeg u oprecht dat hij een keurige jongen is, een Oostenrijker zoals u en ik.'

'En waarom denk je dat ik hier in Duitsland zit? Omdat ik Oostenrijkers zo geweldig vind?'

'Ik zal u niet meer teleurstellen ik heb het niet zo bedoeld.' zei ze met een zucht.

'Het moet je toch langzamerhand wel zo'n beetje duidelijk zijn dat ik gevoelens voor je heb die sterker zijn dan alleen de familieband. Wij moeten ons beheersen, naar buiten toe is het van groot belang dat jij en ik niet kunnen worden aangesproken op intiem of buitensporig gedrag!

Genegenheid en liefde heb ik lang moeten ontberen en ik maak me ook niet de illusie dat in de nabije toekomst daar veel verandering in zal komen.

Wanneer de voorzienigheid wil dat ik mij geheel en al aan staatszaken wijd, dan offer ik mij op.

En zolang jij hier woont gelden er regels.

Wat er achter gesloten deuren plaatsvindt gaat alleen ons aan. Niemand ik herhaal niemand heeft daar iets mee te maken. Welterusten mijn prinses.

zei Hitler die zijn krant open sloeg en met veel aandacht een artikel over de N.S.D.A.P begon te lezen.

'Ernst Adler.' stelde de chauffeur zich voor. Hij was amper twintig, mager, had hel blauwe ogen en kort blond haar.

Wanneer hij burgerman kleren had gedragen was hij nauwelijks in het straatbeeld opgevallen maar in zijn SS uniform keken mensen hem regelmatig na.

'Weer een nieuw gezicht. Het lijkt wel of mijn oom een heel leger van jullie hecft.' zei Geli toen ze de Mercedes was ingestapt die haar van Prinz Regentenplatz naar zangles zou brengen.

'Dat heeft ie ook. De SS is zijn elite korps.'

'Maar de regering had toch verboden om in uniform rond te lopen?' vroeg ze.

'Inderdaad: had. Wij hebben het nu voor het zeggen! Dat hebben we ze ook gelijk laten zien bij de opening van de Rijksdag, al onze afgevaardigden, honderdzeven man, kwamen toen in hun uniform!' antwoordde hij stoer.

'Hier moet je naar links!'

'Ik moet me verontschuldigen...ik ben nog maar een paar weken in München.' zei hij.

'Waar kom je vandaan?'

'Berlijn.'

'Wat doe je dan hier?'

'Ik ga waar de Führer mij nodig heeft. Ik heb twee jaar zonder werk gezeten en nu dankzij de partij is er weer een toekomst voor me. Zodra Hitler dit land regeert komt alles weer goed. En nu?' vroeg hij bij een groot kruispunt.

'Rechtdoor.' zei Geli. 'Aldoor maar rechtuit. Maar wat gaat er dan allemaal veranderen volgens jou?' wilde Geli weten.

'Alles! Er komen ministers die uitvoeren wat Hitler heeft bedacht en iedereen die niet meewerkt gaat de gevangenis in. En er komt een heel sterk leger waardoor we voor altijd vrij en onafhankelijk zullen zijn. Wij zullen weer heer en meester zijn in eigen huis. De Joden, zigeuners en communisten schoppen we allemaal het land uit! Het staat allemaal in dat boek wat de Führer geschreven heeft.'

'En jij gelooft dat allemaal?' vroeg ze met een glimlach.

'Geloven? Je ziet toch wat er gaande is! Die Brüning, onze Rijkskanselier die weet niet wat hem overkomt maar ook Hindenburg en alle grote indu-striëlen zijn het eigenlijk wel met hem eens, ze durven het alleen nog niet toe te geven.'

'Dus mijn oom is uniek?'

'De Führer is onze redder en wij moeten bereid zijn om op elk gewenst moment klaar te staan voor de strijd!'

'Mijn oom zal trots op je zijn!' zei ze gespeeld.

'Wij zijn trots op de Führer! Hij is een voorbeeld voor ons allemaal, iedere Duitser van zuiver bloed en ras heeft de plicht zich bij ons aan te sluiten!'

De Führer is als een vader voor mij, iedere dag leer ik van hem en voel ik mij nauwer met hem verbonden!'

'Wees maar blij dat hij niet echt je vader is.'

Hij keek even achterom, 'Hoe bedoel je?'

'Je zou hem nooit zien, hij is altijd onderweg. En hij is streng, heel streng!'

'Dat moet ook! Gehoorzamen en straffen zorgen voor orde en plicht!'

Geli boog zich naar voren, 'Dus jij zou alles voor hem doen, wat hij je ook vraagt?'

'De Führer verlangt niets anders van ons dan dat hij van zichzelf ver-langt, trouw, vechtlust en moed!' dreunde hij op.

'Maar ik bedoel meer privé, als hij je iets heel persoonlijks zou vragen.' probeerde Geli voorzichtig.

'Ik begrijp u niet.'

'Als hij iets extreems zou willen, stel hij zou u vragen voor hem een vrouw te zoeken die hij zou mogen slaan en zou mogen vernederen, zou u dat dan doen?'

'Nee natuurlijk niet! Maar dat zou de Führer ook nooit doen! Hij is mis-schien wel hard maar hij is geen sadist dat zou u toch moeten weten!'

Geli zuchtte. 'Ja dat weet ik ook.' Ze keek om zich heen. 'We moeten terug u bent te ver gereden.'

'Neemt u mij niet kwalijk, het zal niet meer gebeuren.' zei hij onderda-nig.

'Ja pas maar op anders vertel ik het aan m'n oom hoor!' grapte ze.

Geli Raubal en Heinrich Hoffmann zaten samen beneden in een gang van Das Braune Haus.

'Hij is bijna nooit meer thuis. Ik heb hem al zeker drie weken niet meer gezien dus kom ik hem hier maar lastig vallen.' zei Geli met een glimlach.

'Het zijn inderdaad drukke tijden Geli maar je moet maar denken dat we er uiteindelijk allemaal beter van worden!' zei Hoffmann opgewekt.

'Het is altijd leuk om u weer te zien.' Geli drukte zich stevig tegen hem aan.

'Pas op zo wordt je oom nog jaloers!' dolde hij.

'Zijn dat geheime stukken?' vroeg Geli met een handgebaar naar de envelop die de fotograaf op z'n schoot had liggen.

Hoffmann schudde met zijn hoofd en haalde er een grote foto uit.

'Deze heb ik vorige week gefotografeerd. Je oom moet zijn goedkeuring geven en dan komt deze in al onze partijkantoren te hangen.' Geli bekeek de afdruk aandachtig. Hitler stond in zijn regenjas tegen een achterwand in de studio met in zijn hand een rijzweep.

'En wat vind je ervan?' vroeg Hoffmann

'Indrukwekkend maar ook vreemd!' antwoordde ze spontaan.

'Wat is er vreemd?' wilde hij weten.

'Die rijzweep. Wie loopt er nou met een rijzweep rond als je niet eens paard kunt rijden!'

'Hoeveel mensen lopen er niet rond met een pistool en schieten nooit?' was zijn wedervraag.

'Nou ik vind het toch een beetje gek.'

'Zolang hij jou er niet mee slaat is er niets aan de hand!' zei hij lachend.

Geli sloeg haar ogen neer en kreeg een kleur.

Ze keek op toen Julius Schaub verscheen.

'Mijnheer Hoffmann, de Führer verwacht u, komt u verder.' zei Hitler's medewerker uitnodigend terwijl hij Geli geen blik waardig gunde.

Nadat hij van Geli afscheid had genomen volgde hij Hitlers adjudant.

Geli stond op en rende achter hem aan. 'Julius ik wens mijn oom te spreken!' zei ze zelfverzekerd.

Julius keek haar over zijn schouder aan. 'De Führer heeft vandaag geen tijd voor familie aangelegenheden' zei hij kortaf en liep weer door.

Ze draaide zich om naar Heinrich Hoffmann. 'Dit is toch niet normaal ik wil alleen zijn toestemming vragen of dat ik mijn moeder en zusje op de Obersalzberg bezoeken mag.' zei ze hulpeloos.

Hoffmann schudde zijn hoofd en zuchtte.

'Lieve schat, hij heeft het echt razend druk maar ik zal het hem vragen. Ik moet volgende week met mijn vrouw naar Salzburg, misschien kun je met ons meerijden.'

'Goed, dat is aardig van u. Zeer bedankt mijnheer Hoffmann.' zei ze door haar tranen heen.

'De Führer verwacht u!' riep Julius vanaf boven aan de trap nu een stuk minder vriendelijk tegen Hoffmann, die weinig onder de indruk leek en rustig de treden opliep. Halverwege draaide hij zich nog even om naar Geli en gaf haar een dikke knipoog.

De Obersalzberg was groen met hier en daar nog wat sneeuw, meestal op plekjes waar de vroege lente zon niet of nauwelijks zijn warmte kwijt kon.

Het schemerde en in Haus Wachenfeld knetterde de openhaard en zorgden schemerlampen voor sfeervol licht.

Heinrich Hoffmann, zijn vrouw Erna, Geli en Friedl speelden een spelletje "Mens erger je niet" in de eetkamer.

'Geli!' riep Angela Raubal vanuit de zitkamer. 'Geli kun je even hier komen alsjeblieft!'

Ze verontschuldigde zich tegenover haar medespelers en vertrouwde Friedl haar blauwe pionnen toe.

'Geli doe de deur even dicht ik wil even vertrouwelijk met je praten.' zei haar moeder.

Angela zat met een schort voor en haar blonde haren in een knoet op de bank. Geli ging naast haar zitten en trok haar voeten gehuld in pantoffels op de zitting.

'Gezellig moeder, eindelijk eens even met zijn tweetjes!'

Ze durfde haar dochter niet of nauwelijks aan te kijken, 'Geli ik maak me zorgen.'

'Nou ik ook!' vulde ze haar moeder subiet aan.

Alsof het ijs gebroken was leek haar moeder nu plots op haar gemak en was er oogcontact.

'Ik was net aan de telefoon met oom Alf en hij was er niet gerust op dat je hier alleen blijft.'

'Alleen?' zei Geli, 'Alleen? Maar ik zit hier toch met jullie en zijn beste vriend Hoffmann! Moet er soms een heel regiment mee om op mij te passen?'

'Mijnheer Hoffmann vertrekt morgen naar Salzburg dat weet je.'

'En komt mij dan overmorgen weer halen om mee terug naar München te rijden.' maakte Geli de zin af.

'Nee je kunt en mag langer blijven van oom Alf.'

Geli keek haar moeder bedenkelijk aan. 'Oom Alf komt naar de Obersalzberg?'

'Nee, hij stuurt ene adjudant Adler.'

Geli rolde met haar ogen en zuchtte diep. 'Ernst Adler! Verschrikkelijk! Die jongen denkt dat oom Alf een soort van verlosser is!'

Angela veerde op, 'Geli ik wil niet dat je zo praat!'

'Ik? Hij praat zo! Alle Duitsers moeten meedoen en alle Joden zijn honden. Als hij hier komt ga ik weg!' Ze deed haar armen over elkaar en keek demonstratief weg van haar moeder.

'Maar mijn kind, zie je dan niet dat oom Alf stapel gek op je is!'

'Moeder u weet niet wat u zegt.'

'Realiseer jij je eigenlijk wel dat je door je gedrag ons allemaal in een onzekere situatie brengt, dat hij ons er op een dag allemaal uitgooit! En wat dan, wat doen we dan?' zei Angela vertwijfeld.

Geli draaide zich om naar haar moeder. 'En heeft u enig idee wat ik moet doorstaan? Vraagt u zich niet af hoe ik me voel Kan u dat überhaupt wat schelen?'

'Maar Geli hij heeft jou nodig, hij doet alles voor je. En jij? Jij wijst hem af!'

'Genoeg!' zei Geli en stond op en liep naar de deur. Voordat ze die open deed draaide ze zich om. 'Ik schaam me voor mezelf, ik schaam me voor u! Niemand lijkt te willen zien wie Adolf Hitler werkelijk is! Hij is gewoon een tiran!'

'Nou miljoenen mensen denken daar toevallig heel anders over.' riep ze haar dochter na.

'Dit mis ik nog het meest,' zei Geli en gaf Heinrich Hoffmann een arm. 'Even een avondwandeling voor het slapen gaan, heerlijk!' Ze snoof de frisse berglucht in alsof het de laatste keer zou zijn dat ze ervan genieten kon.

Beneden in het dal schitterden de lichtjes in de huizen van Berchtesgaden. De heldere hemel gaf de maan ruimbaan waardoor de bergtoppen scherp als silhouet tegen de hemel afstaken.

'Zou je hier willen wonen?' vroeg Hoffmann.

'Ik kan overal wonen, als het maar niet in München is.' antwoordde ze.

'Wat is er mis met München?'

'Alles!'

'Is het je oom?'

'Ja!'

'Misschien moet je een keer met hem praten en hem uitleggen wat je dwars zit.' adviseerde Hoffmann haar.

'Ha! En u denkt dat hij naar mij luistert? Hij luistert naar niemand alleen naar zich zelf!'

'Geef hem de tijd. Hij staat onder druk. Politiek is geen spelletje!' probeerde Hoffmann uit te leggen.

'Hij is ziek, die man is niet te genezen.' zei ze verdrietig.

Hoffmann hield stil. 'Wat zeg je nu? Is Adolf Hitler stervende?' Geli liet zich tegen hem aanvallen en huilde zacht.

'Maar Geli,' hij sloeg zijn armen om haar heen. 'Geli, meisje, lieve schat wat is er toch.' troostte hij haar.

'Soms kan ik het niet geloven.'

'Wat? Wat kun je niet geloven? Vertel het me! Drong hij aan.

'Wat hij doet. Hij is abnormaal. Het heeft niets met liefde te maken, ik walg ervan.' Ze barste in snikken uit.

Heinrich Hoffmann probeerde haar tevergeefs te kalmeren door Geli op haar rug te wrijven.

'U zult het niet geloven, u mag het nooit aan iemand vertellen.... u heeft zelf een dochter! Ik schaam me zo! Kan ik u vertrouwen?'

Langzaam liepen ze verder. Hoffmann sloeg een arm om haar heen. 'Het blijft geheim, ik beloof je dat als vriend, als een echte vriend.' zei hij bijna plechtig.

Geli veegde haar tranen weg 'Hij is eenzaam en hij weet geen raad met zijn liefde. Misschien omdat ik familie ben denkt hij dat ik zo dichtbij sta dat het vanzelfsprekend is dat ik zijn verlangens of wat het ook mag zijn normaal vind.'

Hoffmann zei niets maar maakte een binnensmonds geluid waarmee hij aangaf ieder woord van Geli te horen.

'Het begon allemaal heel onschuldig... oom Alf vroeg me voor hem model te staan, naakt! Hij maakte tekeningen van me zoals op de academie, gewoon studies. Hij ging steeds verder, alles wilde hij zien, aanraken en ik... ik dacht eerst dat het misschien zo hoorde. De vriendjes die heb gehad waren allemaal van mijn eigen leeftijd. Ik moest nog van alles ontdekken. Terwijl hij mij aanmoedigde heb ik mijzelf bevredigd. Hij heeft dat ook getekend. Hij beloofde mij die tekeningen nooit aan wie dan ook te laten zien!'

'Ik heb ze gezien.' zei Hoffmann.

'Ja u... en Hess en Rosenberg en Max Amann en Goebbels en Schaub en...' somde ze half huilend steeds harder en bozer op totdat Hoffmann haar onderbrak.

'Hij is trots op je, hij heeft er geen slechtte bedoelingen mee. Voor hem heeft het alleen een artistieke waarde. Hij zou nooit zomaar iemand vragen, voor jou heeft hij respect!'

'Respect?' zei Geli verontwaardigd. 'En als iemand je slaat met zijn zweep, als hij de meest vulgaire dingen tegen je zegt of als hij.' Geli slikte en hield haar hand voor haar ogen. 'Als hij over je urineert... noemt u dat dan ook respect?'

Hoffmann zocht naar woorden maar vond ze niet.

De zon liet weten dat de lente een paar weken eerder begonnen was. Ze waren met open dak naar Salzburg gereden. Heinrich Hoffmann en zijn vrouw Erna hadden de zusjes afgezet bij het Central Bahnhof. De trein naar Wenen stond klaar voor vertrek op het eerste perron.

Geli en Friedl reisden eerste klas en hadden zojuist tegen over elkaar plaatsgenomen in een lege coupé.

'Kun je nog herinneren hoe blij je was toen we twee jaar geleden Oostenrijk verlieten?' vroeg Friedl.

'Ja, maar nu ben ik nog veel gelukkiger en verheug ik me zo om weer naar Wenen te gaan!' antwoordde Geli blij.

'En München dan?'

Geli keek haar zusje ondeugend aan, 'Misschien blijf ik wel voor goed weg!'

'Maar dat meen je niet. Herr Hoffmann komt dan in heel grote problemen. Je weet met hoeveel moeite hij oom Alf heeft weten te overtuigen.' zei ze zorgelijk.

Geli haalde haar schouders op. 'Ik doe wat ik wil. Het is toevallig wel mijn leven!'

'Dat is gemeen! Wat denk je dat oom Alf tegen mij zou zeggen? Je mocht alleen weg als moeder of ik met je mee zou gaan, dat weet je!' zei ze boos.

'Hé, Friedl hou op! Geniet nou maar! Hoelang heb jij niet opgesloten gezeten? Je kan toch niet voor altijd maar bij moeder blijven? Het wordt tijd dat je een vrijer vindt, verliefd wordt en misschien wel trouwt en kinderen krijgt.'

'Ik?' zei Friedl vertwijfeld.

'Ja waarom niet?'

'Hier... zeker met zo'n engerd.' Ze wees naar een blonde jongen in een zwart uniform die op het perron druk om zich heen keek.

'Mijn God dat is Ernst Adler!' terwijl Geli dit zei had hij haar gezien en herkend. Met grote passen liep hij op hen af.

'Die ken je?' vroeg Friedl verbaasd.

'Jammer genoeg wel! Die is vast gestuurd om met ons mee te gaan.' zei Geli teleurgesteld.

'Goedemiddag juffrouw Raubal ik verzoek u uit te stappen en met mij mee te gaan.' zei hij door het open raam vanaf het perron.

Geli geloofde haar oren niet. 'Uitstappen? We zijn net ingestapt!'

'Uitstappen!' herhaalde hij nu gebiedend.

'Ik stap pas uit in Wenen!' ze keek Friedl lachend aan.

'Uw oom heeft zich bedacht. Hij wil dat ik u onmiddellijk naar München breng!'

'Onzin! Ik heb zijn toestemming om samen met mijn zusje naar Wenen te gaan!'

Hij deed zijn handen in zijn zij en keek de zusjes doordringend aan. 'Nog één keer zeg ik het, uitstappen allebei!'

'Nee! Ik ga naar Wenen en ik blijf in Wenen. Ik heb niets met jou te maken!' zei ze heldhaftig.

'Geli,' zei Friedl zacht, 'Geli ik geloof dat we maar beter kunnen doen wat hij zegt... misschien is er wat gebeurt?'

'Ik vraag u nogmaals met mij mee te gaan!' zei Ernst Adler nog steeds met zijn handen in zijn zij wachtend op het perron.

Geli keek strak voor zich uit, 'Geen denken aan!'

Inmiddels was Friedl opgestaan en haalde haar koffer uit het bagagerek 'Ga zitten! Hij zegt maar wat! Wij gaan samen naar Wenen Friedl!'

'Hier!' Ernst Adler haalde een envelop uit zijn jas en gaf hem door het openraam aan Geli.

Ze haalde er een briefje uit en vouwde het open.

Mijn lieve Geli,

Ik heb adjudant Adler opdracht gegeven om je zo snel mogelijk naar München te brengen.

Voor Duitsland breken belangrijke tijden aan en ik wil dat jij daarbij bent.

Wenen zullen wij in de toekomst regelmatig bezoeken, dat beloof ik je bij deze!

Ik verheug me om je spoedig weer te zien! Het is beter zo!

Je liefhebbende oom Alf.

Ernst Adler stond nu naast haar in de coupé en pakte Geli's koffer. Friedl stond al op het perron en durfde haar zusje niet aan te kijken.

Geli was verbitterd en voelde zich verraden. Demonstratief deed ze de ketting met het hakenkruis, die ze op haar éénentwintigste verjaardag van haar oom gekregen had, af.

Op het perron nam ze ruw de koffer uit Ernst Adler zijn hand en spuwde hem minachtend voor de voeten.

Ernst Adler was rechtstreeks, nadat hij Friedl op de Obersalzberg had afgezet, naar de Osteria Bavaria in München gereden waar Adolf Hitler samen met Otto Strasser, Alfred Rosenberg, Julius Schaub en Max Amann van een uitgebreide lunch genoot.

Uit protest had Geli niet aan de stamtafel plaatsgenomen. Na een kort begroetingsknikje was ze in een hoek van het restaurant gaan zitten. Doordat het niet druk was kon ze de conversatie tussen haar oom en zijn vrienden letterlijk verstaan.

'Ik moet er om lachen,' zei Hitler, 'vandaag nog kreeg ik een brief van een vrouw uit Lübeck. Zij wilde een kind van mij ze had er alles voor over om met mij samen te zijn, de bijgesloten foto zag er veelbelovend uit zo verzeker ik u.'

Hitler's gezelschap reageerde met een lach.

'Ze bieden zich persoonlijk aan maar ik zeg u dat ik mij nu in het geheel geen enkele misstap kan permitteren.'

'U kunt toch trouwen zodat alles keurig geregeld is.' bracht Max Amann naar voren.

'Trouwen?' zei Hitler vol afschuw. 'Trouwen is juist het ergste. Het schept verplichtingen, nee erger nog rechtsaanspraken! Dan is het toch veel beter om een geliefde te hebben!'

'Zeker.' 'Inderdaad!' 'Ja absoluut!' reageerden zijn toehoorders éénstemmig.

'Maar ook het mindere aanwezig intellect bij vrouwen is een feit. Hun soms brandende verlangen naar een sierraad, een zoen of een kind is zo primitief. Maar het is volkomen zinloos om de vrouwen op dit terrein te willen corrigeren. Als men daarmee een vrouw al gelukkig kan maken, des te beter! Duizendmaal beter in elk geval dan dat een vrouw zich daarmee bezig houdt dan dat zij zich richt op politiek of andere zaken die er echt toe doen!' zei Hitler terwijl hij even naar Geli keek. Ze staarde naar het tafelblad en geeuwde ongegeneerd. Verveeld volgde ze met een vinger de baan van een houtnerf.

De zomer leek eindeloos te duren. De zanglessen bij Herr Schreck zouden pas eind september beginnen. Iedereen was op vakantie, München was uitgestorven.

Alle ramen van Hitler's appartement op de Regentenplatz stonden open om elk zuchtje wind met open armen te ontvangen. De vitrage's bewogen net zo traag als de mensen beneden in de straat. Voor Beieren was een temperatuur van meer dan 34 graden ook eerder heet dan warm.

Operamuziek van Verdi klonk door heel het huis.

Geli had het rijk alleen. Frau Winter was een paar dagen vrij. Adolf Hitler was in Berlijn en haar twee vaste begeleiders, Julius Schaub en Ernst Adler hadden verlof.

Hitler belde soms vier of vijf keer per dag om Geli te controleren. Ze liep, alleen gekleed in een satijnen onderjurk, bij toeval in de gang toen er een brief op de deurmat viel. Omdat het zondag was verbaasde ze zich over de bestelling. Ze raapte de envelop op die aan haar oom geadresseerd was en zag dat de gebruikelijke postzegels ontbraken. Vervolgens rende ze naar één van de open ramen en boog zich voorover om het entree van de appartementen te kunnen zien.

Het duurde hooguit een halve minuut waarna er een blond meisje van rond de twintig naar buiten kwam. Ze droeg een gebloemd zomerjurkje en liep op rode schoenen met een hak en enkelbandje.

Geli keek haar na tot dat ze uit haar gezichtsveld verdween.
Ze legde de brief op Hitler's bureau. Gefixeerd bleef ze naar de envelop kijken en liep rondjes om de werkplek van haar oom. Uiteindelijk liet ze zich onderuit op de bureaustoel zakken.

Ze neuriede zachtjes met een stukje uit de opera van Verdi mee. Met haar twee vingers wandelde ze over het bureaublad naar de witte envelop.

Door op het papier dezelfde loop beweging te maken schoof de brief nu automatisch naar haar toe.

Ze nam de envelop in haar hand en hield hem tegen het licht. Ze kneep met haar ogen en kon de geschreven tekst met enige moeite lezen.

Beste Herr Hitler,

Ik wil u graag nogmaals bedanken voor de gezellige avond in de schouwburg. Het was onvergetelijk. Ik ben u zeer dankbaar voor uw vriendelijkheid. Ik tel de dagen tot het moment dat wij elkaar weer zullen ontmoeten.

Eva Braun

Ze liet de brief uit haar hand op het bureau vallen.

Plotseling stond ze op en zong, met tranen in haar ogen, uit volle borst mee met een onstuimig gedeelte uit een opera van Verdi.

Het nieuwe huis van de familie Hoffmann in Bogenhausen was niet ver open van de Prinz Regentenplatz. De bel klonk schel en het duurde even oordat de deur geopend werd.

Henriëtte verscheen in een licht gele ochtendjas en zag er slaperig uit.

'Goedemorgen ...eindelijk, ik heb je wel tien keer gebeld maar je was er nooit!' zei Geli opgelucht.

'Ik help mijn vader hij heeft het heel druk, het was vannacht ook weer at.' zei Henriëtte met een geeuw.

'Ik moet je spreken.' Geli deed een stap dichterbij waarop Henriëtte rea-eerde door de deur iets steviger vast te houden.

'Nu niet!'

'Vanavond dan?' vroeg Geli.

'Nee. Vanavond heb ik een feest.'

'Morgen, morgen is ook goed!'probeerde ze.

'Dan moet ik met mijn vader naar Hamburg!'

'Maar wanneer dan?'

'Voorlopig niet het spijt me.'

Geli keek Henriëtte met een vragende blik aan.

'Het is belangrijk ik moet je spreken!'

'Ik kan je niet helpen.'

'Maar ik, ik kan zo niet langer leven... ik wil zo niet leven! Hij maakt mij gek, het is niet eerlijk!'

'Adolf Hitler is er niet alleen voor jou Geli! Je oom doet alles voor je en nooit is het goed genoeg!'

Geli slikte, 'Eva Braun? Wie is Eva Braun?'

'Wil je dat echt weten?'

Ze bevestigde de vraag met een kort knikje.

'Eva Braun geeft echt om hem! Zij is verliefd op hem. Zij begrijp hem! Geli je hebt kansen genoeg gehad en nu is het te laat! Het is je eigen schuld!'

'Mijn eigen schuld.' herhaalde Geli wanhopig.

'Je moet voorzichtig zijn en geen rare verhalen over je oom vertellen, da wordt je niet in dank afgenomen, dat verdient hij niet!'

Geli schudde haar hoofd en was even sprakeloos.

'Ik heb al teveel gezegd, laat ik niet horen dat je het van mij hebt.' waar schuwde Henriëtte haar .

'Jij bent ook al bang voor hem! Mijn oom is een tiran! Waarom geloof niemand mij? Hij maakt iedereen kapot!'

Henriëtte duwde de deur van zich af.

'Verdwijn Geli... ik wil je niet meer zien! Je zorgt alleen maar voor pro blemen!'

Geli draaide zich langzaam om en met een verdwaasde blik in haar oge liep ze, op enige afstand gevolgd door Ernst Adler, terug naar huis.

Julius Schreck sjouwde met de bagage naar beneden.

Toen er op haar deur geklopt werd hield ze op met lezen. 'Binnen.' ze Geli.

Hitler verscheen in een regenjas en keek zijn nichtje streng aan.

'Zodra ik terug kom zal ik met je praten. Ik ben voor een paar dage naar Neurenberg en reis waarschijnlijk door naar Berlijn, het ziet er naar u dat de Rijkspresident mij binnenkort zal ontvangen.'

Geli haalde haar schouders op en trok een raar gezicht. 'Als die da maar geen spijt van krijgt!'

'Wat is dat nu voor een opmerking?' zei een geïrriteerde Hitler.

'Gewoon, als hij u echt zou kennen dan zou hij u nooit willen zien!' z Geli opstandig.

'Wat een brutaliteit!' zei hij rood aangelopen van woede en stapte op haar af. Geli was hem voor door snel op te staan en van hem vandaan te lopen.

'Jongedame zo praat je niet tegen mij!' zei Hitler die nu weer vlak voor haar stond.

'Ik zeg wat ik wil en ik doe wat ik wil!'

'Dacht je dat heus? Niemand spreekt mij tegen en zeker geen vrouw!'

'Ik laat me niet langer door u de les lezen en ik heb medelijden met de vrouwen die aan u ten prooi vallen!'

'Ik hoef niet op vrouwen te jagen, zij bieden zich zelf aan zij aanbidden mij!'

'Ach zo'n Eva Braun weet helemaal niet wie zij voor zich heeft. Ik zal haar vertellen wat voor een monster u bent en wat haar nog allemaal te wachten staat!'

'Hoe durf je dat te zeggen... hier dat zal je leren!' Hitler hief zijn hand omhoog en raakte haar met kracht vol in het gezicht.

Geli viel op de grond en betastte haar gezicht dat pijnlijk aanvoelde.

'Laat dit een waarschuwing voor je zijn! Laat mij niet tot het uiterste gaan!' Zijn ogen waren vol van haat en keken dwars door Geli heen. Hij beet op zijn lip, wilde nog iets zeggen maar bedacht zich kennelijk en verliet met straffe pas Geli's kamer.

Pas nadat ze München waren uitgereden leek Adolf Hitler weer enigszins te kalmeren.

Samen met Heinrich Hoffmann deelde hij de achterbank van zijn Mercedes Compressor.

'Ik kan mij niets ergers voorstellen dan door eigen familie verraden te worden.' zei Hitler.

Hoffmann reageerde met een knikje.

'In de politiek weet ik als geen ander met mijn tegenstanders om te gaan maar hoe te handelen wanneer je eigen vlees en bloed zich misdraagt of zich tegen je keert?'

'Misschien is het onmacht en weten zij zich geen houding te geven?' zei Hoffmann voorzichtig.

'Hoffmann klets toch geen onzin! Nooit heeft iemand van mijn familie mij beledigd en niet omdat men bang voor mij is maar omdat men respect voor mij heeft!'

'Zeker! Dat is een feit!' zei Hoffmann in de hoop dat Hitler nu over zou gaan op een ander onderwerp.

'Ik weet heel goed dat trouw en loyaliteit in onze partij de basis zijn voor onze toekomst en natuurlijk weet ik als geen ander dat die Ernst Röhm en zijn SA en misschien ook wel Göring alleen maar uit zijn op meer macht zelfs al zou dat ten koste gaan van mijn positie! Maar dan zou ik niet schuwen om naar een wapen te grijpen waarmee ik een definitief einde zou maken aan hun wangedrag! Het moet afgelopen zijn, als zij niet voor rede vatbaar is, zijn mijn middelen beperkt om haar tot de orde te roepen. Er rest mij dan niets anders dan dat ik...dat ik...' Hitler slikte en keek peinzend voor zich uit in het donker van de nacht.

Geli zat achter haar bureautje en las de brief die zij even te voren had geschreven hardop voor.

'Beste Christof, niets of niemand houdt mij nog tegen. Ik verlang naar een ander leven. Hier lijkt de wereld stil te staan en stralen de mensen alleen maar ontevredenheid uit! Mijn oom is een gevangene van zijn eigen aanhang geworden en denkt dat ie Duitsland van de ondergang kan redden! Ik heb hem leren kennen zoals niemand hem kent. Hij is een gemeen en slecht mens. Zijn zogenaamde vrienden zijn al geen haar beter. Geweld, leugens en haat gaan hand in hand.

Studenten of intellectuelen zijn schaars onder zijn aanhang, kunstenaars en schrijvers distantiëren zich veelal van zijn politieke idealen.

Zoals hij over vrouwen spreekt is meer dan schokkend.

Ik walg van mij zelf en schaam me diep voor alles wat ik zonder me te verzetten heb toegelaten. Ik heb me geleend voor mensonterende handelingen, ik heb me laten gebruiken en ben door hem misbruikt.

Het is de hoogste tijd om mijn verantwoordelijkheid te nemen en niet langer toe te geven aan een verachtelijk bestaan. Ik vertrouw erop dat je deze brief aan alle kranten in Duitsland en Oostenrijk stuurt zodat de mensen weten op wie ze hun toekomst bouwen. Ik heb hiermee aan mijn plicht voldaan en iedereen gewaarschuwd voor het grote kwaad dat Adolf Hitler heet.'

Ze ondertekende de brief deed hem in een envelop en plakte er twee postzegels op.

Geli bleef als bevroren zitten toen ze plotseling voetstappen in de ha' hoorde.

Frau Winter was die avond naar een vriendin in Schwabing verder was e' niemand aanwezig. Ze stond langzaam op en liep voorzichtig met de brie' in haar hand naar de deur. Voetje voor voetje schuifelde ze van haar kamer door de gang. Ze duwde de deurkruk van het toilet naar beneden, ging de kleine ruimte binnen en sloot zich zelf op. Ze beefde over heel haar lichaam en begon als een bezetene de brief boven de wc pot in honderden stukjes te scheuren. Na het doorspoelen van haar aanklacht slaakte ze een zucht van opluchting. Ze haastte zich nu naar de werkkamer van Hitler en haalde uit een lade van zijn bureau een pistool, een Walter 6.35. Met een gestrekte arm hield ze het wapen gericht voor zich uit. Zodra ze weer in haar kamer was deed ze de deur op slot.

Haar ademhaling was onregelmatig. Ze ging languit op haar chaise longue liggen met in haar rechterhand het pistool wat ze nu tussen haar borsten inklemde.

Op de gang hoorde ze nu duidelijk gefluister.

Geli sloot haar ogen en prevelde een onverstaanbaar gebed. Haar wijsvinger kromde ze om de trekker. Ze deed haar ogen weer open en begon te rillen.

'Ga weg! Laat me toch met rust!' riep ze huilend.

'Ik wil niet meer! Ik doe niet meer mee... het is genoeg!'

Met haar hand hield ze het pistool in een hoek op haar lichaam gericht. Ze spande haar vinger rond de trekker en ontspande hem weer. De onrustige ademhaling ging nu over in gehijg. Geli bewoog zich in kronkelige bewegingen alsof zij last van haar darmen had. Uiteindelijk werd ze rustig en staarde ze met een lusteloze blik naar het plafond

München, 19 september 1931

'Ze is dood!'

Eva Braun kwam buiten adem thuis. Ze was negentien jaar en had donkerblond haar met een slag erin. Haar vader Fritz en moeder Fanny keken Eva geschrokken aan. De familie Braun woonde op de tweede etage in een eenvoudige buurt van München.

De inrichting van hun huis was keurig, geen overdaad of kostbare meubels, alles was functioneel en leek tijdloos.

'Ze is dood!...ze is dood...ik zag het net in de krant staan die iemand in de tram zat te lezen...Geli Raubal het nichtje van Hitler is tragisch aan haar einde gekomen.' citeerde Eva opgewonden uit haar hoofd. Eva's ouders waren nauwelijks onder de indruk. Zonder een woord sloeg haar vader weer zijn boek open en ging verder met lezen.

'Had ze maar niet bij die Hitler moeten gaan wonen.' siste Ilse. 'Ik heb je toch gezegd dat die man niet deugt!' Eva draaide zich om en zag haar oudste zusje nu in de deuropening staan.

'Wat heeft dat er nou mee te maken?' viel Eva Ilse aan.

'Alles natuurlijk! Die kerel heeft er gewoon helemaal gek gemaakt!'

'Adolf Hitler is toevallig wel haar oom, haar lievelings oom! Hij heeft alles voor haar gedaan! Het ontbrak haar aan niets!'

Ilse schudde met haar hoofd. 'Geld, kleding, sierraden dat bedoel ik niet! Ik heb het over aandacht, over begrip, over liefde! Wedden dat die vent heemaal niet weet wat dat is!'

'Onzin!' zei Eva boos, 'Wat een onzin sta je hier te verkondigen!'

'Heb je die ogen wel eens van hem gezien. Die zijn gemeen, die zijn soms angstaanjagend eng!'

'Houd toch op Ilse! Heb je ooit met hem gesproken, heb je hem ooit in het echt gezien?' vroeg Eva.

'Nee.' antwoordde ze. 'Maar jij wel dan? Heeft mijn stoute zusje Adolf Hitler ontmoet' plaagde ze Eva.

'Zo is het wel genoeg.' zei Fritz Braun en klapte zijn boek dicht. 'Ik wil die naam hier niet meer horen!'

'Hoezo? Hij heeft toch niemand kwaad gedaan?'

'Eva wat weet jij daar nou van! Die idioot denkt dat hij Duitsland kan redden. Een armoedig vertoning is het! Die Nationaal Socialisten hebben geen idee wat er in de wereld omgaat! Ze hebben totaal geen kijk op de internationale politiek!'

'Dat kan wel zo zijn maar u kunt toch moeilijk ontkennen dat hij succesvol is?' zei Eva schamper.

'Dat zal nog moeten blijken! Mijn steun krijgt hij in ieder geval nooit!' zei haar vader met een zuur gezicht

Eva haalde haar schouders op, draaide zich om en liep de kamer uit. Ilse keek Eva smalend aan.

'Had je weer eens ruzie?' vroeg Gretl haar twee jaar jongere zusje waarmee Eva een kamer deelde.

'Ach ze weten niet waarover ze het hebben.' antwoordde Eva zelfverzekerd.

'Waarover?' vroeg Gretl die aan haar bureautje met huiswerk bezig was.

'Adolf Hitler en zijn nichtje Geli Raubal... zij heeft vannacht zelfmoord gepleegd... met een pistool!' antwoordde Eva.

'Waarom dat dan?'

'Misschien was ze eenzaam en verdrietig, een onbeantwoorde liefde of gewoon het leven zat.'

'Zelfmoord bah!' griezelde Gretl.

'Je voelt er niets van te zeggen ze?'

'Zou die Hitler er mee te maken hebben denk je?'

Eva keek plotseling Gretl strak aan en zuchtte diep.

Ze schoof een stoel die naast haar bed stond naar het bureautje en ging vlak naast Gretl zitten.

Eva pakte de rechterpols van haar zusje en hield hem stevig vast.

'Beloof me dat je het nooit maar dan ook nooit tegen iemand zal vertellen. Tegen niemand!'

Gretl keek Eva aan met een gezicht wat verwarring en onbegrip uit straalde. 'Wat? Wat mag ik niet vertellen?'

'Het moet geheim blijven! Ik vertrouw je Gretl!'

Eva kneep haar nog wat harder in haar pols en liet toen los. Gretl keek met een pijnlijke blik naar haar gewricht en wreef met haar andere hand zachtjes over de gevoelige plek.

'Kan ik je vertrouwen?' vroeg Eva krachtig.

'Ja natuurlijk dat weet je toch! Ik zal je nooit...'

'Goed.!' viel ze Gretl in de rede. 'Adolf Hitler en ik zijn bevriend met elkaar!'

Gretls mond viel open. Haar grote blauwe kijkers waren volledig op Eva gefixeerd. Pas toen ze een keer met haar ogen knipperde leek ze weer teruggekeerd op aarde.

'Hitler en ik kennen elkaar, we zien elkaar, we spreken elkaar.' zei Eva op rustige toon.

'Maar is hij je vriend, ben je verliefd op hem?'

Eva glimlachte. 'Verliefd? nee ik vind hem gewoon aardig. Hij is charmant en heel erg vriendelijk.'

'Waar heb je hem dan ontmoet, bij wie?'

'Op mijn werk.'

'Bij Hoffmann?'

'Ja.'

'Wanneer?'

'Een jaar geleden.'

'Een jaar geleden?' herhaalde Gretl vol ongeloof.

'Het was na sluitingstijd, stond boven op een trap om iets te pakken en toen kwam hij binnen, in zo'n engelse regenjas en hij droeg een vilthoed.' Eva keek dromerig voor zich uit.

'En toen, wat gebeurde er toen?' Doorbrak Gretl de stilte.

'Uh... toen heeft mijnheer Hoffmann hem aan mij voorgesteld. Hij noemde zich Herr Wolf. Ik had echt nog nooit van hem gehoord, ik had geen idee wie hij was.'

'Iedereen weet toch wie Adolf Hitler is, zelfs kabouters weten dat, alleen Eva Braun weet het niet!' zei Gretl spottend.

'Hij heeft me toen later die avond aangeboden om mij met zijn Mercedes naar huis te brengen... ik durfde bijna geen nee te zeggen. Vanaf die tijd kwam hij regelmatig langs. Ik kreeg bonbons van hem en later zelfs bloemen met een kaartje waarop "Voor mijn lieve en mooie verleidster Eva" geschreven stond.'

Ze stond op en liep naar haar eigen bureautje. Onder uit een la haalde ze een zwart-wit foto.

'Hitler in uniform met handtekening!' riep Gretl opgewonden. 'Zie je hem vaak?'

'Soms ga ik wel eens met hem dineren, naar de bioscoop en we zijn ook twee keer naar de opera geweest dat was zo fantastisch, zo mooi!'

Gretl keek haar angstig aan. 'Maar Eva die man is misschien wel tien of vijftien jaar ouder dan jij'

'Drienetwintig jaar!' bevestigde Eva.

'Wie weten het nog meer?'

'Een paar vrienden en medewerkers van Hitler en Henriëtte de dochter van mijnheer Hoffmann verder niemand. In de opera zat ik ook niet naast hem en wanneer we ergens gaan eten zijn er altijd anderen bij. Ook zit ik zelden bij hem in de auto meestal rij ik met een adjudant van hem mee.'

Gretl wendde haar gezicht van Eva af en schudde met haar hoofd. 'Waarom moet het allemaal zo geheimzinnig, zo stiekem, heeft hij soms iets te verbergen?' vroeg Gretl.

'Misschien heeft het te maken met Geli, zijn nichtje. Ik heb me laten vertellen dat Hitler heel veel om haar gaf...en nu is ze dood!'

'En nu...wat nu?' wilde Gretl weten.

'Geen idee...ik weet het niet!' zei Eva onzeker.

Zoals altijd kwam Eva Braun klokslag half negen op haar werk.

Deze maandagmorgen trof zij in de winkel een gespannen Heinrich Hoffmann aan.

'Goedemorgen mijnheer Hoffmann' zei Eva.

'Helemaal geen goedemorgen, het is een slechte morgen juffrouw Braun!' mopperde Hoffmann.

'Ja ik heb het gelezen, ik begrijp wat u bedoelt.' zei ze ingetogen.

'Zelfmoord! Schandalig! Het was helemaal geen zelfmoord!' zei Hoffmann bijna kwaad.

Eva wilde iets zeggen maar hield haar mond toen Heinrich Hoffmann een arm om haar heen sloeg.

'Hitler was gek op haar. Zij was voor hem een dochter, een vriendin en misschien zelfs wel meer dan dat...wie zal het zeggen?'

'Het was geen zelfmoord zegt u, dus ze is vermoord?' vroeg Eva voorzichtig.

Hoffmann schudde met zijn hoofd. 'Nee lieve Eva, nee het was een ongeluk. Geli speelde met een pistool van haar oom en dat is per ongeluk afgegaan... de kranten schrijven maar wat! Vooral de *Münchener Post* fataseert er maar op los! Dadelijk gaan ze nog beweren dat Hitler haar zelf heeft doodgeschoten! Het is een grove schande!'

'En Herr Hitler, hoe gaat het met hem, kan ik iets voor hem doen?'

'Nee, hij is zeer aangeslagen. Voorlopig wil hij niemand zien of spreken. Vanmiddag ga ik met hem naar een buitenhuis aan de Tegernsee. Ik zal je een telefoonnummer geven zodat je me kunt bereiken.' zei Hoffmann.

'Wanneer wordt juffrouw Raubal begraven?'

'Waarschijnlijk eind volgende week, in Wenen. En denk erom wanneer er mensen langs komen van de pers dan weten jullie van niets! Ik moet er nu vandoor.'

Hij sloeg een jas om zijn schouders en verliet gehaast de winkel.

'Hier koffie, dat zal je goed doen?' zei Henriëtte die met een dienblad met twee kopjes vanuit het keukentje tevoorschijn kwam.

Henriëtte leunde tegen de toonbank en roerde met een lepeltje in haar koffie. 'Het is niet te geloven hè? Geli dood!'

Eva blies in haar dampende kopje en zei niets.

'Heb je Geli eigenlijk ooit wel eens ontmoet?' vroeg Henriëtte.

Eva die net een slokje had genomen verslikte zich bijna. Ze schraapte haar keel. 'Ik geloof het niet, nee ik heb haar nooit ontmoet.'

Henriëtte keek Eva doordringend aan. Houd je van hem?'

'Ik?'

'Ja, ik bedoel jullie zien elkaar toch regelmatig?'

'Ja ik heb hem hier in de winkel voor het eerst ontmoet en hem daarna nog een paar keer gezien.'

Henriëtte keek Eva ondeugend aan. 'Ben je verliefd op hem?

Er viel even een stilte.

'Herr Hitler en ik...verliefd?' zei Eva met een glimlach.

'Reken maar dat Geli behoorlijk jaloers op je was. Ze was een hele tijd het enige meisje waar Herr Hitler oog voor had...tot dat hij jou zag.'

Eva begon te lachen en schudde met haar hoofd.

'Doe niet zo mal! Herr Hitler kent zoveel andere vrouwen, ze staan voor hem in de rij!'

'Maar stel hij zou voor jou kiezen?'

'Hij is heel vriendelijk en ik mag hem graag maar ik denk niet dat hij in mij zijn toekomstige vrouw ziet. Nee dat zou veel te ver gaan. We zijn goede vrienden en ik mag hopen dat dat zo blijft!' zei Eva met een glimlach.

Henriëtte keek Eva nog steeds ongelovig aan en kon een speelse lach nauwelijks bedwingen.

'Jij en Adolf Hitler?' zei Maria Joisten uitgelaten.

'Sssst.' deed Eva met haar vinger voor haar mond toen twee oudere dames aan een tafel in de hoek belangstellend hun richting opkeken.

Ze hadden afgesproken bij de Carlton Tearoom.

Maria Joisten, een mooie brunette met een slank figuur, was een goede vriendin van Eva die ze al sinds haar jeugd kende.

'En dat vertel je me nu pas? En je ouders wat vinden die er van?' wilde Maria weten.

'Mijn vader weet het niet, hij moet geloof ik niets hebben van Hitler en zijn vrienden.' antwoordde Eva.

'Ik zou hem ook wel een keer willen ontmoeten, kan dat?'

'Niemand mag het weten. Het is geheim!'

Even leek Maria teleurgesteld en viel er een korte stilte.

'En weet hij dat je van plan bent actrice te worden?' vroeg Maria.

'Natuurlijk. Adolf Hitler is gek op alles wat met kunst te maken heeft. Hij vindt Leni Riefenstahl geweldig maar ik zal veel beroemder worden misschien ga ik ooit nog wel naar Hollywood.'

'En hoe zit het dan met atletiek en zwemmen?'

'Ik ga meedoen aan de Olympische Spelen, ik zal voor Duitsland een gouden medaille halen of op zijn minst zilver!' zei Eva trots.

Maria keek haar bewonderend aan. 'Weet je wat, we gaan samen naar mevrouw Apoloni... een waarzegster in Schwabing.'

Eva lachte. 'Met zo'n glazen bol?'

'Nee joh, zij is heel goed. Ik ben samen met mijn moeder bij haar geweest en weet je dat bijna alles wat ze zei al uitgekomen is! Of durf je niet?'

Eva reageerde niet en draaide haar hoofd weg.

'Goed ik maak wel een afspraak met haar. Heb je een foto van hem?'

'Ja waarom?'

'Ze kan heel veel zien in iemands ogen, die vertellen alles.' zei Maria alsof ze zelf de toekomst kon voorspellen.

Het huis van Adolf Müller in Sankt Quirin lag direct aan de oever van de

Tegernsee.

De meubels waren afdankertjes maar misstonden niet in dit zomerhuis. Het rook er muf en de ramen waren toe aan een fikse schoonmaakbeurt.

'Niets. Hij heeft weer geen hap gegeten!' Rudolf Hess kwam de keuken binnengelopen en hield een bord met een onaangeroerde omelet en wat brood in zijn hand.

Heinrich Hoffmann nam een slok bier en liet daarna een harde boer. Voor hem lag de *Münchener Neueste Nachrichten* met in vette letters de kop:

IS ZIJ VERMOORD OF WAS HET ZELFMOORD?

'Wat denk je Hess, is dit het einde?' vroeg Hoffmann bedenkelijk.

Rudolf Hess was tegenover hem gaan zitten en trok de krant met het artikel naar zich toe.

'Het begin zul je bedoelen!' antwoordde hij resoluut. 'Het begin van een periode waar Hitler al zijn aandacht voortaan kan richten op het nieuwe Duitsland. Zij was niet meer de inspirerende factor zij was ballast en voegde in het geheel niets meer toe!'

Heinrich Hoffmann fronste zijn wenkbrauwen, legde zijn handen in zijn nek en ging achterover zitten. 'Hmm... jij ziet het als een bevrijding maar denk je dat hij...' Hoffmann sloeg zijn ogen even naar boven waar voortdurend iemand heen en weer liep 'dat hij daar ook zo over denkt?

'Natuurlijk doet het hem pijn, Geli was familie. Zij had nog een hele toekomst voor zich maar misschien is zij te ver gegaan en heeft ze niet begrepen dat haar rol was uitgespeeld, geen enkele betekenis meer had.'

'Dus is het haar eigen schuld.' vulde Hoffmann aan.

'Haar verdiende loon!' besloot Hess.

Het gesprek viel stil. Boven hen kraakte de houten vloer bij elke stap die Adolf Hitler zette.

'Maar wanneer men met bewijzen komt dan kan het toch nog lastig worden.' bedacht Hoffmann.

'Bewijzen?' zei Hess verbaasd. 'Er valt niets te bewijzen... Geli Raubal heeft zelfmoord gepleegd en dat is feit!'

'Dat is nog niet met zekerheid vastgesteld, de politie heeft het onderzoek nog niet afgesloten.'

'Zeg Hoffmann aan wie zijn kant sta je eigenlijk?'

'Dat heeft er niets mee te maken, het gaat erom dat ik me zorgen maak. Geli mag dan verdriet hebben gehad misschien was ze zelfs een beetje in de war maar zelfmoord lijkt me voor haar doen geen logische keuze.' legde Hoffmann rustig uit.

'Ik mag hopen dat de recherche jou niet zal ondervragen. Je brengt ze nog op een idee!' zei Hess geïrriteerd. Hij stond op nam de krant mee en liep de keuken uit.

Boven bleef Hitler heen en weer lopen. Hoffmann keek naar het plafond en volgde voor een tijdje het onrustige gedrag van zijn vriend.

Toen ze aanbelden bij een slecht onderhouden huis moesten Eva Braun en Maria Joisten plotseling uitbundig lachen. Ze waren vreselijk opgewonden en ook misschien wel een tikkeltje angstig.

Mevrouw Apoloni deed open. Ze was dik in de zestig, had een onverzorgd uiterlijk en op haar lip zat een grote wrat. Zij keek de twee jonge dames onderzoekend aan. 'Jullie zijn laat.' zei ze onvriendelijk en gebaarde dat ze verder mochten komen. Even later zaten ze tegenover haar aan een krakkemikkig bureautje. De gordijnen waren dicht waardoor er geen daglicht naar binnen kon komen. Er was één schemerlamp die in de hoek van de kamer voor wat spaarzaam licht zorgde.

'Zo vertel me eens wat kan ik voor jullie doen?' vroeg mevrouw Apoloni terwijl ze met haar vingers op het bureaublad trommelde. Eva toonde haar een foto van Adolf Hitler.

Mevrouw Apoloni nam hem voorzichtig aan en legde de afbeelding voor haar neer. Om de afdruk beter te kunnen zien haalde ze een kandelaar tevoorschijn en ontstak ze het stompje kaars. Het vlammetje flakkerde en liet een onrustig schijnsel op Hitler gezicht vallen.

'Uh ik,' zei Maria nerveus, 'of liever gezegd zij wil graag weten hoe de toekomst van deze man eruit ziet.' Eva knikte bevestigend toen de oudere vrouw haar even aankeek.

Met haar rechterhand streek de waarzegster langzaam over de foto heen. Zo nu en dan sloot zij haar ogen om vervolgens weer strak in de ogen van Hitler te kijken.

'Hij is verdrietig, hij is heel verdrietig... pijn in zijn hart.' sprak ze langzaam en somber.

Maria en Eva zaten doodstil en durfden zich niet te bewegen. 'Hij is alleen...hij is eenzaam,' ging ze verder, 'hij maakt zich zorgen. Hij wordt een groot en machtig politicus deze man heeft iets wat zich moeilijk in woorden laat uitdrukken. Deze man heeft een vrouw nodig die jong is, volgzaam is...

zij moet onopvallend en bescheiden zijn en hem vooral niet voor de voeten lopen.

Zij moet zich afzijdig houden hem zijn gang laten gaan. Zij moet hem vertrouwen...'

'Ziet u hoe die vrouw er uit ziet?' vroeg Maria voorzichtig.

Mevrouw Apoloni sloot haar ogen en knikte bevestigend.

Maria zocht de hand van Eva en kneep haar hard.

'Ja ik zie haar voor me, ze is... ze is dood!' zei ze met een trillende stem.

Heinrich Hoffmann had bezoek van Alfred Rosenberg en Max Amann achter in zijn kantoor.

Eva Braun en Henriëtte Hoffmann stonden voor in de winkel en waren bezig met de grote schoonmaak. Er werd luid gesproken, ze konden de heren letterlijk verstaan.

'Dus Hitler en Göring gaan op bezoek bij Hindenburg en ik mag dat niet fotograferen.' zei Heinrich Hoffmann teleurgesteld.

'Wat gaan ze eigenlijk doen bij die ouwe zak?' vroeg Max Amann.

'De regering kan ons niet aan dus zullen ze Von Hindenburg wel om hulp gevraagd hebben en misschien dat Ernst Röhm en zijn S.A. het de afgelopen tijd weer een beetje te bont hebben gemaakt.' antwoordde Alfred Rosenberg.

'Hoor je dat?' Henriëtte stootte Eva aan. 'Hitler gaat naar de Rijkspresident!'

Eva trok haar schouders op 'Nou en?'

'Hindenburg is toevallig wel heel belangrijk!'

'Ik vind Herr Hitler veel belangrijker dan die hele Rijkspresident, die man is op en versleten. Aan dat soort leiders heb je toch niets!'

'Nou zou Herr Hitler het dan zoveel beter doen denk je?' wilde Henriëtte weten.

'Natuurlijk! Die Von Hindenburg zit maar op zijn paleis die kan het heemaal niets schelen of mensen werkeloos zijn of hongerlijden.' antwoordde Eva.

'Maar Herr Hitler kan daar toch ook niet zomaar even iets aan veranderen?'

'Daarom heeft hij ook onze steun en hulp nodig, heel Duitsland moet naar hem luisteren en dan is er dadelijk weer voor iedereen een toekomst.'

'Moet je haar horen...mevrouw Hitler!' zei Henriëtte ironisch.

Eva moest glimlachen en kreeg een kleur.

'Heb je hem nog gezien?' vroeg Henriëtte nieuwsgierig.

'Wie?' speelde Eva de onschuld zelve.

Henriëtte trok een gezicht.

'Nee al een tijd niet meer.' zei Eva serieus. 'Hij schijnt het er heel erg moeilijk mee te hebben.'

'Jij zou hem kunnen troosten.' stelde Henriëtte voor.

'Mij past bescheidenheid ik wil hem niet voor zijn voeten lopen.' sprak Eva de woorden van mevrouw Apoloni plechtig na.

Henriëtte knikte instemmend en sloeg haar stofdoek uit. Samen moesten ze hoesten en lachen tegelijk.

'Lieve vrienden en familie mag ik u verzoeken.'

Heinrich Hoffmann was lichtelijk opgewonden toen hij zijn gasten vroeg om aan tafel te gaan.

Zijn vrouw Erna had de tafel in stijl gedekt. Wit damast, een prachtig servies van Rosenthal, zilver bestek, kristallen wijnglazen van Moser en twee antieke karaffen gevuld met Pomerol van een goed jaar zorgden voor een indrukwekkende aanblik.

'Wanneer u Herr Hitler hier plaats wilt nemen dan neem ik plaats aan het andere eind van de tafel en stel ik voor dat Eva en Henriëtte ieder aan een kant van u gaan zitten en Herr Rosenberg en mijn vrouw naast mij.' regisseerde Hoffmann het aanwezige gezelschap.

Eva Braun zag er, in haar strak zwarte jurk met wit kanten kraag, schitterend uit dit in schril kontrast tot de kinderlijke bloementjes jurk van Henriëtte.

'Nee dank je,' zei Hitler, 'ik drink tegenwoordig geen alcohol meer.' Hij hield zijn hand boven zijn glas toen Hoffmann hem wijn uit de karaf wilde inschenken.

'Maar dat kan niet waar zijn... u maakt een grapje, dit is een Pomerol die u niet mag missen' probeerde Hoffmann Hitler over te halen.

'Nee heus ik laat niet langer de alcohol mijn hersenen beschadigen. Het is toch bekend dat het alleen maar cellen afbreekt en de geest in verwarring brengt.'

'Te veel, alleen te veel alcohol maar toch niet één of twee glaasjes!' protesteerde Hoffmann vriendelijk. 'U hoeft zich van mij niets aan te trekken, gelooft u mij ik heb mijn portie alcohol voor dit leven reeds genoten.' zei

Hitler met een glimlach.

De gastheer begreep dat verder aandringen geen zin had en richtte zijn aandacht nu op Alfred Rosenberg. Erna kwam de kamer binnen met een dienblad waarop een mooi opgemaakte schotel stond met verschillende soorten koud vlees.

Iedereen had zich zelf voorzien van salami, ham en rosted beef behalve het boord van Hitler dat nog leeg was.

'Herr Hitler alstublieft neemt u toch.' nodigde Erna hem uit.

'Helaas ik moet u teleurstellen sinds enige weken eet ik geen vlees meer.' zei Hitler strak voor zich uitkijkend.

'U bent vegetariër geworden, dat meent u toch niet?' zei een verbaasde Hoffmann.

'Toch wel mijn beste Hoffmann. Wanneer u zich een lang en gezond leven wenst kijk dan is goed om u heen. De olifant bijvoorbeeld wordt gemiddeld 80 jaar of ouder. Waarom? Omdat het beest alleen plantaardig voedsel tot zich neemt.

Maar ook het ethische aspect is van wezenlijk belang. Heeft u ooit wel eens een abattoir bezocht en gezien hoe het er daar aan toegaat, hoe beesten worden afgeslacht enkel en alleen om onze vraatzucht de bevredigen.'

Eva liet haar vork en mes rusten en luisterde aandachtig naar Hitlers betoog. Henriëtte sneed voorzichtig een heel klein stukje van haar ham af en peuzelde het langzaam op. Alfred Rosenberg schrokte zijn boord leeg. Erna en Heinrich Hoffmann waren ook niet echt onder de indruk en genoten zichtbaar van hun maaltijd.

'Maar laat ik op u allen een toost uitbrengen.' zei Hitler terwijl hij zijn wijnglas vol met mineraalwater schonk. 'Het doet mij goed hier onder dierbare vrienden te zijn. Sinds Geli haar dood, nu zo'n vijf maanden geleden, heb ik mij voor alles en iedereen afgesloten maar nu ben ik weer overtuigd van mijn rol als politicus en moet ik mij weer volledig aan mijn taak wijden. Ik drink op onze toekomst op Duitsland en het Nationaal Socialisme!... proost!'

Iedereen hief zijn glas en nam een slok.

Hitler kon die avond nog nauwelijks een moment zijn ogen van Eva Braun afhouden.

'Ik vind het schitterend en wat een ruimte!' zei Eva Braun bewonderend.

Adolf Hitler liep trots voor haar uit en opende de deur naar zijn werkkamer. 'En hier juffrouw Braun breng ik de meeste tijd door wanneer ik in München ben.'

Ze volgde hem naar binnen en haar oog viel op een schilderij dat op de grond tegen de muur stond. 'Wat een mooi schilderij en wat een knappe vrouw is dat.' zei Eva spontaan.

Hitler sloeg zijn armen over elkaar en keek met een kritische blik naar het doek. 'Dat is van Adolf Ziegler. Hij heeft Geli... mijn liefste nichtje op onnavolgbare manier weer bijna tot leven laten komen Ik mis haar vreselijk.'

Eva slikte en wist niet zo snel wat ze zeggen moest.

'Maar u brengt weer vreugde in mijn leven' zei Hitler terwijl hij het licht uit deed en Eva gebaarde naar de zitkamer te gaan. 'Mijn rouw proces om Geli zal eeuwig duren want mooie herinneringen zijn schaars die moet je koesteren.'

Eva durfde nauwelijks te reageren en knikte bevestigend.

'En juffrouw Braun wat zijn uw mooiste herinneringen?'

Eva leek even overvallen met deze vraag. Zij tuitte haar lippen en keek dromerig naar het plafond.

'Mijn bezoek met u aan de opera.' zei ze met een glimlach.

Ogenschijnlijk ontroerde haar antwoord Hitler.

Hij liep op haar toe nam haar hand in de zijne en leidde haar naar de bank.

'Eva, mag ik Eva zeggen?'

'Maar natuurlijk!'

'Noem mij Wolf, alleen wanneer er anderen bijzijn stel ik het op prijs dat je me aanspreekt met Herr Hitler.'

'Zeker, zoals u wenst.'

'Och maar lieve Eva je mag hier rustig 'jij' tegen me zeggen.'

In haar ogen was verwarring te zien maar ze herstelde zich snel. 'Het was een heerlijke avond, ik zou het liefst hier blijven, samen met jou en...'

'Ik kan heel goed alleen zijn,' onderbrak hij haar, 'in alle rust concentreer ik mij het best. Napoleon en Bismarck hebben zich te snel overgegeven aan de wil van hun vrouwen. Ik zal niet dezelfde fout maken!' Hitler keek plotseling met een speelse blik naar Eva. 'Maar voor jou maak ik misschien een uitzondering.' zei hij met een glimlach.

'Trouwen, kinderen opvoeden en je man steunen waar je kunt dat lijkt me zo heerlijk!' zei Eva enthousiast.

'Kleinburgerlijk gedoe!' reageerde Hitler onthutst.

'Ik fantaseer maar wat.' verontschuldigde Eva zich.

'Misschien is dat wel juist waarom vrouwen zich niet moeten bemoeien met belangrijke kwesties.

Ik bedoel te zeggen dat ik geniet van vrouwelijk gezelschap en hun onbevangenheid maar mij soms ook stoor aan de éénvoud van hun gedachten!'

'Ik ben mij ervan bewust dat ik nog heel veel moet leren. Het is dan ook een groot voorrecht om bij Herr Hoffmann te mogen werken. Ik kan vrijwel met alle soorten fotoapparatuur overweg en binnenkort zal Herr Hoffmann mij ook uitleggen hoe ik met een filmcamera moet omgaan.'

Hitler knikte instemmend, 'Heel goed! Ik zal mijn huishoudster vragen om ons een kopje thee te serveren en misschien is er ook nog wel iets lekkers in huis.'

Hitler stond op en liep de kamer uit. Eva keek om zich heen. Op de salontafel lag een exemplaar van Mein Kampf. Ze sloeg het op een willekeurige bladzijde open en las, 'Het huwelijk mag geen doel zijn maar moet dienstbaar zijn aan dat ene, grotere doel, de vermeerdering en instandhouding van ras en soort. Het op jonge leeftijd huwen kan zorgdragen voor gezonde nakomelingen en ook zal dit bijdragen aan vermindering van prostitutie.'

'Herr Hoffmann en zijn vrouw hebben ons zo verwend. Ik zou willen dat ik zo zou kunnen koken!' zei Eva terwijl ze haar haar borstelde.

'En toen, wat gebeurde er toen?' wilde Gretl weten. Doe niet zo flauw Eva ik vertel jou ook altijd alles!' protesteerde zij.

Eva deed het licht in hun slaapkamer uit en ging onder haar dekens liggen.

'Je hebt het beloofd hè, echt aan niemand, geen mens!' zei Eva waarschuwend.

'Ja, zeur tòch niet zo! Nou kom op vertel!'

'Hij bleef maar naar mij kijken en hij raakte mijn hand aan en onder tafel schoof hij steeds met zijn knie tegen mijn been aan.'

'Oh zie je wel die man is nog steeds helemaal gek van je Eva!'

'Hij heeft uren gepraat over alles en nog wat, te veel om op te noemen. Hitler is echt heel intelligent!'

'Nou dan treft hij het wel met jou.' spotte Gretl.

Ze doken even onder hun dekens weg om hun gelach te dempen.

'Om een uur of half elf wilde ik weggaan,' vervolgde Eva toen ze weer tot bedaren waren gekomen, 'en Hitler bood toen aan dat hij mij met zijn Mercedes naar huis zou brengen.'

'Echt waar?' zei Gretl ongelovig.

'Toen ik eenmaal in de auto zat gaf hij zijn chauffeur opdracht even langs zijn appartement op Prinz Regentenplatz te rijden hij stond erop dat ik zijn woning zou bezoeken.'

'Ben je bij hem thuis geweest?' klonk het opgewonden uit Gretl's mond.

'Ja en hij heeft mij het hele huis laten zien, er zijn wel tien kamers!'

'En de kamer van Geli Raubal?'

Eva aarzelde. 'Ja, tenminste we zijn er langs gelopen. Niemand mag daar binnen komen.'

'Misschien ligt er nog wel bloed.' griezelde Gretl.

'Hitler heeft me alles over haar verteld. Soms sprak hij over haar alsof hij verliefd op haar is geweest.'

'Op zijn nichtje?' vroeg Gretl verbaasd.

'Hij was in ieder geval heel erg op haar gesteld en heeft er nog steeds heel veel verdriet van. Maar hij is blij wanneer hij mij ziet en hij zei dat ik belangrijk voor hem ben.'

'Adolf Hitler wordt dus mijn zwager.' stelde Gretl vast.

'Wie weet!'

'Dat meen je toch niet echt?'

'Waarom niet?'

'Vader doet je wat en de kerk stuurt je zo naar de hel!' dreigde Gretl grinnikend.

'Doe niet zo mal. Ik bepaal toevallig wel zelf met wie ik trouw en kinderen krijg.'

'Ja maar Eva ..ik bedoel Adolf Hitler...'

'Ik ben verliefd op die man punt uit!' Gretl zuchtte diep, 'Ik begrijp je niet.'

'Als ik het maar begrijp!' zei Eva, 'Welterusten!'

München, 20 april 1932

Wanneer je het Hotel Die Vier Jahreszeiten aan de Max Millian Strasse in München betrad dan voelde je je belangrijk. De portier heette je altijd van harte welkom en het lopen op dik geknoopte perzen voelde zelfs met je ogen dicht aan als een koninklijke ervaring. Eva Braun genoot zichtbaar van deze ambiance. Er was een zaal afgehuurd voor een diner met zo'n twintig genodigden. De inrichting hield het midden tussen empire en barok. Grote kroonluchters zorgden voor een overvloed van licht Putzi Hanfstaengl en zijn vrouw waren verreweg het meest modieus of liever gezegd glamorous gekleed. Maar ook Göring en zijn vrouw hadden smaak hoewel zijn witte smoking colbert iets te zomers was voor de tijd van het jaar.

Heinrich Hoffmann zijn vrouw Erna en Henriëtte vielen op door hun typische Beierse feestelijke kledij.

Rudolf Hess, Joseph Goebbels, Heinrich Himmler, Alfred Rosenberg, Baldur von Schirach, Julius Streicher, Wilhelm Brückner, Max Amann, Adolf Müller en hun dames waren allemaal in smoking en smaakvolle avondtoiletten gehuld.

Na een vorstelijk diner werd door een tweetal koks een grote taart met brandende sterretjes naar binnen gedragen en pal voor Adolf Hitler op tafel gezet. Zijn initialen en de cijfers 4 en 2 stonden prominent in slagroom gespoten bovenop het deeg.

De jarige werd uit volle borst toegezongen en daarna werd hem vriendelijk verzocht een speech te houden. Adolf Hitler stond langzaam op en keek de tafel rond. Zijn ogen hielden stil bij Eva Braun die gedurende deze avond tegenover hem zat. 'Mijn lieve vriendinnen en vrienden. Het is een eer om deze avond in jullie aanwezigheid mijn verjaardag te mogen vieren. Frederik de Grote, Bismarck maar ook Napoleon zullen wij eerdaags verrassen. Er breekt een tijd aan waarin het nieuwe Duitsland een machtige natie zal zijn Europa zal nooit meer een aanval wagen op ons grond gebied. Wij zullen ons krachten bundelen tegen het Bolsjewisme.

De democratie van Weimar is al lang dood gebloed nu komt het er op aan om vast beraden te zijn en het Nationaal Socialisme te laten zegevieren!'

Er viel even een stilte, maar al snel klonk er een daverend applaus.

'We hebben nog nauwelijks met elkaar gesproken, ik ben Julius Streicher.' stelde Eva's linker tafelgenoot zich voor.

'Eva Braun.' ze gaven elkaar een hand.

'En hoe ziet een jonge dame als u de toekomst van ons vaderland?' vroeg hij met een vermakelijke blik in zijn ogen.

Eva nam een slok van haar wijn om tijd te winnen.

'Uh ...ik denk dat wij met Herr Hitler een mooie toekomst tegemoet gaan.'

Streicher lachte minzaam. 'Zo denkt u dat, en waarom dan wel als ik vragen mag?'

'Dat zegt mijn gevoel en gelukkig denken daar heel veel mensen in ons land het zelfde over!'

'Maar gelooft u ook echt in het Nationaal Socialisme? Staat u volledig achter onze ideologie?'

'Wat Herr Hitler zegt en doet is voor mij duidelijk, de echte politieke vraagstukken laat ik graag aan mensen over die er echt verstand van hebben.' probeerde Eva het gesprek te beëindigen.

Maar Streicher gaf nog niet op. 'Maar laat ik het u dan anders vragen Ziet u een bedreiging in de Joden, en ziet u ons volk als superieur?'

'De Joden?' zei ze geschrokken. 'Ik heb nog nooit last van ze gehad, zi zijn misschien anders dan wij maar naar mijn idee niet minder, er zijn immers toch ook Duitsers die niet deugen!'

'Dat valt me van u tegen maar misschien moest u mijn krant maar eens lezen!'

'Krant?'

'Ja Der Stürmer, Iedereen hier leest mijn krant met veel plezier. Juist voor u lijkt mij het een welkome bron van informatie waardoor u zeker tot een ander oordeel zult komen met betrekking tot de Joden.'

'Misschien, wie zal het zeggen?' zei Eva hulpeloos.

'Ach maar juffrouw Braun u wilt Herr Hitler toch zeker niet teleurstel en?' zei Streicher bijna dwingend.

Eva glimlachte geforceerd en zag plotseling hoe Hitler haar liefdevol aankeek. Julius Streicher staakte zijn kruisverhoor en draaide zich om naar zijn andere tafeldame, Magda Goebbels.

Moet je zien Eva hoe zij naar Hitler kijkt.' zei Henriëtte opgewonden.

Eva was samen met Henriëtte in de donkere kamer bezig de foto's die Heinrich Hoffmann had genomen van Hitler's verjaardag te ontwikkelen en af te drukken.

'Magda Goebbels, die is toch pas een paar maanden geleden getrouwd?' vroeg Eva.

'Ja maar ik denk dat ze misschien toch liever met Herr Hitler was getrouwd.' antwoordde Henriëtte speels.

'Wel nee, meen je dat nou echt?'

'Hier, kijk eens hier! Henriëtte haalde nu een foto uit de ontwikkelaar waarop een mooie vrouw met zwart opgestoken haar Hitler verliefd aankeek.

'Helene Hanfstaengl, geloof maar dat zij ook een oogje op hem heeft!'

Eva boog zich over de foto en schudde met haar hoofd. 'Je overdrijft!'

'Helemaal niet.' zei ze verbeten. 'Hitler heb je nooit voor je alleen, met wie hij ook zal trouwen er zullen altijd andere vrouwen zijn die hem zullen weten te charmeren.'

'Herr Hitler is een keurige man, hij is juist een voorbeeld van hoffelijkheid en hij is alles behalve een rokkenjager!' wierp Eva tegen.

'En wat dacht je dan van Winifred Wagner? Ik heb haar wel eens met Hitler gezien toen ik met mijn vader in Bayreuth bij de Festspiele was. Die is echt stapelgek op hem en sinds haar man Siegfried is overleden lijkt haar dan ook niets meer in de weg te staan om hem volledig aan haar te binden.'

'Ik zeg je dat Herr Hitler maar met één ding bezig is en dat is Duitsland!'

'Geloof je het zelf?' zei Henriëtte honend.

'Hij heeft nu eenmaal beloofd dat hij zich tot het uiterste zal inspannen en wil daarom geen binding met een vrouw, het zou hem alleen maar onnodig afleiden.'

'En Geli dan? Dacht je soms heus dat hij daar geen verhouding mee had?'

'Ja natuurlijk was er iets tussen hun maar niet dat gene wat jij denkt!'
'En ze pleegt zomaar zelfmoord?'
Eva trok haar schouders op. 'Misschien was het een ongeluk.'
'Of ze is gewoon vermoord.' vulde Henriëtte aan.
'Vermoord?'
'Ja, waarom niet? Misschien vroeg haar oom gewoon te veel van haar, verlangde hij absolute gehoorzaamheid of wist ze bepaalde dingen van Hitler die bedreigend voor hem waren, dat zou toch kunnen?'
'Jij hebt teveel fantasie.' glimlachte Eva. 'Herr Hitler is een zachtaardige man die doet niemand kwaad!'

'Eva!' riep Fritz Braun toen hij zijn dochter hoorde thuis komen. 'Eva! kom eens hier!'
Haar vader zat aan de eettafel en las zijn krant die hij plat op het tafelblad had gelegd. Ze omhelsde hem en gaf hem een kus.
Gewoonlijk zei hij haar vervolgens gedag en vroeg dan hoe het die dag bij Hoffmann was geweest.
Maar nu bleef hij stoïcijns in zijn krant kijken.
'Vader, wat is er?' vroeg Eva verbaasd.
Plotseling sloeg hij de krant dicht. Onder de *Münchener Post* verscheen nu een ander dagblad.
Hij hield het nu met één hand in de lucht met de voorpagina naar Eva toegedraaid.
'Dit zat bij de post en was aan jouw geadresseerd!' zei hij streng.
'*Der Stürmer*, voor mij?' zei ze verbaasd.
'Ja jij bent toch Eva Braun...of niet soms?'
'Mijn God dat moet een vergissing zijn.'
'Wie stuurt je deze rommel?' Langzaam legde hij de krant weer op de tafel. 'Ik wil dit soort van smakeloze ongenuanceerde politieke priet praat niet in mijn huis hebben!'
'U heeft gelijk en het spijt mij oprecht dat dit gebeurd is.'
'Nogmaals Eva, wie heeft dit aan jou gestuurd?'
'Geen idee, heus het moet iemand zijn die misschien een grap heeft willen uithalen.' zei ze verontschuldigend.
'Een grap? Heb jij vrienden die dit leuk vinden?' Hij keek Eva nu doordringend aan. 'Of ken je soms mensen die het met deze zogenaamde idealen en laster campagne's eens zijn? Die met zijn alle achter die dwaas van een

Hitler aanlopen?'

Even viel er een stilte. Eva hield een hand voor haar mond en wist even niet wat ze zeggen moest.

"DE JOOD MOET DOOD" citeerde Fritz Braun van de voorpagina. 'Hoe durven ze dat te zeggen, hebben die lui dan geen greintje respect, zijn het dan echt allemaal leeghoofden. Ze moesten zich schamen en die Hitler denkt ook nog eens dat wij op hem zitten te wachten, mijnheer wil rijkspresident worden, die man is niet goed bij zijn hoofd!'

'Adolf Hitler heeft het beste met Duitsland voor!' zei Eva zelfverzekerd.

Fritz Braun leek even verward maar herstelde zich razend snel. 'Hoe kom je daar nu bij, waarom denk je dat?' vroeg hij bezorgd.

'Gewoon omdat het zo is!' antwoordde Eva.

'Gewoon omdat het zo is?' herhaalde hij vol onbegrip.

'Ja, Adolf Hitler is iemand die de mensen weer hoop geeft en Duitsland groot wil maken!.'

'Maar de Joden moeten dood!' zei hij spottend. 'Alsjeblieft Eva praat niet over zaken waar je geen verstand van hebt. Je maakt je zelf volkomen belachelijk!'

Eva Braun draaide zich om en liep naar haar kamer. In de gang passeerde ze haar zusje Ilse die haar tong uitstak.

Ze reden in een open auto met hoge snelheid over bochtige wegen. Ze straalde en genoot als een klein kind die voor de eerste keer in een draaimolen zat.

Heinrich Hoffmann stuurde zijn Mercedes messcherp over een slingerende weg door het Beierse heuvellandschap. Zijn vrouw Erna kneep zo nu en dan haar ogen even dicht wanneer haar man een snelle inhaal manoeuvre uitvoerde.

'Wat heb je thuis gezegd?' wilde Henriëtte Hoffmann weten die achterin naast Eva zat.

'Alles en niets!' antwoordde ze ondeugend over haar zonnebril kijkend.

'Doe niet zo flauw. Wat voor smoes heb je bedacht?'

'Mijn vader wilde opeens precies weten voor wie ik werk en wat jouw vader doet en of hij politiek actief is en of hij voor Hitler werkt en zo ging het maar door.'

'En toen?'

'Ach niets ze zaten gewoon te zeuren. Het komt allemaal door die idioot van een Julius Streicher met dat stomme krantje van hem. Dat heeft ie naar me opgestuurd, mijn vader was woedend en ik probeerde het nog allemaal goed te praten maar ja ik weet niets van politiek en het interesseert me ook niet!'

'En nu is je vader trots op je dat je vandaag naar Adolf Hitler gaat?' zei Henriëtte spottend.

'Hij zou ontploffen! Hij zou me misschien wel dood schieten, ik weet dat hij een pistool heeft!'

'Heeft hij zo'n hekel aan Hitler?'

'Hij is gewoon conservatief en heel gelovig, hij moet niets hebben van grote veranderingen daar wordt ie heel onrustig van.'

'Denk je echt dat hij niet in de gaten heeft dat jij met Hitler omgaat?'

'Ja!' zei Eva beslist, 'en als hij het zou weten dan hoef ik nooit meer thuis te komen!'

'Blijf je toch lekker op de Obersalzberg wonen.' zei Henriëtte met een ondeugend gezicht.

'Hoe komt Herr Hitler eigenlijk aan dat huis?' wilde Eva weten.

'Aan Haus Wachenfeld?'

'Ja.'

'Hij heeft het gehuurd van één of andere industrieel.'

'Hij moet wel heel erg rijk zijn.' stelde Eva vast.

'Mijn vader zegt dat hij heel veel geld verdient met zijn boek.'

'Misschien kan hij maar beter schrijver worden, of scenario's voor films verzinnen waarin ik dan de hoofdrol speel!' fantaseerde Eva.

Henriëtte keek haar meewarig aan, zette haar zonnebril op en genoot van de voorjaarszon.

Haus Wachenfeld was geen opvallende woning. Het ontwerp was gebaseerd op de traditionele Beierse bouwstijl. Waarschijnlijk was het ooit een boerderij geweest maar inmiddels was het omgedoopt tot een comfortabel onderkomen.

Aan Eva's gezicht was te zien dat de eerste indruk van het huis haar tegenviel. Het uitzicht vanaf het balkon was daarentegen overweldigend.

'Het zal niet meer lang duren voordat ik Haus Wachenfeld volledig ga gaan verbouwen, het moet een imposante uitstraling krijgen' zei Adolf Hitler die naast Eva op het balkon was gaan staan.

'Een droomhuis!' zei Eva enthousiast.

'Ik heb al in grote lijnen het ontwerp op papier staan. Ik laat het grootste raam ter wereld vervaardigen zodat men ook in de winter kan genieten van de schoonheid der natuur en er zal een groot terras komen waarop wij in het voorjaar en de zomer heerlijk in de buitenlucht vele uren zullen doorbrengen.'

Eva keek Hitler vol bewondering aan en stak haar arm door zijn arm en trok Hitler naar zich toe.

'Eva ik zal je missen, maar je begrijpt dat ik geen andere keuze heb.'

Ze liet abrupt los en keek hem verbaasd aan.

'Lieve Eva het is nu of nooit. Niet eerder leek de overwinning zo dichtbij maar geloof mij het zijn juist die laatste krachtinspanningen die nodig zullen zijn om ons uiteindelijke doel te bereiken!'

'Maar... maar natuurlijk.' zei Eva enigszins verward. 'Jouw werk is belangrijk en ik zal je daarin altijd steunen, altijd...zolang ik leef!'

Hitler streelde met zijn hand over haar gezicht.

'Koffie!' liet Heinrich Hoffmann weten vanuit de zitkamer.

Hitler en Eva voegden zich nu bij de familie Hoffmann en Julius Schreck die rondom een salon tafel zaten terwijl een vrouw van even in de vijftig koffie en gebak serveerde.

'Eva mag ik je voorstellen' zei Hitler 'dit is Angela Raubal, mijn halfzusje. Zij is mijn steun en toeverlaat inzake alle huishoudelijke taken.'

'Aangenaam, ik ben Eva Braun' Ze gaven elkaar een hand. Angela Raubal keek haar kort maar doordringend aan, van haar gezicht viel achterdocht te lezen. Eva schonk er geen aandacht aan en maakte haar een compliment over het heerlijke gebak en de schitterende bloemen die overal in het huis stonden. Angela bedankte Eva met een kort knikje. In haar gezicht was geen enkele vriendelijkheid te bespeuren. Vervolgens verdween ze naar de keuken.

'Is zij, ik bedoel is Frau Raubal de moeder van Geli?' vroeg Eva aan Hitler.

Hitler verstijfde. Hij keek voor zich uit.

Zonder een woord te zeggen dronken ze hun koffie.

Wanneer ik vandaag tot u spreek en daarmee tot miljoenen andere Duitse arbeiders, doe ik dat met meer recht dan iemand anders. Ik ben uit uw groep voortgekomen. Ik heb tussen u in gestaan, in de oorlog was ik ruim vier jaar onder u, en nu spreek ik tot u bij wie ik hoor en met wie ik mij verbonden voel. Voor u voer ik mijn strijd! Toen ik zojuist hier door de straten reed en ik zag links en rechts honderden, nee duizenden mensen uit de werkplaatsen, fabrieken en kantoren komen klopte mijn hart sneller en dacht ik bij mezelf : Dit is ons Duitsland, dit is ons volk ons roemvolle Duitse volk, ons geliefde Duitse rijk...en ik, ik Adolf Hitler ben uw leider en daar ben ik trots op!'

De toehoorders applaudisseerden geestdriftig en hielden dat minuten lang vol.

Adolf Hitler had in minder dan twee weken ruim veertig toespraken gehouden in even zo veel steden door heel Duitsland. Heinrich Hoffmann was al dagen onderweg om de manifestaties te fotograferen. Henriëtte en Eva hadden dankbaar de uitnodiging aangenomen om op Hoffmann's kosten met de trein vanuit München naar Passau te komen alwaar Adolf Hitler een menigte in een stadion zou toespreken.

De twee meisjes stonden ver van het podium vandaan maar waren onder de indruk van de massale opkomst en trots dat Adolf Hitler zoveel succes wist te oogsten met zijn zojuist gehouden redevoering. Na afloop werden ze onder begeleiding van een jongen in een SS uniform naar de catacomben van het sportcomplex geleid om daar Hitler te ontmoeten. De teleurstelling was groot toen ze bij aankomst van zijn kleedkamer hoorde dat Hitler net vertrokken was.

Julius Schaub schreeuwde tegen een assistent dat er meer bier moest komen. Wilhelm Brückner, Hitler's eerste adjudant, stond de plaatselijke pers te woord en verder waren er alleen maar onbekende gezichten.

'Henriëtte, Eva!' riep Hoffmann vanuit een smalle gang vol met mensen. Om zich verstaanbaar te maken moesten ze zowat schreeuwen.

'Waar is Hitler?' vroeg Henriëtte.

'Onderweg naar Dresden!' antwoordde Hoffmann.

'Wanneer komt hij naar München?' wilde Eva weten.

'Hier'Hoffmann haalde een envelop tevoorschijn.

'Ik moest je dit van hem geven.'

Haar mond zei, 'Dank u.' maar door het lawaai was ze nauwelijks te verstaan.

Terwijl Hoffmann met Henriëtte sprak opende Eva de brief.

Mijn lieve Eva,

Twee maanden heb ik je nu al weer niet gezien of gesproken. Voor het laatst op de Obersalzberg. Wat zou het heerlijk zijn daar met je samen te zijn en lange wandelingen te maken.

Maar nu is het mijn plicht om Duitsland te behoeden van de ondergang en past het niet om sentimentele gevoelens een kans te geven.

Zwakte kan nu fataal zijn wij moeten sterk en dapper zijn opdat wij later trots kunnen terug zien op wat door ons is bereikt.

Veel liefs,
Adolf Hitler

Eva Braun keek schuin omhoog naar het plafond en kon met moeite haar tranen te bedwingen. Ze had nauwelijks gemerkt dat Hoffmann haar een zoen gegeven had en al weer verdwenen was.

'En wat heeft hij je geschreven?' vroeg Henriëtte nieuwsgierig.

'Dat we sterk en dapper moeten zijn.' antwoordde Eva met tranen in haar ogen.

november 1932 Allerheiligen. Eva had Adolf Hitler na de redevoering in Passau niet meer gezien. Wel schreef Hitler haar korte briefjes.

De inhoud kwam steeds op het zelfde neer.

Eva moest flink zijn, zij moest geduld hebben, begrip hebben, alles diende een groter doel!

In de maand oktober had Eva helemaal niets meer van hem gehoord. Ook haar baas Heinrich Hoffmann was zelden of nooit in München waardoor ze geen contact meer met Adolf Hitler kon leggen.

Eva belde aan bij Prinz Regentenplatz nummer 19.

Frau Winter deed open.

'Goedemiddag, mijn naam is Eva Braun... ik ben op zoek naar Herr Hitler.'

'Die is momenteel niet hier.' antwoordde Frau Winter kortaf.

'Maar kunt u mij dan misschien zeggen wanneer hij hier wel is.' probeerde Eva vriendelijk.

'Nee dat kan ik niet.'

'Maar u spreekt hem toch regelmatig?'

'Ik ken u niet.'

'Maar Herr Hitler en ik zijn goede vrienden, ik zal nooit misbruik maken van uw informatie.'

'Ik geef u geen informatie.'

'U begrijpt het niet! Ik ben hier al een keer bij hem op bezoek geweest, ik heb Herr Hitler zelfs bezocht in zijn huis op de Obersalzberg, wij zijn hele goede vrienden, wij kennen elkaar heel goed!'

'Het spijt mij maar ik kan u niet helpen.' Frau Winter wilde de deur dicht doen maar Eva duwde de deur weer open.

'U moet naar mij luisteren, ik ben wanhopig!'

'Als u niet verdwijnt bel ik de politie!'

Eva Braun begreep dat het haar ernst was en liet Frau Winter met rust. De deur werd onmiddellijk dicht gedaan ook hoorde Eva hoe de huishoudster twee extra sloten vergrendelde.

'Het heeft geen zin. Mijn leven heeft geen zin wanneer ik niet bij jou kan zijn. De leegte en verloren uren zijn een kwelling die ik niet langer verdragen kan. In het belang van jouw idealen en die van het vaderland wil ik je niet langer ten laste zijn. Vergeef mij, gedenk mij in ere. Je liefhebbende Eva.' las Adolf Hitler hardop voor aan Heinrich Hoffmann die achter zijn bureau zat. Het was zondag de winkel was gesloten.

'Waarom, waarom maak ik vrouwen ongelukkig Hoffmann, wat mankeert er aan mij?'

'Wees blij dat Eva het overleefd heeft en dat zij er geen nare gevolgen aan zal overhouden.' zei Hoffmann en slurpte zijn koffie naar binnen.

'Ze heeft het voor mij gedaan, uit pure hartstocht.

Ik moet voor haar zorgen want dit mag niet meer gebeuren.' zei Hitler ernstig. Hij versnipperde het briefje van Eva boven een prullenmand.

'Hoffmann zorg dat Eva een telefoon op haar kamer thuis krijgt. Zeg tegen haar ouders dat het nodig is voor haar werk bij jou, verzin maar iets!'

Heinrich Hoffmann knikte ter bevestiging. 'Misschien is het goed zo dra zij uit het ziekenhuis komt haar een tijdje naar Berchtesgaden te laten gaan?'

Hitler keek hem aan en dacht even na.

'Hm ja...reserveer maar een kamer voor haar in Hotel Turkenhof, en ook een kamer voor je dochter. Ze kunnen dan voor de lunch en het avondeten bij Angela terecht.'

'En hoe staat het met de pers?' informeerde Hoffmann.

'Brückner heeft de artsen laten verklaren dat Eva direct liet weten dat het een ongeluk betrof. En dat ze puur uit nieuwsgierigheid het pistool van haar vader wilde bekijken. Van een poging tot zelfmoord is dus absoluut geen sprake!'

Een tijd lang zaten ze in een sombere stemming bij elkaar. Hoffmann stond op, 'Kom laten we wat gaan eten in de Osteria Bavaria, we hebben nog wat te vieren!' zei hij grijnzend.

'Iets te vieren?' vroeg Hitler verbaasd.

'Ja...je ambt als vice-rijkskanselier!'

'Maar mijn beste Hoffmann dat heb ik toch geweigerd!'

'Precies en daarom hebben we wat te vieren want het zal niet meer lang duren en dan ben je onze rijkskanselier!'

Adolf Hitler begon te glunderen en sloeg met beide handen op zijn knieen. 'Zo is het Hoffmann en niemand houdt dat meer tegen, niemand!' waarschuwde hij met zijn vinger in de lucht.

In de keuken van Haus Wachenfeld rook het of naar zeep of naar de talenten van een gepassioneerde kok. Angela Raubal liep met een dienblad, waarop vijf koppen dampende ossenstaart soep stonden en een bord met tomatensalade, naar de eet kamer.

Als eerste bediende zij Adolf Hitler die tevreden naar zijn vegetarische maaltijd keek en zijn halfzuster even over haar rug streek. Joseph Goebbels complimenteerde haar met haar kookkunst. Heinrich Himmler's bril besloeg toen hij zich over zijn soepkom boog. Wilhelm Brückner begon gelijk alles naar binnen te lepelen.

'Herr Brückner,' ordonneerde Hitler, 'misschien kunt u de beleefdheid opbrengen even te wachten tot onze vrouwelijke gasten ook voorzien zijn. Of bent u soms uitgehongerd?'

Wilhelm Brückner hield zijn lepel stil halverwege zijn mond en de tafel. Toen Adolf Hitler begon te glimlachen, knikte hij verontschuldigend naar Eva Braun en Henriëtte Hoffmann.

Vervolgens wenste men elkaar "smakelijk eten."

Er werd niet of nauwelijks gesproken totdat Goebbels, die als eerste klaar was met zijn voorgerecht, Eva aansprak. 'Fräulein Braun hoe bevalt het u hier op de Obersalzberg?'

Eva keek eerst even naar Hitler alsof zij toestemming vroeg om te mogen antwoorden.

'Het is geweldig. Ik geniet van elke seconde en ben mij ervan bewust dat het een groot voorrecht is om hier samen met u aan tafel te zitten.'

'Herr Hitler wat heeft u toch een goede invloed op ons vrouwelijk schoon.' zei Goebbels geamuseerd.

'Ach u moet weten dat Fräulein Braun een heel bijzondere dame is, het is wellicht zo dat zij eerder op mij een positieve werking heeft!' zei Hitler terwijl hij trots naar Eva keek.

'Niets mooiers dan elkaar stimuleren.' stelde Goebbels vast.

'En mijn beste Himmler wat is voor u het belangrijkste aan een vrouw?' vroeg Hitler.

'Zij moet in de eerste plaats raszuiver zijn, een echte arische. Liefst blond, kinderen kunnen baren, opvoeden en ook kennis hebben van de natuur!' zei hij ernstig.

Henriëtte stootte Eva aan. De twee meiden konden maar nauwelijks hun lachen inhouden.

'Juist.' zei Goebbels, 'Vrouwen hebben een heel duidelijke taak. In het toekomstige Duitse rijk zullen zij nooit als meer te voren een belangrijke plaats innemen. De Duitse vrouw zal een voorbeeld zijn voor heel Europa!'

Hitler knikte goedkeurend. 'Onze partij is duidelijk, over de positie van de vrouw. Zij zal geen politieke taken vervullen maar zich toeleggen op het moederschap en zich volledig in dienst stellen van haar man en haar kinderen.'

'Vrouwen zonder kinderen zijn als brood zonder deeg.' zei Himmler beslist.

Henriëtte verslikte zich bijna. Eva fronste haar wenkbrauwen.

Hitler keek Eva liefdevol aan. 'En Frau Braun wat kunnen wij mannen van vrouwen leren?'

Eva leek even overvallen met deze vraag maar liet zich niet uit het veld slaan. 'Vrouwen, moeders maar ook oma's moeten kunnen rekenen op steun en respect. Wij zijn kwetsbaar niet weerloos maar men noemt ons niet voor niets het zwakke geslacht.'

Hitler en Goebbels glimlachte en knikte instemmend.

Himmler nipte met een zuinig mondje van zijn witte wijn. 'U weet toch wel dat in de jungle de vrouwtjes bijna altijd voor zichzelf moeten opkomen en er geen verschil gemaakt wordt tussen het geslacht wanneer het op overleven aankomt Dan zijn alle beesten gelijk.'

Even viel er een stilte.

'Maar u kunt toch dieren niet met mensen vergelijken?' vroeg Eva verbaasd.

'Nee,' zei Himmler, 'maar we kunnen er wel van leren!'

'Dus u meent dat wij mensen elkaar ook zouden moeten opeten.' stelde Hitler vast.

'Terug naar het kannibalisme lijkt mij een degeneratie voor ons volk, geef mij maar ossenstaartsoep!' zei Goebbels met een knipoog naar de jonge dames die zich niet meer in het gesprek durfden te mengen.

Hitler legde zijn mes en vork neer. 'Het eten van vlees is überhaupt niet gezond...ik zal het u niet verbieden maar ik weet zeker dat het uw lichaam geen goed doet en dan zwijg ik nog maar over de gevolgen die het kan hebben voor het liefdesspel.'

'Impotentie door het eten van kip is een vastgesteld feit.' zei Himmler.

'Eieren zijn daarentegen weer heel goed voor het liefdesspel.' zei Goebbels gevat.

Op bijna hetzelfde moment begon Angela Raubal met het serveren van zes gepocheerde eieren.

'Goedemorgen Frau Raubal.' zei Eva toen Hitler's halfzuster haar open deed.

'Waar is Henriëtte?'

'Zij voelde zich niet lekker ze is in het hotel gebleven.' antwoordde Eva.

Angela draaide zich om en liep naar de keuken Eva liep achter haar aan. 'Herr Hitler is gaan wandelen met zijn gasten, heb je trek in koffie met een beschuitje?'

'Dat lijkt mij heerlijk.' Eva ging aan de keukentafel zitten die in een hoek van de ruimte stond.

'Ik wil u nogmaals zeggen hoe ik gisteravond van uw kookkunst heb genoten het was echt heerlijk.' complimenteerde Eva haar.

Angela stond met haar rug naar haar toe bij de aanrecht. 'Waarom heb het gedaan?' vroeg ze zonder enige emotie.

Eva schrok van haar vraag en ging rechtop zitten. 'Wat heb ik gedaan?'

'Waarom heb je geprobeerd je van het leven te beroven?'

Het was even stil. Eva slikte en zei 'Het was een ongeluk, ik had nooit dat pistool mogen pakken. Mijn vader had mij nog zo gewaarschuwd! Dom, het was heel dom van mij.'

'Een ongeluk.' herhaalde Angela op ongelovige toon.

'Ik heb geen verstand van vuurwapens, ik zou niet eens weten hoe zoiets werkt.'

Angela draaide zich om en keek haar strak aan. 'Ik lees het in je ogen, ik weet dat je verliefd op hem bent maar geloof mij voor hem was er maar één en dat was Geli, mijn dochter.'

Eva wilde opstaan maar bedacht zich. 'Herr Hitler heeft het vaak over haar, ik weet dat hij haar verschrikkelijk mist.'

Angela zette de kop koffie en de toast met een dreun op de keukentafel.

'Dank u, ik wil alleen maar dat Herr Hitler zijn werk kan doen. Ik respecteer wat hij zegt en wat hij doet.' lichtte Eva toe.

'Besef goed dat hij nooit zal veranderen, voor niemand!' zei Angela fel.

'Die verwachting heb ik ook niet, ik begrijp heel goed dat Herr Hitler een meer dan belangrijke taak staat te wachten en dat ik slechts een zeer bescheiden rol in zijn bestaan speel.'

Angela deed haar armen over elkaar en zuchtte diep. 'Dat zeg je nu. Geen vrouw kan dat tot in lengte van dagen volhouden.'

'Ik denk dat u zich vergist.'

'Ik weet over wie ik het heb, ik ken hem door en door. Misschien mag ik het niet zeggen maar laat ik je een wijze raad geven; Geef je zelf een kans to een gelukkig bestaan, je bent jong en aantrekkelijk, mannen genoeg die er alles voor over zouden hebben om jou als vrouw te hebben.'

'Maar ik ben gelukkig en ik wil geen andere man.'

Angela Raubal liep hoofdschuddend weg. In de deuropening van de keuken naar de gang bleef ze even staan en draaide ze zich om. 'Hij kan niet zonde Geli! Hij mist haar nog elke dag! Weet waar je aan begint!' Waarschuwde zij Eva.

'Hitler is rijkskanselier! Hindenburg heeft getekend!' kwam Gretl haar zuster vertellen die op bed Karl May lag te lezen.

'Waar heb je het over?' vroeg Eva die nog half in haar boek verzonken was.

'Kom, het is zojuist op de radio geweest.'

'Gretl laat me met rust ik ben aan het lezen!'

'Vandaag op 30 Januari 1933 heeft Rijkspresident von Hindenburg Adolf Hitler tot de nieuwe rijkskanselier benoemd.' imiteerde Gretl met plechtige stem de nieuwslezer van de radio die het nieuws bij miljoenen Duitsers be kend had gemaakt.

Eva Braun veerde op. 'Is het echt waar? Gretl!'

'Ja!'

'Wat geweldig, ik heb het toch gezegd dat het Hitler zou lukken.' zei Eva opgewonden.

Fritz Braun, zijn vrouw Fanny en Ilse hun oudste dochter zaten in de zitkamer en luisterden aandachtig naar de radio waar verslag werd gedaan van de ontwikkelingen in Berlijn.

'Zo lief zusje van me, ik heb 50 Reichsmark van je te goed.' zei Eva triomfantelijk die een weddenschap met Ilse had gesloten.

'Ssssst.' siste haar vader en gebaarde haar te gaan zitten. Op hetzelfde moment begon er marsmuziek te spelen en zette Fritz Braun de radio zachter.

'Allemaal doorgestoken kaart, Hindenburg en von Papen spelen gewoon een spelletje met die Hitler, hij is gewoon in dienst genomen en moet nu met een minderheid in de rijksdag maar eens bewijzen dat hij van Duitsland weer een bloeiende natie maakt.' becommentarieerde Fritz Braun de nieuwe situatie.

'Natuurlijk lukt hem dat!' zei Eva. 'Hitler zal de macht die hij nu heeft zich nooit meer laten ontnemen, hij zal vechten tot dat hij er bij neervalt.'

'Ach we hebben al zoveel idioten aan het roer gehad, deze kan er ook nog wel bij.' spotte Fritz Braun.

'Die Hitler denkt dat hij het nu voor het zeggen heeft maar dacht je nu echt dat de intellectuelen, de industriëlen en de doorgewinterde politici van ons land zo dom zijn om hem gewoon z'n gang te laten gaan?' zei Ilse strijdvaardig.

'Hitler krijgt steeds meer aanhang, het Duitse volk staat achter hem of zijn die miljoenen landgenoten soms allemaal leeghoofden?' verdedigde Eva Hitler.

'De Nationaal Socialisten zijn weinig vredelievend, ze vermoorden communisten en kweken haat tegen Joden en de zwakkere groepen in onze maatschappij noem je dat nou een vooruitstrevende politiek?' wierp Fritz tegen.

Eva trok haar schouders op. 'U moet niet alles geloven wat er over Hitler en zijn partij geschreven wordt. Journalisten verzinnen soms de grootste onzin!'

Ilse keek Eva afkeurend aan. 'Onzin? Heeft die vent soms niet een jaar in de gevangenis gezeten omdat hij met geweld de macht wilde grijpen? Heeft die idioot niet dat boek Mein Kampf geschreven wat is weg gehoond door zo'n beetje iedereen die in dit land iets te betekenen heeft zelfs Hindenburg vond het niets.'

'Ja die man is oud en seniel.' zei Eva.

'Precies!' zei Fritz Braun, 'en daarom zitten wij nu met die malloot van een Hitler als rijkskanselier opgescheept!'

Eva stond op en verliet de kamer zonder iets te zeggen om in luttele seconden weer haar entree te maken. Onder haar arm droeg ze een roodgekleurd doek. Zij liep naar het raam en schoof de vitrage opzij. Met een handige beweging ontgrendelde ze twee vensters en duwde die open.

'Nee!' zei Fritz Braun, 'niet in mijn huis!' Hij liep op haar af en trok de vlag met in het midden het hakenkruis uit haar handen.

'Ik heb iets te vieren, iedereen mag weten dat ik achter Adolf Hitler sta! Ik heb niets te verbergen!' zei ze bijna trots.

Fritz Braun schudde zijn hoofd. 'Ik wil dit niet in mijn huis zien, ik wil er niets mee te maken hebben. Ik schaam mij dood en ben meer dan verdrietig dat jij dat soort lieden steunt!'

Eva keek hem boos aan. 'U begrijpt het niet, als u hem persoonlijk zou kennen dan weet ik zeker dat u het volkomen met hem eens zou zijn.'

'Nooit!' verzekerde Fritz zijn dochter, 'nooit zal ik met dat soort lieden omgaan. Zij zorgen alleen maar voor chaos en ellende!'

'Stil!' riep Ilse die het dichts bij de radio zat.

Een zakelijke en heldere mannenstem kondigde het laatste nieuws uit Berlijn aan.

'In een zojuist gehouden kabinetsvergadering heeft rijkskanselier Adolf Hitler bekend gemaakt dat in overleg met rijkspresident von Hindenburg en vice rijkskanselier von Papen besloten is om de rijksdag te ontbinden en binnen twee maanden vanaf heden nieuwe verkiezingen te laten plaatsvinden.

Eva sprong in de lucht. 'Ha, zie je nu wel dat Hitler een betrouwbare politicus is.'

'Hoezo betrouwbaar?' wilde Ilse weten.

'Nou als Duitsland zo massaal tegen Hitler, Göring en Goebbels zijn kunnen ze dat nu laten blijken.' antwoordde Eva ironisch.

'Nou ik moet zeggen dat ik die Dr. Goebbels wel een aantrekkelijke man vindt.' zei Fanny Braun uit het niets. Fritz Braun wist zich moeilijk een houding te geven na de weinig ter zake doende opmerking van zijn vrouw. Zijn dochters keken haar verbaasd aan. Even viel er een stilte die doorbroken werd met een uitbundig gelach.

In Eva's kamer rinkelde een telefoon maar door alle hilariteit in de huiskamer hoorde niemand iets.

'Herr Hitler.' fluisterde Heinrich Hoffmann. Eva nam de telefoon voorzichtig van hem over terwijl haar baas zijn kleine kantoor verliet en de winkel in liep zodat Eva vrijuit kon spreken.

'Hallo met Eva Braun.'

'Frau Braun waar was u toch ik heb wel meer dan tien keer gebeld.'

'We hebben tot laat naar de radio geluisterd en alles gehoord wat er bij jou in Berlijn heeft plaatsgevonden... maar laat ik je feliciteren met je benoeming tot rijkskanselier ik ben vreselijk trots op je.'

'Op de radio zei men dat er wel meer dan 20.000 mensen aan je voorbij getrokken zijn als eerbetoon tot je benoeming.'

'Hitler lachte. 'Ze liegen! Het waren er zeker 50.000 misschien wel 60.000. Het was schitterend bijna iedereen was voorzien van een fakkel het heeft mij zeer geroerd!'

'Wat een schitterend schouwspel moet dat geweest zijn. Ik weet zeker dat ik ervan genoten zou hebben!'

'Fräulein Braun ik zal je Berlijn laten zien, maar eerst ga ik deze lelijke nietszeggende rijkskanselarij onder handen nemen. De grootste Germaanse rassenrevolutie der wereldgeschiedenis zal vanuit een imposant gebouw worden aangestuurd. De laatste die in Duitsland geschiedenis zullen maken zijn wij!'

'Je klinkt vastberaden , Duitsland heeft je nodig!'

'En ik heb jou nodig Eva. Zodra ik terug ben in München zou het mij plezieren je te mogen uitnodigen voor de opera en daarna ergens te dineen.'

'Heerlijk, ik verheug me er op! Maar laat ik je niet langer ophouden. Ik wens je het beste en hoor spoedig van je... tot ziens Wolf.'

'Ik omhels je en kus je teder. Tot gauw mijn Eva.'

De verbinding werd met een klik verbroken.

Ze hield de hoorn nog een tijdje vast.

'Eva Hitler.' zei ze zacht met een glimlach.

'Trouwen?' vroeg Eva enthousiast die Henriëtte Hoffmann toevallig bij de kapper was tegen gekomen.

'Ja!' antwoordde Henriëtte met blosje op haar wangen.

'Met wie dan?' fluisterde Eva nieuwsgierig geworden in Henriëtte's oor.

'Baldur.'

'Baldur von Schirach?'

'Ja!'

'Meen je dat?'

'Ja.'

'Wanneer?'

'September!'

'Henriëtte wat leuk! Hoe heb je hem ontmoet?'

'Vorig jaar tijdens de verjaardag van Herr Hitler.'

'En al die tijd heb je me daar niets over verteld!' zei Eva quasi teleurgesteld.

'Ja maar het is nog geheim, m'n vader weet het nog niet eens!'

'Oh wat ben ik blij voor je!'

Henriëtte pakte Eva's arm vast, 'Zal ik je nog iets vertellen?'

'Alles, ik wil alles weten!' reageerde Eva opgetogen.

'Je mag het nooit verder vertellen, beloof je dat?' Eva knikte.

'Eerlijk?'

'Ja ja, dat beloof ik!' zei ze ongeduldig.

'Weet je dat Hitler ook ooit een oogje op mij heeft gehad?'

Eva's mond viel open van verbazing, 'Wat zeg je nu!'

'Herr Hitler heeft mij geprobeerd te verleiden.'

'Doe niet zo gek!'

'Heus!'

'Ik geloof je niet!' zei Eva enigszins verward.

'Het is wel twee jaar geleden, misschien wel langer. Jij was er toen nog niet.'

'Maar wat dan, wat is er dan gebeurd?'

'Ach hij loopt toch soms met zo'n raar zweepje rond.'

'Mmm' mompelde Eva bevestigend.

'Die had hij de vorige dag bij ons in de winkel laten liggen. Ik was alleen m'n vader was in de studio bezig. Hij kwam binnen en keek mij met die ogen van hem heel doordringend aan, ik werd er bijna bang van. Toen ging hij vlak voor me staan en vroeg of ik hem wilde zoenen.'

Eva maakte een afkeurend gebaar met haar hoofd.

'Opeens sloeg hij zijn armen om mij heen' vervolgde Henriëtte, 'en drukte zich tegen mij aan. Ik wist me geen raad!'

'En toen?'

'Hij bleef aandringen. Ik duwde hem van me af en daarna is hij weg gegaan.' zei ze met een zucht.

'Was hij verliefd op je denk je?' vroeg Eva.

'Misschien, ik weet het niet. Zijn hoofd sloeg gewoon op hol, zo zijn mannen soms.' antwoordde Henriëtte.

'Adolf Hitler is dus eigenlijk een ondeugende mijnheer.' zei Eva met een speelse blik in haar ogen.

'Wel nee, hij is stapel gek op jou.'

'En Baldur von Schirach op jou!' zei Eva gemeend. 'Wat doet hij eigenlijk voor werk?'

'Hij is oprichter van de Hitler Jugend, hij staat aan het hoofd van die organisatie.'

'Zal ie vast een heel goede vader worden.' plaagde Eva Henriëtte. 'En jij Eva, wil jij kinderen?'

'Pfff voorlopig niet. Het moederschap ligt nog ver van mij vandaan. Zeker nu. Ik verheug me op de toekomst. Ik wil nog zoveel doen!'

'En Herr Hitler dan?'

'Die heeft nog veel en veel meer te doen, die heeft daar helemaal geen tijd voor!'

'Arme Eva.' zei Henriëtte en keek haar vriendin vol medelijden aan.

Voor een nieuwe hoed ging je in München naar Harry Pollak. Hij was *de* ontwerper en fabrikant wanneer het om een hoofddeksel ging.

Gretl Braun had gespaard en wilde persé een hoed kopen. Ze had gevraagd of Eva, die een paar vrije dagen had, mee wilde gaan en haar wilde adviseren. Aangekomen bij de modieuze winkel stonden er een vijftal jonge mannen in bruine uniformen van de SA voor de deur.

Ze versperden de weg naar de ingang. Twee van hen hielden een stuk karton in hun hand met het opschrift "Koop niet bij Joden" en "Joden zijn oplichters."

'Ik zou graag naar binnen gaan, kunt u misschien opzij gaan?' vroeg Eva vriendelijk aan één van de hen.

'Hoezo? U heeft hier niets te zoeken!' zei de oudste die schijnbaar de leiding had.

'Toch wel,' antwoordde Eva rustig, 'wij willen hier graag een hoed kopen.'

'Dat is niet verstandig, u kunt toch wel lezen?' zei hij nors en keek haar minachtend aan.

'Zeker! Wellicht zijn er Joden die niet netjes zijn maar ik verzeker u dat Harry Pollak een eerlijke en uitstekende hoeden fabrikant is. Hij heeft half München als klant, iedereen komt hier!'

'Toch adviseer ik u hier niet meer te kopen, wanneer wij van die zwijnen afwillen kunnen we geen uitzonderingen maken!' zei hij weinig gemotiveerd.

'Maar het is toch niet verboden? We overtreden de wet toch zeker niet?' wierp Eva tegen.

'Alleen omdat u zo'n mooie jonge dame bent maar u bent gewaarschuwd!' Hij zuchtte en gebaarde naar de twee jongens bij de deur dat ze opzij moesten gaan.

'Dank u. Ik wens u nog succes vandaag en hoop dat u deze winkel wilt ontzien, deze Joden doen echt niemand kwaad, dat weet ik zeker!'

'U kunt beter uw mond houden voordat ik me bedenk.' zei hij dreigend.

Eva en Gretl gingen snel naar binnen.

Toen ze na een half uur met hun nieuwe aankoop naar buiten kwamen, Eva had zich zelf ook een hoed cadeau gedaan, waren er nog alleen maar bewonderende blikken van de stoere mannen in uniform.

'Kom we gaan lekker nog ergens thee drinken.' stelde Eva voor. 'Ik trakteer!'

Ze gaven elkaar een arm en gingen opweg naar de Carlton Tearoom

'Zie je nou wel dat vader misschien toch gelijk heeft.' zei Gretl.

'Wat bedoel je?' vroeg Eva.

'Nou dat ze de Joden lastig vallen en zo.' antwoordde Gretl onzeker.

'Ach, dat van daar net stelde toch zeker niets voor, een paar van die pubers die belangrijk proberen te doen, kom nou, laat me niet lachen zeg!'

'Maar ze horen toch bij Adolf Hitler?'

'Zou kunnen en wat dan nog? Hitler is niet verantwoordelijk voor alle en iedereen die iets met zijn partij te maken heeft, daar kan hij zich toch moeilijk de hele dag mee bezig houden, hij heeft echt wel iets beters te doen!'

Gretl knikte instemmend en zei, 'Ja zoals met jou samen ondeugend dingen doen!'

Eva stopte abrupt, Gretl keek haar geschrokken aan. Langzaam verscheen er een lach op Eva's gezicht. Even later gierden ze het uit.

Net na de zomer kon het goed druk zijn in de fotowinkel van Hoffmann. Vooral vakantie foto's en nabestellingen zorgden voor veel werk. Eva Braun, Henriëtte Hoffmann en een stagiaire konden amper de stroom klanten aan.

'Waarmee kan ik u van dienst zijn?' vroeg Eva aan een forse man in een donker pak terwijl ze een notitie maakte over een vraag van haar vorige klant.

'Met niets.' antwoordde de man.

Ze keek verschrikt op en staarde recht in de ogen van Wilhelm Brückner de adjudant van Adolf Hitler. 'Goedendag neem mij niet kwalijk ik had u niet direct gezien.' verontschuldigde Eva zich.

'Niet erg, loopt u even met mij mee naar buiten als u wilt.' vroeg hij op gebiedende toon.

'Uh ja ik vrees dat dat nu niet gaat.' antwoordde Eva.

'Ga maar.' zei Henriëtte die naast haar stond.

'We redden het wel even zonder je.' ze gaf Eva een knipoog.

Buiten was het warmer dan binnen. Augustus liet van zich spreken. Zelfs een zacht briesje zorgde nauwelijks voor verkoeling.

Julius Schaub zat achter het stuur van een grote Mercedes en knikte haar gedag. Wilhelm Brückner zette één voet op de treeplank van de auto en stak een sigaret op. Eva stond met haar armen over elkaar en zocht de schaduw op die de huizen aan de overkant van de straat op het trottoir wierpen.

'De Führer heeft mij gestuurd om u te vertellen dat hij vanavond niet kan komen.'

Eva keek hem ongelovig aan. 'Normaal gesproken belt hij mij of krijg ik een briefje.'

'Wilhelm Brückner nam een trek van zijn sigaret en blies de rook rakelings langs Eva's gezicht, 'De komende weken moet hij zich voorbereiden voor de vijfde rijkspartijdag op 31 augustus in Neurenberg en heeft onze Führer andere dingen aan zijn hoofd dan u te bellen of te schrijven, dus wees blij dat ik u op de hoogte stel.'

'Nou bedankt.' zei Eva met een gemaakt lachje en liep snel de winkel binnen.

Nadat de laatste klant geholpen was kwam Henriëtte nieuwsgierig op Eva toegelopen. 'En?'

'Niets!'

'Wat niets?'

'Het is nu al de zesde keer dat hij me laat zitten.'

Henriëtte sloeg haar arm om Eva heen. 'Het gaat net zoals met mijn Baldur, ze hebben het gewoon razend druk.'

'Ik wil hem zo graag weer even zien en spreken, weet je dat het nu al weer bijna een maand geleden is dat ik hem voor het laatst gezien heb!'

'Eva we moeten ons realiseren dat wij met heel belangrijke mannen omgaan.'

'Denk je dat hij iemand anders heeft?'

'Doe niet zo mal, natuurlijk niet!' verzekerde Henriëtte haar vriendin.

'Ik voel me eenzaam.' zuchtte Eva.

Met trots toonde Eva haar entreebewijs voor de zesde rijkspartijdag aan iemand van de organisatie. Samen met haar zusje Gretl mocht ze plaatsnemen op de ere tribune.

'Vorig jaar liet hij me nog dood leuk weten nauwelijks tijd voor me te hebben en kijk nu toch eens is dit niet geweldig, wat hou ik zielsveel van die man!' zei Eva opgetogen.

Ze konden vanaf rij twee alle afdelingen die de NSDAP rijk was zien marcheren

Door alle drukte ontging Eva de jaloerse blikken van Angela Raubal en Magda Goebbels die schuin achter hen zaten.

'Dit zijn toch onvergetelijke momenten?'

Gretl knikte instemmend.

'Ik denk dat je nergens in de wereld dit kan meemaken. Hier toont het Duitse volk zijn vastberadenheid en trouw aan de Führer, zo massaal, zo enthousiast dat is ongekend!'

'Neemt u mij niet kwalijk.' zei een goed uitziende man van een jaar of veertig gekleed in een licht zomerpak en met een strohoed op, die zojuist naast de dames had plaatsgenomen.

'Ik ben het met u eens dat wat hier gaande is een unieke vertoning is, maar of het daadwerkelijk het ideaal is van de gemiddelde Duitser durf ik te betwijfelen.' zei hij met een Amerikaans accent.

Eva Braun keek hem aan en flirtte bijna zonder dat ze er zelf erg in had

'Zo en met wie heb ik het genoegen als ik vragen mag?' vroeg ze speels.

'Jack O'Reilly.' hij gaf Eva een hand. 'Van de United Illustrated Press New York.'

'Eva Braun en dit is Gretl mijn zusje.' ook haar gaf hij een hand.

'Dus u denkt dat Adolf Hitler het politieke antwoord en de oplossing is voor de problemen in uw land?' vroeg hij met een glimlach.

'Dat ziet u toch?' antwoordde Eva als vanzelfsprekend doelend op de menigte voor hen.

'En het uittreden van Duitsland uit de Volkenbond, de moord op Ernst Röhm en vele anderen, het kweken van Joden haat is dat naar uw mening een voorbeeld van moderne democratie?'

'U lijkt mijn vader wel die komt ook altijd met dat soort vragen.' zei Eva geamuseerd.

Hij keek haar opgelucht aan 'Aha ziet u wel er zijn dus gelukkig nog meer kritische mensen in dit land!'

'Het is kwestie van tijd. De ouderen moeten gewoon even wennen aan de nieuwe aanpak. Ze waren gewend aan Von Hindenburg nu breekt er een nieuwe tijd aan. Met Adolf Hitler heeft Duitsland weer toekomst!' sprak Eva monter.

De journalist keek haar bedenkelijk aan. 'Dat hoop ik oprecht voor u maar ik maak mij zorgen over de gekozen weg daartoe!'

'Wacht u maar tot onze Führer heeft gesproken, ik weet zeker dat u dan gerust gesteld bent. Hij kent geen vijanden hooguit een handje vol eigenwijze tegenstanders!'

Eva was nog maar nauwelijks uitgesproken of er klonk het strijdlied "Die Fahne hoch.." uit meer dan 90.000 kelen . De zesde rijkspartijdag in oktober 1934 van de NSDAP te Neurenberg was begonnen.

'Het is een grove schande, een regelrechte belediging!' zei Angela Raubal fel.

Adolf Hitler las de krant aan de keukentafel en deed alsof hij zijn halfzuster niet hoorde. Het was kort na de grote manifestatie in Neurenberg dat hij enkele dagen in huis Wachenfeld verbleef.

'Het lijkt net of je soms alles vergeten bent! Of dat het niets voor je betekent heeft!'

Ze stond op wilde weglopen toen Hitler haar bij haar arm nam en met zijn hoofd naar de stoel gebaarde dat ze weer moest gaan zitten.

'Ik en alleen ik bepaal of ik Fraulein Braun uitnodig en niemand anders!' zei hij zacht.

'Maar waarom moest zij op de ere tribune zitten, waarom?'

'Omdat zij daar even veel recht op heeft als jij. Zij is een goede vriendin en mij zeer dierbaar.'

'Klets niet, ze is een verwaand nest! In haar opzichtige bontjas dacht ze er zogenaamd bij te horen. Wie denkt ze eigenlijk wel dat ze is?'

'Ik verbied je om zo over haar te spreken!' zei hij op strenge toon.

'Goed dan, ik ben niet de enige die er zo over denkt. Magda Goebbels en tal van andere ministers vrouwen vonden het ook een belachelijke vertoning! Zo'n dom kind tussen allemaal belangrijke gasten! Zij had daar niets te zoeken, helemaal niets!'

'Zo is het genoeg!' schreeuwde Hitler haar toe.

'Denk eens aan Geli, verdient zij dit? Is dit haar beloning?' Jij hebt haar het leven onmogelijk gemaakt.

Hitler stond kwaad op, 'Ik wil dat je hier verdwijnt! Je pakt nu al je spullen en maakt dat je weg komt!

Ik wil je nooit meer zien! Je bent een verbitterde en ondankbare vrouw! Je hebt alleen maar van mij geprofiteerd! Je lijkt wel een jodin!' zei hij met overslaande stem.

Angela vloog op en rende de keuken uit.

'Weg! Ik wil hier weg uit dit verdomde huis, hoe eerder hoe beter!' tierde zij.

Eva had zich er op verheugd, samen te dineren met Adolf Hitler in hotel Die Vier Jahreszeiten. Na de rijkspartijdag had ze hem ruim een maand geleden voor het laatst gezien. 'Oogverblindend.' had Gretl haar toegeroepen voordat ze de deur uitging. Alles wat ze droeg was nieuw zelfs haar lingerie kwam zo uit de winkel. Haar jurk was een creatie van Chanel en zat als gegoten. Zwart zijden met een niet te laag decolleté. Door de eenvoud van de jurk vielen haar sierraden, een halsketting met briljanten en bijpassende oorbellen, des te meer op.

Julius Schreck bracht haar naar het hotel en parkeerde de Mercedes voor de entree. Een portier hielp Eva met uitstappen. 'Goedenavond Fraulein Braun, Herr Hitler en zijn gasten zijn zojuist gearriveerd.' Eva knikte. Haar gelukszalige blik maakte plaats voor een verbaasde en enigszins geïrriteerde uitdrukking.

Ze hadden plaatsgenomen aan een ronde tafel achterin het restaurant. Hitler was in druk gesprek met de drie aanwezige heren. Eva kende alleen Herman Göring en Rudolf Hess de ander, een beetje kalende man met een snor, had zich aan haar voorgesteld als Herr Wagner, Gauleiter van München.

De tijd verliep traag. Eva luisterde naar flarden van de conversatie maar ze begreep er weinig of niets van. Een ober van Eva's leeftijd met een mediterraan voorkomen flirtte openlijk met haar maar Hitler en zijn gezelschap hadden niets in de gaten. Piano muziek uit de bar bereikte op gedempt niveau het restaurant. Op de rand van haar armleuning liet Eva haar vingers op de maat meedansen.. Ze schopte haar nieuwe schoenen, die behoorlijk knelden, onder tafel uit. Om de tijd te doden spelde ze de menukaart en pakte ze later de wijnkaart die ook aan een minutieus onderzoek werd onderworpen.

Het drie gangen menu en de witte zoete wijn maakte haar slaperig. Eerst geeuwde zij nog met de hand voor haar mond maar later op de avond kon het haar schijnbaar niet meer schelen en toonde zij openlijk haar verveling. Na ruim drie uur tafelen had Eva nog nauwelijks een woord met Adolf Hitler gewisseld. Om middernacht nam Herman Göring afscheid en liep enigszins beschonken naar de receptie om de sleutel van zijn kamer te halen.

De twee overgebleven gasten, Rudolf Hess en Wagner, moesten om beurten hard lachen om de grappen die zij aan elkaar vertelden.

'Zo mijn lieve Eva.' boog Hitler zich naar zijn tafeldame toe daar hij de lol van de heren aan de overkant niet erg kon waarderen. 'Heb je het een beetje naar je zin.'

Snel nam Eva een andere houding aan. Ze rechtte haar rug en stak haar boezem naar voren. Ze hield haar hoofd iets schuin en keek Hitler verleidelijk aan terwijl ze met één hand door haar blonde haren streek. 'Als ik bij jou ben is het altijd goed Mein Führer.' loog Eva overtuigend.

'Dat weet ik. Jij bent mijn liefste en dierbaarste vriendin. Niemand zoals jij, niemand!'

'Wanneer zie ik je weer? Ik verlang er naar om met je alleen te zijn. Samen!'

Hitler knikte vriendelijk en streek even met zijn hand over haar blote rug. 'Die tijd komt mijn schat, ik vergeet je niet... hoe zou ik je ooit vergeten kunnen?'

Eva sloot haar ogen en genoot van het moment.

Hij pakte Eva's hand en hield deze even stevig vast waarna hij haar een envelop overhandigde.

Eva wilde hem op zijn mond zoenen maar Hitler draaide zijn gezicht een kwartslag waardoor het tot een voorzichtige kus op zijn wang bleef.

Ze voelde zich afgewezen en kreeg met moeite een glimlach op haar gezicht. De jonge ober met het Italiaanse uiterlijk gaf haar een knipoog.

Helmuth hield Eva stevig in zijn armen. Hij wist iedere vrouw het gevoel te geven dat zij de ideale danspartner voor hem was.

Het decemberbal van de Studenten Vereniging Bavaria was een evenement waar jonge meisjes graag aanwezig waren. Dit was *de* plek om een toekomstige echtgenoot te ontmoeten.

Volkomen buiten adem ploften ze neer op een houten bank van de sociëteit. Helmuth Joisten was de oudere broer van Maria één van Eva's beste vriendinnen.

De zweetdruppeltjes rolden van zijn voorhoofd. Eva trok haar wijde rok, met regenboog design, naar boven voor wat verkoeling. Haar witte blouse, die onderaan met een knoop was dichtgemaakt liet een stukje van haar buik zien. De heren waren verkleed als zeerovers, de vrouwen waren vrij geweest in hun keuze zolang het er maar tropisch uitzag. Maria, gekleed in een strooien rokje met daarop een blouse met afbeeldingen van bananen en kokosnoten kwam naast haar zitten.

'Helmuth is stapel verliefd op je!' zei ze vlak bij Eva's oor terwijl het orkest zijn best deed om haar onverstaanbaar te maken.

'Ja maar ik niet op hem!' liet Eva weten.

'Heb je hem nog gezien?'

'Drie weken geleden!'

'En is ie nog altijd even gek op je?'

Eva trok haar wenkbrauwen op. 'Natuurlijk is hij nog verliefd op me. En jaloers dat hij is! Toen ik hem vertelde dat ik met jullie naar het studenten bal ging wilde hij eerst één van zijn adjudanten met mij mee sturen... hij meende het echt!'

'Dat is toch vreemd?' wierp Maria tegen.

'Ach waarom, hij wil gewoon dat mij niets overkomt!'

'Kan hij eigenlijk dansen?'

Eva wist even niet wat ze zeggen moest en trok een verbaasd gezicht dat snel veranderde in een glimlach, 'Adolf Hitler kan alles! zei ze laconiek.

München, maart 1935

'Het is voor mij een grote eer, echt ik beschouw dit als één van de belangrijkste momenten uit mijn leven.' zei Unity Mitford tegen Adolf Hitler.
Unity Mitford was Engelse en dochter uit een welgestelde familie . Blond,
blauwe ogen, slank en nog maar net twintig jaar. Ze studeerde kunstgeschie-
denis aan de universiteit van München. Unity was inmiddels vaste klant van
de Osteria Bavaria.
Ze had maar één doel voor ogen: Hitler ontmoeten!
'Kom gaat u toch zitten.' nodigde Hitler haar uit na dat hij haar aan
Heinrich Hoffmann, Alfred Rosenberg en Wilhelm Brückner had voorgesteld.
'Heel vriendelijk van u om mij aan uw stamtafel uit te nodigen, u bent
zoals wij dat in Engeland noemen, een echte Gentleman!' complimenteerde
Unity Adolf Hitler in gebrekkig Duits.
'Ach ik heb u hier nu al zo vaak zien zitten, een mooie jonge dame altijd
maar alleen, dat intrigeerde mij buitengewoon!' zei Hitler geamuseerd.
'Ik heb zoveel over u gehoord en gelezen. Vorig jaar was ik op de rijkspartijdag in Neurenberg met een afvaardiging van de British Union of Facists
waarvan mijn aanstaande zwager Oswald Mosley de leider is.' zei ze vol
trots.
Hitler keek de tafel rond en zag iedereen goedkeurend knikken. 'Heel
goed! Wij zijn blij u in ons midden te hebben!'
'Ik ben enorm onder de indruk van wat uw hier in Duitsland heeft weten
te bereiken. In Engeland kunnen ze nog een heleboel van u leren!'
De andere drie mannen leken weinig in Unity geïnteresseerd zodat al
snel alleen Hitler nog aandacht voor haar had.
'De Duitse bevolking heeft voor een nieuwe politiek gekozen.' legde

Hitler aan haar uit. 'Het Nationaal Socialisme zal overal in europa de mensen weten te bereiken en zo zal er spoedig een nieuwe wereldorde ontstaan die zijn gelijke niet kent!'

Unity knikte instemmend. 'En u bent ook heel duidelijk over het Jodenvraagstuk. De meeste politici zijn laf en durven nooit precies datgene te zeggen wat ze denken!'

'Zuiverheid van ras is de basis voor een sterk volk, dit kun je ook overal terug vinden in de oude culturen. Het Joodse volk kent nauwelijks successen in hun geschiedenis, zij zijn bijna altijd overheerst en zij hebben zich altijd vastgehouden aan hun Messias die ze ook nog een keer zelf aan het kruis hebben genageld! Het is een volk van verraders en parasieten. Dit probleem verdient grote aandacht en zal ook zo snel mogelijk worden opgelost.'

'Ja hoe eerder hoe beter.' zei Unity enthousiast. 'Ik haat die Joden!'

Hitler glimlachte en leek zeer gecharmeerd van haar. Heinrich Hoffmann had met een half oor meegeluisterd en keek Unity bedenkelijk aan.

Eva was er niet bij met haar gedachten. Ze rekende verkeerd af, liet negatieven slingeren en morste koffie bij het inschenken op Hoffmann's kantoor.

'Eva, meisje ga eens even zitten.' nodigde Hoffmann haar uit.

Ze keek haar baas geschrokken aan. 'Neemt u mij niet kwalijk, het zal niet meer gebeuren.' zei ze verontschuldigend.

'Het is niet erg, het is maar koffie!' lachte hij.

'Alles gaat fout. Ik weet soms gewoon geen raad met mezelf.' zei Eva somber.

'Doe niet zo mal, je bent een mooie meid en je hebt nog een hele toekomst voor je.'

'Nou niet met Herr Hitler in ieder geval!' flapte zei eruit.

Hoffmann roerde bedachtzaam met een lepeltje in zijn koffie.

'Omdat hij misschien wel eens een keer met een andere vrouw gezien wordt?'

'Vrouwen!' zei Eva boos.

'Herr Hitler is niet getrouwd, niet verloofd en kan gaan en staan waar hij wil, net zoals jij.' zei Hoffmann op vaderlijk toon.

'Maar dat wil ik helemaal niet! Ik wil alleen maar bij *hem* zijn!'

'Eva wees verstandig en maak je toch geen zorgen omdat hij een keer met een andere vrouw in een restaurant zit.'

'Dat doe ik wel! En ik hoor of zie niets van hem wanneer hij hier even in

München is. Vindt u dat normaal?' vroeg Eva fel.

'Lieve Eva, ik begrijp je gevoelens maar probeer je ook in hem te verplaatsen. Hij is een man die nu zijn aandacht over heel veel zaken moet verdelen, en in politiek opzicht zelfs tijd tekort komt. Wanneer hij je niet ziet of spreekt wil dat nog niet zeggen dat hij niet aan je denkt.'

'Maar hij kan me toch zeker wel even schrijven of bellen dat is toch niet te veel moeite? Ik heb hem nu al zeker in geen twee maanden gesproken of gezien!'

Hoffmann trok zijn schouders op. 'Vrouwen dringen zich aan hem op het stelt allemaal niets voor. Laatst in de Osteria Bavaria, zat een meisje alleen, ze was helemaal uit Engeland gekomen om Hitler te zien. Hij heeft haar een handtekening op een bierviltje gegeven... om je dood te lachen!'

De aanstekelijke lach van Hoffmann wekte geen enkele reactie bij Eva op.

Op zondagmiddag in april 1935 enkele weken nadat Unity Mitford en Adolf Hitler elkaar voor het eerst ontmoet hadden in de Osteria Bavaria was zij te gast bij de Führer op zijn appartement aan de Prinz Regentenplatz tijdens een lunch.

Enigszins tot haar teleurstelling was zij niet alleen. Hitler had behalve zijn perschef Otto Dietrich zijn secretaris Martin Bormann en Heinrich Hoffmann ook twee bekende persoonlijkheden om zich heen verzameld. Unity zag haar toekomstige zwager Oswald Mosley, de britse fascistenleider en zij werd voorgesteld aan Winifried Wagner, de weduwe van Siegfried de enige zoon van Richard Wagner. Zij was een imposante vrouw die engelse van geboorte was en Unity dan ook in haar moederstaal begroette.

'Ik heb mij altijd geschaamd over de hoogte van de herstelbetalingen.' zei Unity tegen Hitler die aan het hoofd van de tafel zat.

'Ja, het is onredelijk en getuigt van weinig realiteitszin.' viel Winifred Wagner haar bij.

Hitler keek geamuseerd naar zijn twee tafeldames.

'U geeft blijk van een gezonde visie.' zei hij met een glimlach.

'Het zijn die verdomde Joden in ons parlement de dienst denken te kunnen uitmaken, maar mijn geachte zwager hier aanwezig zal ze binnenkort het zwijgen doen opleggen, nietwaar Oswald?' zei Unity zonder blikken of blozen.

'Sorry?' zei Oswald Mosley die in gesprek was met Otto Dietrich.

'Wat zei u?'

'Dat wij in Engeland toe zijn aan een andere politiek en waarvoor de Joden geen plaats is!' zei ze stoer.

'Zeker!' beaamde Mosley. 'Het House of Parlement is een verouderd instituut en komt in het geheel niet meer overeen met wat de burgers willen. Het is een samenraapsel van oude adel en een handjevol Joodse idealisten die ons land naar de ondergang leiden!'

'Wij zouden bondgenoten moeten worden!' kraaide Unity.

'Om u gerust te stellen, onze landen tekenen binnenkort een vlootverdrag.' zei Hitler trots.

'Meent u dat echt? Wat een geweldig nieuws!' zei Unity enthousiast.

'In de toekomst zie ik een hechte samenwerking met Duitsland op alle fronten als een vanzelfsprekendheid. Gezamenlijk kunnen wij het communisme snel en eenvoudig elimineren.' zei Oswald Mosley in zijn beste Duits.

'Mussolini in Italië, Mosley in Engeland en u mijn Führer aan het hoofd van een verenigd Europa.' zei Unity. Ze nam haar glas op en proostte met de aanwezigen, die haar allemaal behalve Hitler, enigszins verbaasd aankeken.

'Hier sta ik nou, de maîtresse van Hitler, de grootste man van heel Duitsland, van heel de wereld!' zei Eva Braun tegen zichzelf in de spiegel die in de hal van haar ouderlijk huis hing.

'Werd ik maar ziek. Waarom haalt de duivel mij niet, in de hel is het vast nog gezelliger dan hier! Ik wil niet langer leven. Ik kan hier niet meer tegen!'

'Waar kan je niet meer tegen?' vroeg Ilse haar oudere zus, die uit de keuken kwam en achter haar ging staan zodat ze Eva via de spiegel in haar ogen kon zien.

'Doet er niet toe.' antwoordde Eva die zich omdraaide en naar haar kamer liep.

'Is het Hitler, maakt hij je gek?' wilde ze weten.

Eva nam de deurkruk in haar hand maar wachtte met naar binnen gaan. 'Ik weet het, jij hebt een hekel aan hem. Maar jij kent hem niet, jij weet niet wat voor een man het is.'

Ilse kwam dichterbij, ging met haar rug tegen de muur staan zodat ze Eva weer van opzij kon aankijken.

'Maakt hij je gelukkig, is hij het waard?'

Eva slikte. 'Ik doe alles voor hem. Wanneer het er op aan komt telt maar één ding... uiteindelijk gaat het om Duitsland en niet om mij!'

'En op zo'n man ben jij verliefd? Een man die zogenaamd alleen leeft voor het Duitse volk en die jou laat barsten... geweldig geef mij ook zo'n vent!' zei ze ironisch

'Je begrijpt het niet! Hij is een genie. Adolf Hitler is het beste wat Duitsland zich kan wensen!'

Ilse kon haar lachspieren nauwelijks bedwingen.

'Hou op Eva, dadelijk ga je nog beweren dat hij Onze Lieve Heer is!' zei ze spottend.

'Misschien is hij inderdaad wel door God gezonden' zei Eva met een minachtende blik naar Ilse, terwijl ze de slaapkamer binnenging.

Op de gang hoorde ze Ilse proestend van de lach weglopen.

Eva schoof de la van haar nachtkastje open en haalde een doosje tevoorschijn met het opschrift "Phanadorm voor een goede nachtrust." Ze ging op de rand van haar bed zitten en schudde een handvol tabletten uit de verpakking.

Dood! Ik zou willen dat ze dood was!' zei Eva tegen Gretl. Ze dronken thee in de huiskamer van hun nieuwe onderkomen in de Widenmayerstrasse. 'Moet je zien mevrouw staat dood leuk naast hem!' Ze hield de Münchener Post omhoog met een verslag van de zevende rijkspartijdag in Neurenberg en een interview met Unity Mitford.

Haar zusje was verdiept in een roman en reageerde geïrriteerd met een enkele zucht.

'Ik ben in hart en nieren een Nationaal Socialist. Ik ben geboren in Engeland maar voel mij hier thuis. In Duitsland ligt mijn toekomst. aldus Unity Mitford.' Las Eva voor. 'Unity... je zal toch zo heten! Wat ziet hij in godsnaam in zo'n kind?' klaagde Eva.

Gretl hield op met lezen. 'Ach Eva zeur toch niet zo! Wat kan jou dat nou schelen! Moet je ons zien. Een driekamerwoning met centrale verwarming in Bogenhausen op loopafstand van je minnaar en ook nog eens een keer door hem betaald! Je dacht toch zeker niet dat Hitler dat zomaar doet!'

Eva zat op de bank, schopte haar schoenen uit en trok haar benen tegen zich aan. 'Pfff dat is alleen maar omdat hij zich schuldig voelt! Misschien moet ik nog wel een keer proberen mezelf van kant te maken.'

'Neem dan wel gelijk het hele doosje slaaptabletten in anders lukt he vast weer niet!' adviseerde Gretl haar.

'Ik wilde ook niet echt dood! Hij moest gewoon even schrikken. Eva Braun laat niet met zich sollen!' zei ze quasi hautain.

De drie Mercedessen waren van het nieuwste type en nog geen maand oud In de auto die voorop reed zat Julius Schreck. Naast hem zat Hitler. Achterin genoot Eva Braun samen met Henriëtte Hoffmann en haar moeder van het uitstapje naar Lambach, niet ver van de Oostenrijkse grens.

Ze werden gevolgd door Julius Schaub die alleen met Heinrich Hoffmann in de auto zat.

Wilhelm Brückner bestuurde de laatste limousine waarin ook nog drie mannen in SS uniform zaten.

Het Lambacher Hof stond bekend om zijn uitstekende keuken. Hitle en zijn gezelschap parkeerden voor de deur en namen plaats aan een grote tafel buiten. De drie geüniformeerde medewerkers zochten een strategische plek aan een tafeltje waar ze zowel uitzicht op de auto's als op het terras hadden.

Eva verontschuldigde zich en ging naar binnen om zich even op te frissen in het dames toilet.

In minder dan een halve minuut stond ze weer op het terras naast Hitler.

'Mag ik u even storen.' vroeg ze aan Hitler die in druk gesprek me Hoffmann was. Hij keek haar vragend aan. 'Fräulein Braun wat wilt u mi vertellen wat niet wachten kan, verrast u mij?' zei Hitler die duidelijk in een goede bui was.

'Oh mijn Führer... ik uh, ik moet u vragen om even met mij naar binnen te gaan.!'

'Nu?'

'Ja nu!'

'En waarom dan wel?'

'Dat ziet u als u binnen bent... alstublieft komt u met mij mee!' smeekte Eva zoals kleine meisjes kunnen doen.

Adolf Hitler glimlachte, stond op en volgde Eva naar binnen.

'Mag ik u voorstellen!' zei Eva toen ze bij een klein tafeltje in de hoek van het restaurant gekomen waren. 'Mijn vader en mijn moeder!'

Hitler was even verrast maar stak zijn hand uit naar Fritz Braun en ga

Fanny Braun zelfs een handkus.

'Neemt u toch even plaats alstublieft.' nodigde Eva's moeder Hitler uit.

Doordat Eva al was gaan zitten kon Hitler niet weigeren om op Fanny Braun's verzoek in te gaan.

'Zo toevallig juist hier jullie te treffen.' zei Eva enthousiast. 'Wie had dat ooit verwacht?'

'Is het niet geweldig en het schitterende weer wat kan het leven dan toch heerlijk zijn.' zei Hitler uitermate vriendelijk.

'Ja zeker.' beaamde Fanny terwijl haar man Fritz alleen beleefd knikte.

'Dit gebied heeft iets van het paradijs. De natuur laat zich hier in al zijn pracht zien, ik ervaar dat keer op keer als een bron van inspiratie.' zei Hitler alsof hij voor een groep studenten stond.

'Prachtig, inderdaad ik geniet er ook zo van.' Zei Eva's moeder.

'Ik ben zo blij jullie eindelijk eens aan de Führer te hebben kunnen voorstellen... het moest er toch een keer van komen! Maar zo opeens hier is het ongedwongen en dat maakt het zo bijzonder!' overdreef Eva lichtelijk.

'Ja mijn kind dat vinden wij ook. Het is prettig om nu eindelijk eens kennis gemaakt te hebben' zei Fanny schuin opzij kijkend naar haar man die wederom alleen goedkeurend knikte.

'Eva heeft mij alleen maar hart verwarmende verhalen over haar jeugd en ouderlijk huis verteld, ik weet al heel veel van de familie Braun!' zei Hitler met een liefdevolle blik naar Eva

Eva en haar moeder moesten lachen. Vader Fritz grijnsde uit beleefdheid.

'Ja Eva is een schat. We zijn erg zuinig op haar' zei Fanny Braun.

'Heel zuinig!' zei Fritz Braun stellig.

Adolf Hitler voelde zich plots niet op zijn gemak.

'Het was mij een genoegen met u kennis gemaakt te hebben, helaas moet ik mij excuseren. Mijn gezelschap wacht.'

Nogmaals werden er handen geschud en gaf Hitler Fanny Braun weer een handkus. Daarna knikte hij nog een keer en liep hij naar het terras.

'Is hij niet geweldig, ik ben zo blij dat jullie nu eindelijk zelf hebben kunnen ervaren hoe bijzonder Herr Hitler is en tegelijkertijd ook zo gewoon, zo menselijk!'

'Ik kan niet anders zeggen dan dat hij een echte heer is!' zei Fanny Braun onder de indruk.

'Vader u moet toch toegeven dat er niets kwaads in deze man schuilt?'

vroeg Eva dwingend.

Fritz Braun staarde naar zijn bier. 'Dat zal allemaal best maar je kent mijn standpunt!'

Eva zuchtte. 'Wat u ook zegt of wat u ook van hem denkt ik heb mijn besluit genomen en daar verandert niemand iets aan!'

Ze sloeg een arm om haar moeder en gaf haar een kus. Ze stond op boog zich naar haar vader en omhelsde hem vluchtig.

'Tot snel ik houd van jullie wat er ook gebeurd!'

Eva liep weg. Ze draaide zich nog één keer om en zwaaide op een kinderlijke manier gedag, waarbij ze haar hand stil hield en alleen de vingers liet bewegen. Fanny moest lachen en zwaaide op de zelfde wijze terug. Fritz Braun deed alsof hij niets zag en klemde zijn handen om zijn pul bier.

"Persoonlijk" stond er met dikke letters op de envelop. Eva had ogenblikkelijk het handschrift van haar vader herkent.

'Maar dat meent u toch zeker niet?' vroeg Eva vol verbazing.

Heinrich Hoffmann stak een sigaret op, ging achterover zitten en blies de rook recht de lucht in.

'Hij was hier op mijn kantoor, waar jij nu zit.' zei hij met zijn hoofd knikkend in haar richting.

'Ik begrijp het niet,' zei Eva, 'ik bedoel als hij een brief aan Adolf Hitler richt... waarom geeft hij hem dan aan u?'

'Dat weet ik niet, misschien vertrouwt hij Hitler's medewerkers niet?' giste Hoffmann.

'Nou ja, dit is toch belachelijk! En wat heeft hij dan verder tegen u gezegd?'

'Dat hij zich over een bepaalde kwestie grote zorgen maakte en zoiets als dat het zijn taak was om de Führer daarover te informeren. Hij was heel officieel.'

Eva schudde haar hoofd. Ze beet op haar onderlip. Ze twijfelde even maar vervolgens scheurde ze resoluut de envelop open.

Snel vouwde ze de brief open.

München, 7 september 1935

Zeer geëerde heer rijkskanselier,

Het spijt mij u te moeten lastig vallen met een aangelegenheid van persoonlijke aard.
U, de Führer van de Duitse natie heeft ongetwijfeld andere en grotere zorgen.
Daar het gezin echter de kleinste maar ook de zekerste maatschappelijke eenheid is, een eenheid waaruit een goed georganiseerde staat zich kan ontwikkelen, meen ik dat deze stap in zekere zin gerechtvaardigd is. Mijn gezin is op dit moment uiteengevallen, want mijn dochters Eva en Gretl zijn in een flat gaan wonen, die u tot hun beschikking hebt gesteld, waarbij ik, als hoofd van het gezin, voor een voldongen feit ben gesteld.
Bovendien sta ik op het wellicht ouderwetse morele standpunt dat kinderen pas door het huwelijk zich aan het toezicht van de ouders mogen onttrekken. Dit blijft mijn inziens een onaantastbaar beginsel. Dit alles los van het feit dat ik mijn dochters heel erg mis.
Ik zou uwe excellentie daarom zeer dankbaar zijn als u mijn dochters de raad zou willen geven terug te keren in de schoot van het gezin.
Hoogachtend, Fritz Braun.

Mijn vader is geloof ik echt gek geworden.' zei Eva demonstratief de brief in de lucht wapperend.
'Of de Führer maar zo goed wil zijn om mij naar huis te sturen.' zei ze spottend.
'Hij mist mij zo! Wat een onzin! Toen ik bij de nonnen op het internaat zat hoorde ik nooit iets van mijn vader!'
'Zo zijn vaders nu eenmaal. Bij de nonnen was je veilig Eva maar nu maakt hij zich zorgen om je. Hij heeft angst dat je ten prooi zal vallen aan mannelijke begeertes!'
'Adolf Hitler is de meest vriendelijke en meest hoffelijke man die ik ken. Mijn ouders hebben hem een paar weken geleden nog ontmoet... mijn moeder was zeer gecharmeerd van hem.'
'Jaloers! Je vader is jaloers, dat kan toch ook!' opperde Hoffmann met

een grijns.

'Ik trouw gewoon met hem, dan is dit gezeur tenminste afgelopen!' Eva trok een prullenbak naar zich toe en verscheurde de brief van haar vader to minuscule snippertjes.

'Ik weet van niets, mijn naam is haas.' zei Hoffmann geamuseerd.

Om haar politieke voorkeur te benadrukken en de door haar gepropageer de samenwerking tot uiting te laten komen had Unity Mitford haar ivoo kleurige MG versierd met twee vlaggen. Op het linker spatboord stond eer metalen standaard met de Union Jack en rechts in het zelfde formaat he symbool van de NSDAP, het hakenkruis.

Ze parkeerde haar auto direct achter de gereserveerde plaats waar de Mercedes van Hitler stond. Ze bracht de Hitler groet aan de voor de deu postende SS-er van Das Braune Haus. Gekleed in een soort van fantasie uniform ging zij zelfverzekerd het gebouw binnen.

Nadat zij zich had aangemeld bij een medewerker van Adolf Hitler wa: ze vrijwel onmiddellijk tot de Führer toegelaten die in zijn werkkamer ach ter zijn bureau gezeten nu aandachtig naar Unity luisterde.

'Een wet ter bescherming van het Britse bloed en de Britse eer. Netzo al: u dat voor het Arische ras heeft gedaan daar zal ik voor vechten en ook da Joden geen overheidsbetrekkingen mogen vervullen. De Joden moeten we isoleren waardoor we uiteindelijk deze groep volledig in onze macht krij gen!'

'Dus u denkt dat mijnheer Chamberlain wel voorstander is van onze Neurenbergse wetgeving?' vroeg Hitler genoegzaam.

'Natuurlijk! Maar ze durven het niet te zeggen. En we hebben ook nog zoiets als een monarchie, daar moesten we misschien ook maar van af!' vond Unity.

'Engeland een republiek!' stelde Hitler voor.

'Ja Engeland heerser over de zeeën en Duitsland de macht over land er volkeren!' zei Unity.

'Dat kan alleen met een sterk en groot leger. Frankrijk zal zich niet zon der slag of stoot overgeven en wat wanneer wij onze grenzen aan het ooster overschrijden? Kunnen we dan rekenen op uw regering of zullen zij we derom een vergissing maken zoals in 1914?'

Unity stond in het midden van de kamer met haar handen in haar zij Ze trok een bedenkelijk gezicht wat over ging in een glimlach. 'Tegen die

ijd hebben de Britse fascisten het voor het zeggen en strijden we schouder
aan schouder!'

Hitler gaf haar een ingetogen applaus. Unity maakte een sierlijke buiging.

'Het is maar tijdelijk.' zei Eva Braun tegen haar moeder.

'Hoezo tijdelijk?' vroeg Fanny Braun die nieuwsgierig door de driekamerwoning liep.

'Omdat dit niet past bij zijn status, ze zijn op zoek naar een villa voor
mij.' antwoordde Eva uit de hoogte

Fanny draaide zich om en keek Eva verbaasd aan. 'Een villa? Kind doe
niet zo raar!'

'Ik ben toevallig wel de vriendin van de belangrijkste man van Duitsland.
U denkt toch zeker niet dat hij mij afscheept met dit bovenwoninkje?'

Fanny trok een gezicht alsof ze er niets van begreep. 'Maar lieve Eva
waarom trouw je dan niet met hem?'

'Denk je dat vader dat goedvindt?'

'Nee dat denk ik niet, maar hij kan het ook niet verbieden. Trouwens
wist je dat hij de Führer een brief geschreven heeft?'

'Een brief?' speelde Eva verbaasd.

'Ja, je vader maakt zich grote zorgen je hebt geen idee hoeveel verdriet hij
van je heeft.' zei Fanny met betraande ogen. Ze ging op de bank zitten en
haalde een zakdoek uit haar tas.

'Moeder!' zei Eva die naast haar was gaan zitten en een arm om haar heen
sloeg. 'Jullie hoeven je helemaal geen zorgen te maken. Ik heb het goed.

Heus Hitler is een geweldige man, ik ben trots op hem! Jij was toch ook
onder de indruk van hem... toen in Lambach?'

Fanny snoot haar neus. 'Ja maar... ik, je bent mijn dochter!'

'Kleine meisjes worden groot.' plaagde Eva haar.

Ze schudde haar hoofd. 'Ik hoop echt dat je weet waar je mee bezig bent
Eva.'

'Wees blij! Hij is de meest populaire man van ons land! Weet je wel
hoeveel vrouwen zijn vriendin zouden willen zijn? En ik, Eva Braun, jouw
dochter heeft hij gekozen'

Fanny Braun glimlachte. 'Mijn Eva. Ik hoop echt dat je gelukkig wordt,
maar.'

'Sssssstttt.' Eva legde haar vinger op haar lippen.

'Zal ik je nog wat vertellen?'

Fanny zei niets en keek Eva verwachtingsvol aan.

'Ik heb ontslag genomen bij Hoffmann!'

'Ach nee!' zei Fanny geschrokken.

'Herr Hitler wil dat ik niet langer werk!' Ze stond op en liep naar een kast en schoof een la open.

'Kijk eens, wat vindt u hiervan? Eva hield een fototoestel in haar hand. 'Gekregen van mijnheer Hoffmann, als afscheidscadeau!'

Fanny keek Eva met open mond aan.

'Voortaan ga ik overal met hem mee naartoe! Oostenrijk, Italië, Griekenland en wie weet kom ik nog in Hollywood!' zei Eva stralend.

'Eva denk je echt dat hij zo verliefd op je is?'

'Hij zou niet willen leven zonder mij! En ik niet zonder hem!' zei Eva geëmotioneerd.

Ze liep naar de keuken en ontkurkte een fles sekt.

Er waren hooguit twintig gasten in een zaaltje van hotel het Bayerische Hof in München bijeen om het zilveren jubileum van Koning George de vijfde van Engeland te vieren.

De Engelse kolonie bestond uit de Rumbolds een bankiers familie, Sir Ernest Scott een professor uit Londen die gast college's gaf op de Stadt Universität, David Bowles, importeur van Engelse auto's met zijn vrouw Louisse, een handje vol studenten en een drietal journalisten.

'Heil Hitler!' klonk het schel en kort door de ruimte. De aanwezigen keken verrast naar de dubbele duren die entree gaven naar de feestzaal.

Unity Mitford had met uitgestoken arm zojuist de Nazi groet gebracht en wilde hiermee de aandacht op haar binnenkomst vestigen

Ze was in gezelschap van Putzi en Erna Hanfstaengl, Tom, Unity's jongere broer, Diana haar ouder zusje en Oswald Mosley.

Het was even stil geworden. Een enkeling moest lachen maar al snel vervolgden de gasten hun conversatie en werd er van rode port genipt afgewisseld met het eten van een toastje met stilton cheese.

'Mag ik zo onbeleefd zijn mij aan u voor te stellen?' zei een man van een jaar of 40 gekleed in een tweed jasje en knickerbocker. Hij had rood haar sproeten en olijke ogen.

Unity bekeek hem met enige reserve's, 'Met wie heb ik het genoegen?'

'Sefton Delmer, correspondent van The Sunday Express.'

'Unity Mitford.' zei ze enigszins gedecideerd.

'Is het goed wanneer we daar even plaatsnemen?' vroeg hij wijzend naar een bankje op de gang achter haar. Unity knikte. Hij liet haar voor gaan. Hij wachtte tot ze had plaatsgenomen en ging toen naast haar zitten.

'Mrs. Mitford zou ik u een paar vragen mogen stellen en deze eventueel verwerken in een artikel in onze krant over vrouwen en de Nazi's?' vroeg hij vriendelijk.

Unity voerde de spanning op door zogenaamd even te moeten nadenken, hierop volgde een goedkeurend knikje.

'Schitterend!' zei de journalist, 'Mejuffrouw Mitford wat maakt u zo enthousiast over de Nazi's?'

'Wat maakt miljoenen vrouwen enthousiast over de Nazi's?' antwoordde ze met een wedervraag.

Sefton Delmer lachte minzaam. 'Ik ben een man en stel ik ben geen aanhanger van Adolf Hitler... hoe zou u mij willen overtuigen lid te worden van de NSDAP?'

Unity maakte een geluid waarmee ze duidelijk wilde maken wat voor een onbenullige vraag hij haar zojuist had gesteld. 'Ik zou u aanraden eens goed naar de Führer te luisteren en zijn boek "Mein Kampf" te lezen.'

'Maar ik zou juist van u zo graag weten waarom u zo gedreven bent, waarom een vrouw zoals u uit Engeland hier in Duitsland zich vol passie inzet voor deze politieke stroming?'

'Adolf Hitler is iemand die echt voor zijn volk opkomt. De Führer maakt geen onderscheid tussen arm of rijk, en ook niet of iemand in Pruisen of Beieren woont. Kinderen, studenten, vrouwen, mannen, intellectuelen, arbeiders, zakenmensen, artiesten hij betrekt alle mensen in zijn Nationaal Socialistische gedachte. Het gaat er vooral om samen een vuist te maken tegen het kwaad dat communisme en Jodendom heet dat moet eerst worden uitgeroeid, hoe eerder hoe beter!' formuleerde Unity zonder haperen of versprekingen.

Hij noteerde snel met steekwoorden Unity's uitspraken. 'Juist, en wat is daarin uw rol precies?'

'Ik wil mij actief opstellen, ik voel mij verantwoordelijk en zelfs verplicht om de Führer te steunen waar ik kan!'

De journalist hield op met schrijven en keek haar nu een moment strak in de ogen. 'Mejuffrouw Mitford is het waar dat u Adolf Hitler regelmatig persoonlijk ziet en spreekt?'

Er verscheen een trotse blik op haar gezicht. 'Laat ik zeggen dat de Führer het op prijs stelt om af en toe in mijn gezelschap te verkeren en ik dat een enorme eer vind!'

'En uw vader Lord Redesdale, lid van het parlement, een ervaren politicus is hij ook enthousiast over uw vriendschappelijke relatie met Herr Hitler?'

Unity voelde zich aangevallen en stond op. 'Familie aangelegenheden zijn strikt privé!' Ze liep weg zonder zich naar hem om te draaien. 'Goedemiddag!' hoorde Sefton Delmer haar nog zeggen.

München, 21 maart 1936

Het doet mij een genoegen u te mogen uitnodigen in mijn nieuwe huis. Ik stel uw aanwezigheid zeer op prijs en wil graag mijn vreugde met u delen. Ik hef dan met u het glas ter ere van mijn eerste stap in de volwassen wereld.

Eva Braun.

Ontvangst: Zaterdag 30 maart vanaf 19.00 uur
Wasserburgstrasse 12 München

Een niet al te grote tuin omringde een vrijstaand huis in de wijk Bogenhausen. Hitler had de architect en ontwerper Paul Ludwig Troost *carte blanche* gegeven. De meubels bestonden veelal uit exotische houtsoorten.

Een art deco lamp, kostbare tapijten en een zilveren thee servies waren persoonlijke geschenken van Adolf Hitler.

Heinrich Hoffmann zijn vrouw Erna waren onder de indruk van de uitstraling en de gewaagde keuze van stijl en materialen.

Henriëtte Hoffmann en haar verloofde Baldur von Schirach stonden bewonderend voor een gobelin.

Maria Joisten luisterde aandachtig naar haar vriend Wilfried die uitleg gaf over de radio die Eva samen met haar zusje Gretl had aangeschaft.

Karl Brandt, één van Hitler's lijfartsen, en zijn vrouw Anni maakten Eva complimenten over haar modieuze jurk met bijpassende schoenen.

Herta Ostermayer, een jeugdvriendin van Eva en Gertraud Weisker, een nichtje van de familie Braun hielpen Gretl in de keuken met de hapjes en et inschenken van pullen bier en glazen wijn.

Julius Schaub, adjudant van Hitler keek nerveus op zijn horloge. 'Ik denk at je niet meer op hem moet rekenen.' zei hij tegen Eva op de gang.

'Natuurlijk komt hij. Hij heeft me het beloofd!'

Schaub keek vermoeid. 'Natuurlijk, maar je weet ook dat hij het waaninnig druk heeft.'

'Iedereen hier rekent op hem, nee dat zou hij echt niet doen. Juist nu is et ook voor hem belangrijk erbij te zijn!' stelde Eva.

'Jawel, maar denk je niet...'

'Ik denk,' onderbrak Eva hem, 'dat hij elk moment kan arriveren... ik oel het Julius, maak je geen zorgen!' Eva liep de zitkamer binnen.

'Ik verheug me om de Führer weer te zien.' zei Anni Brandt toen Eva aar een glas witte wijn gaf.

'Ja heerlijk, hij zal hier vaak komen. Niemand zal hem hier storen!' zei va opgewekt.

'En Eva moet ik je nog keuren?' vroeg Karl Brandt.

'Keuren?' vroeg Anni met gefronste wenkbrauwen. Eva lachte. 'Voor erlijn, de Olympische Spelen in augustus!'

'Wat? doe je mee?' wilde Anni weten.

'Misschien.'

'Echt?'

'Ja! En jij bent mijn voorbeeld!'

'Ach kind dat is al weer zo lang geleden!'

'Drie keer goud en één keer zilver dat is toch geweldig. Er was niemand ie de vlinderslag zo goed beheerste als jij!' zei Eva vol bewondering.

'Ja ik was snel, heel snel! Maar wat ga jij doen?'

'Turnen of zwemmen, ik weet zeker dat ik voor Duitsland een medaille ou kunnen winnen... maar er moet eerst nog een gesprek komen en zien of at ik geplaatst kan worden.'

'Dr. Goebbels regelt dat wel voor je!' zei Karl Brandt geruststellend.

'Dat zou geweldig zijn!' reageerde ze enthousiast.

Karl Brandt keek goedkeurend om zich heen. 'Ik zou me er maar geen orgen over maken Eva!'

Gretl had open gedaan toen de huisbel ging en een man in SS uniform innengelaten. Eva zag vanuit de salon dat hij een kort gesprek met Julius chaub voerde en weer verdween.

Schaub wenkte haar.

'Hij is verlaat?' zei Eva hoopvol.

'Nee, de Führer is verhinderd!' zei Schaub.

'Hoezo verhinderd?' vroeg Eva geïrriteerd.

Julius keek haar aan en schudde zijn hoofd en zuchtte, 'U bent toch op de hoogte van het feit dat Duitse troepen enkele weken geleden de gedemilitariseerde zone van het Rijnland hebben bezet?'

'Ja...en?' zei Eva brutaal.

'Onze Führer spreekt op dit moment met de legerstaf in Keulen en vliegt daarna met de minister van buitenlandse zaken naar Berlijn om morgen vroeg de Rijksdag toe te spreken.'

'Belachelijk! Eén keer vraag ik iets wat voor mij belangrijk is en dan laat hij het afweten. Ik heb er geen woorden voor!'

Eva liep terug naar de salon, deed haar schoenen uit en ging bovenop een stoel staan.

'Lieve mensen!' Vervolgens iets harder, 'Lieve vrienden!' alle aanwezigen staakten nu hun gesprek en keken naar Eva.

'Lieve allemaal, ik kan niet zeggen hoe gelukkig ik ben. Het is voor mij hartverwarmend dat u allen hier bent op dit belangrijke moment voor mij. Vorige maand 21 jaar geworden en vandaag slaap ik voor het eerst in mijn nieuwe huis. Een nieuwe periode van mijn leven begint. Met u wil ik dat vieren. De Führer heeft mij gevraagd u allen hier aanwezig te groeten. Zoals u weet heeft hij op dit ogenblik belangrijke politieke zaken te bespreken, laten wij hopen dat door zijn moedige optreden Duitsland een vredige en zekere toekomst tegemoet gaat...ik drink op onze Führer!'

'Sieg heil, Sieg heil' klonk het uit alle kelen.

Unity parkeerde haar MG op een doodlopend bospad even buiten München.

Naast haar zat in SS uniform Fritz Gutmann, een jonge adjudant van Hitler. Hij was midden twintig, droeg een montuurloze bril, had blond haar met een scherpe scheiding in het midden en een weinig vrolijke uitdrukking op zijn gezicht wat te wijten was aan zijn mondhoeken die naar beneden hingen.

Unity droeg een kaki overhemd met een hakenkruisband om haar arm en stoere broek. Toen ze wilde uitstappen sloeg Fritz plotseling een arm om haar heen en trok haar naar zich toe om haar te zoenen.

'Great God... what the hell you think you are doing?' riep ze bijna in paniek.

Fritz liet haar meteen weer los nadat hij begreep dat zijn avance's niet op prijs werden gesteld.

'Niets, ik dacht alleen dat je dat graag wilde?' zei hij met een kleur.

'Ik wil dat helemaal niet!' zei Unity fel.

'Het spijt me... het spijt me oprecht.' verontschuldigde hij zich enigszins overdreven.

'We zijn allebei Nationaal Socialisten, met dezelfde principes en jij bent een stoere SS-er, we zijn vrienden ...meer niet!'

Even later liep Fritz, met een grote picknickmand, achter haar aan door een donker naaldwoud.

Op een openplek spreidde Unity een plaid uit waarop ze samen gingen zitten.

'Ben je verliefd op Adolf Hitler?' vroeg Fritz verlegen kijkend toen ze hem een glas bier inschonk.

Even leek Unity als bevroren. 'Verliefd?'

Ze begon te lachen. 'Verliefd, verloofd, getrouwd!' zei ze gekscherend.

Fritz lachte mee maar wist eigenlijk niet waarom.

'Nee, op de Führer word je niet verliefd. Het zou ook heel dom zijn. Het zou net zoiets zijn als verliefd worden op God of op de Paus, iets wat helemaal niet kan, begrijp je?'

Hij knikte en nam snel een slok van zijn bier.

'Ik ben eigenlijk nog nooit echt op iemand verliefd geweest maar voor de Führer heb ik wel een heel bijzonder gevoel. Het gaat veel verder dan verliefd zijn, het emotionele voorbij, puur de mens, zijn ideeën, zijn visie dat is de essentie van mijn relatie tot Hitler.'

Fritz luisterde met open mond.

'Eigenlijk ben ik verliefd op het Nationaal Socialisme, de politieke opvattingen van Adolf Hitler, daarin ligt mijn geluk!' zei Unity ontroerd door haar eigen woorden.

Fritz was sprakeloos en doorbrak de stilte met een romantisch wijsje op zijn mondharmonica.

Hij had nog maar nauwelijks ingezet of Unity onderbrak hem, 'Fritz! Het Horst Wessel lied!'

Hij hield op met spelen, was even teleurgesteld en dacht vervolgens na over de melodie van het verzoeknummer 'Die Fahne hoch...' zong Unity uit volle borst terwijl Fritz haar met horten en stoten begeleidde.

Eva Braun zat tijdens de vierde dag van de Olympische Spelen van 1936 op de ere tribune schuin achter Hitler.

'Oh kind ik weet het zeker jij had op het ere podium gestaan.' zei Anni Brandt, de vrouw van Hitler's lijfarts, die naast haar zat.

'Ja ik had zeker een kans gemaakt denk ik' beaamde Eva voorzichtig.

'Jammer, zo zonde... maar ik begrijp het niet mijn man had je toch goed gekeurd?'

'Ik ben zo gezond als wat, maar ik... ik heb in overleg met de Führer afgezien van deelname.'

'Wat vertel je me nou, dat wist ik niet.'

'Dat weet niemand!' voegde Eva toe.

'Maar waarom dan toch?'

'De vriendin, medewerkster, secretaresse, van de Führer, die mag en kan niet verliezen! Dat begrijp je toch wel?'

Anni keek haar een ogenblik ongelovig aan. 'Wat? Meen je dat echt?'

'Hij is niet alleen jullie Führer... Herr Hitler is ook mijn Führer!' zei Eva met een glimlach.

'Eva ik ga een kop koffie halen, kan ik iets voor je meebrengen?' vroeg Anni.

'Nee dank u.' Eva trok haar benen in en liet Anni passeren.

Herman Göring die rechts van Hitler zat boog zich naar de rijkskanse-lier.

'En hoe ervaren onze Engelse en Franse vrienden onze gastheerschap denkt u?' hoorde Eva hem aan Hitler vragen.

'Ik zeg u dat zij onder de indruk zijn van onze manier van organiseren. Sportiviteit is een groot goed waarmee je de verhoudingen in kracht en doorzettingsvermogen goed kunt aflezen.

Frankrijk heeft nog maar drie medaille's en Engeland heeft er dan wel tien maar altijd nog vier minder dan wij!'

'Mijn Führer wij zetten de toon, wij zullen in heel Europa hoge ogen gooien.'

'Mercedes ontwikkeld nu een racewagen waarmee wij de Franse en En-gelse autofabrikanten zullen vermorzelen!' zei Hitler optimistisch.

'Zeker!' zei Göring 'ik heb ook volledig vertrouwen in onze industrie, onze vliegtuigen worden steeds sneller en krachtiger. Binnenkort zal ik u mijn plannen ontvouwen voor een bommenwerper die huiveringwekkend snel is en ook onvoorstelbaar verwoestend kan zijn!'

'Mooi, die kunnen ons nog van pas komen!' zei Hitler met een ondeugende blik.

Plotseling verscheen Wilhelm Brückner, de chef adjudant van Hitler, samen met een mooie blonde vrouw van een jaar of dertig.

'Mijn Führer wat fantastisch u weer hier te mogen treffen.' zij gaf hem een hand.

'Frau Riefenstahl u gaat mij vreselijk verrassen, ik ben zeer benieuwd naar al uw technieken, u bent werkelijk een genie!' complimenteerde Hitler haar.

'U overdrijft maar ik voel mij gevleid.'

'Maar ik spreek hier niet alleen namens mijzelf ook Herr Göring en Herr Hess zijn grote bewonderaars van uw films, nietwaar heren?'

Over en weer werd nu vriendelijk geknikt.

'Ik voel het als mijn plicht het Nationaal Socialistische gedachtengoed voor de eeuwigheid vast te leggen zodat de generaties na ons weten wat voor een uitzonderlijke inspanningen u en uw directe medewerkers hebben geleverd.

Bewegende documenten spreken boekdelen en hebben de toekomst!' zei Leni Riefenstahl vol overtuiging.

'U bent voor mij de bevestiging dat er toch ook, al is het een zeldzaamheid, intelligente vrouwen op deze wereld rond lopen!' zei Hitler geamuseerd.

Leni Riefenstahl voelde de blik van Eva, die alles letterlijk verstaan had, en keek haar vluchtig aan.

'Ik moet mij nu weer naar het front begeven en mijn manschappen aansporen ' zei Leni Riefenstahl met een lach.

'Is zij niet een fantastische cineaste,' zei Hitler nadat zij afscheidt had genomen, 'zoals zij onze rijkspartijdagen heeft verfilmd, *Triumph des Willens* is toch een waar meesterwerk!'

Rudolf Hess en Hermann Göring maakten instemmende geluiden.

'Zij vertegenwoordigd voor mij de ideale Arische vrouw.' zei Hitler.

'Maar u zult toch met mij eens zijn dat het zonde is om met zo'n vrouw alleen te converseren?' zei Göring die moest lachen om zijn eigen opmerking.

'Ik zeg u zo'n vrouw moet u niet begeren, zij maakt van u haar slaaf. Het is vele malen beter een jonge afahankelijke dame als vriendin te nemen.' Zei Hitler gedecideerd.

Anni Brandt was zojuist weer terug gekeerd met een kop dampende koffie.

'Eva... Eva! Waarom huil je?' vroeg Anni bezorgd en sloeg een arm om haar heen.

De Wehrmacht nam op 14 september 1936 met saluutschoten afscheidt van de achtste Rijkspartijdag in Neurenberg. Eva Braun hield als even zovele andere aanwezigen op de ere tribune haar vingers in haar oren. Even te voren was ze aan een meisje voorgesteld door Putzi Hanfstaengl maar door het kanongebulder had ze haar naam niet goed verstaan.

'Het spijt me ik heb niet goed verstaan wie u bent.' zei Eva toen eindelijk een einde gekomen was aan de doffe klappen van de artillerie.

Het lange dunne meisje met opgestoken blond haar, gekleed in een soort van fantasie uniform met een hakenkruis band om haar bovenarm draaide zich naar Eva om. 'Unity Mitford aangenaam kennis te maken.'

Eva schrok, maar herstelde zich en gaf haar hooghartig een hand, 'Eva Braun.'

'Eva Braun? U bent een bekende van de Führer?' veinsde Unity.

'Mijn relatie tot de Führer is privé.' antwoordde ze met de nadruk op privé.

'Dat klinkt alsof het geheim is.' zei Unity.

'Voor buitenstaanders misschien wel maar iedereen hier weet precies wie ik ben!' zei ze geïrriteerd.

Unity keek haar met enig medelijden aan. 'Vreemd ik ben toch al een hele tijd in München maar heb nog nooit van u gehoord! Bent u partijlid?'

'En bent u soms van de Gestapo?' verweerde Eva zich nu met een lach.

Unity schudde haar hoofd. 'Nee ik ben een Britse spionne die gezocht wordt door de Gestapo! Ik wens u nog een goede middag... tot ziens!'

Eva beet op haar onderlip van woede en zag hoe Unity zich in het gesprek mengde van Hitler die met Oswald Mosley en Putzi Hanfstaengl stond te praten.

'Wie is dat?' wilde Gretl het jongere zusje van Eva weten.

'Een heks! dat zie je toch zeker zelf wel!'

'Ja, erg mooi is ze niet!'

'Dat is nou die Unity Mitford! Een aanstellerig aandacht vragend niets zeggend meisje!' zei Eva alsof ze opgelucht was dat ze haar nu in hoogst eigen persoon ontmoet had.

Gretl keek om Eva heen om nog een glimp van Unity op te vangen. 'Wat zou de Führer toch in haar zien?'

Eva kon het niet laten om ook nog een blik op haar te werpen om zich van haar gelijk te overtuigen, toen Hitler Unity net even op haar rug aanraakte. 'Als politicus moet je nu eenmaal altijd toneel spelen, iedereen te vriend houden. Misschien denkt hij ook wel; mens je ziet eruit als een zoutstengel!' De zusjes schoten in de lach. Unity keek met een boze blik in hun richting maar ze hadden zo'n pret dat dit onopgemerkt aan de meisjes Braun voorbij ging.

Ik woon hier nu al meer dan een jaar en je bent hier hooguit vier of vijf keer geweest.' zei Eva teleurgesteld.

Adolf Hitler liep met zijn handen op zijn rug heen en weer door de zitkamer en draaide zijn gezicht zo nu en dan schuin naar haar toe.

Eva zat op een stoel en verloor hem geen moment uit het oog. 'En als ik naar Haus Wachenfeld kom stopt u me in een hotel! En naar Berlijn mag ik al helemaal niet komen!' Er viel een stilte. Het parket kraakte onder Hitler's leren zolen.

'Ik wil je niet tot last zijn maar er juist voor je zijn wanneer je mij nodig hebt... maar als dat hooguit een paar keer per jaar is dan heeft onze vriendschap, onze liefde geen zin!' zei Eva.

Hitler maakte pas op de plaats. 'Mijn lieve Eva! Het moet toch duidelijk zijn dat ik helemaal niet geschikt ben voor een relatie.' zei Hitler op zachte toon. 'Dat mijn taak, mijn opdracht dat in de weg staat.'

Eva keek hem bedachtzaam aan.

'Ik Adolf Hitler,' vervolgde hij nu met meer volume, 'ik de rijkskanselier van Duitsland, de Führer... zal de strijd aangaan met alles en iedereen die zich tegen mij keert!'

Hitler deed een paar stappen naderbij en pakte Eva's hand en ging door zijn knieën, 'Mijn lieve en mooie Eva ik weet dat ik nu, maar ook in de toekomst niet de man van je dromen zal zijn. Het moet duidelijk zijn dat ik mij geen familieleven kan permitteren! Er is geen plaats voor sentiment in mijn leven ik moet mijzelf beschermen tegen het zwakke, de verleiding, ik moet overwinnen dan pas breekt er voor mij een andere tijd aan en niet een dag eerder!'

Eva raakte voorzichtig zijn wang aan. 'Ik begrijp het. Ik zal verstandig zijn. Ik zal je steunen waar ik kan, onvoorwaardelijk!'

Hij keek haar liefdevol aan. 'Goed, dat is heel goed Eva. Ik zal zorgen dat er een slaapkamer voor je komt in het nieuwe Haus Wachenfeld en ook op de kanselarij in Berlijn zal ik voorzieningen laten treffen.'

'Dat zou geweldig zijn, als ik maar het gevoel heb dat je in de buurt ben, dat stemt mij blij, dat geeft mij zo'n kracht!' zei Eva enthousiast.

'Ik wil je niet verliezen Eva, dat mag niet gebeuren!' Hitler boog zich naar voren en zoende zijn minnares hartstochtelijk.

Haus Wachenfeld op de Obersalzberg was na een immense verbouwing in oktober 1936 omgedoopt tot de Berghof. Albert Speer de talentvolle jonge architect had het eenvoudige huis omgetoverd tot een riant onderkomen met ruim dertig kamers waarvan veertien voor gasten waren gereserveerd. Uniek was de grote conferentiezaal, die gewoonlijk dienst deed als salon met het grootste raam van Duitsland, ruim acht meter breed en vier meter hoog met een uniek uitzicht op de Alpen en het in het dal liggende Berchtesgaden. Een bioscoop, een kegelbaan, een bibliotheek, een behandelkamer voor tandkundige hulp, een postkamer, een telefooncentrale, vertrekken voor adjudanten en bewakingspersoneel, dit alles onder één dak.

'Ik kan jullie niet vertellen hoe blij ik ben.' zei Eva Braun met een stralende lach.

Op een houten bank met zachte kussens genoten Fritz en Fanny Braun op het terras van de prille voorjaarszon. Ilse en Gretl lagen languit op twee zonnebedden met verstelbare leuning.

'Eva, ik weet niet wat ik zeggen moet, dit lijkt wel het paradijs.' zei Fanny.

'Eindelijk, ik was zo bang dat ik jullie nooit meer zou zien! Heerlijk dat jullie er zijn!'

Fritz Braun schraapte zijn keel. 'Ik heb de Führer ooit een brief geschreven, ik maakte me toen echt ernstig zorgen Eva. Het was niet omdat ik boos was, maar ik begreep het niet... hij was toen voor mij een soort van nare droom. Als vader heb ik toen mijn verantwoording genomen... ik hoorde niets, kreeg geen antwoord. Ik ben zelfs naar Das Braune Haus gegaan en toen ik hem daar ook niet te spreken kreeg heb ik op het punt gestaan om naar Berlijn te gaan!'

'Nou als u nog even wacht dan krijgt u hem hier dan eindelijk toch nog te spreken!' zei Eva opgewekt.

Een bediende, in een wit jasje met zwarte broek, serveerde koffie met ɔiscuits en een schaal vol met taartjes.

'Hoe spreken we hem aan?' vroeg haar moeder nerveus.

'Gewoon zoals iedereen, mijn Führer.' legde Eva uit.

'Noem jij hem ook zo?' wilde Ilse haar oudste zusje weten.

'Ja, in het openbaar wel.'

'En in de slaakkamer?'

'Ilse doe niet zo raar!' waarschuwde haar vader.

'Wat? Het is toch bijna haar man?' snauwde ze Fritz toe.

'En hoe gaat het met uw werk?' vroeg Eva aan haar vader om het gesprek een wending te geven.

Fanny schudde met een bezorgd hoofd dat Eva dat maar beter niet had moeten vragen.

'Ik heb mijn baan opgezegd!' antwoordde Fritz.

'Opgezegd?' herhaalde Eva verbaasd.

'Ja een leraar die zijn eigen kinderen al niet eens in de hand kan houden moet niet de kinderen van een ander willen opvoeden.' zei hij somber.

Eva ging op de bank naast haar vader zitten, 'U heeft ons juist heel goed opgevoed! U denkt toch zeker niet dat een meisje van betrekkelijk eenvoudige komaf zoals ik zomaar de vrouw des huizes van de Berghof kan worden?'

Fritz Braun knikte verlegen maar zei niets.

Plotseling verscheen Wilhelm Brückner gekleed in een grijs groen uniform op het terras.

'Goedemiddag allemaal, mijn naam is Wilhelm Brückner de chef adjudant van de Führer. Hij heeft mij zojuist verzocht u te vragen met hem de lunch te willen gebruiken op dit moment is hij nog telefonisch in gesprek met de rijkskanselarij te Berlijn, dus slaat hij de koffie en taartjes even over.' Met zijn hakken tegen elkaar als groet draaide hij zich om en verliet het terras.

'Dat bedoel ik nou.' zei Ilse, 'Ik zou daar nooit aan kunnen wennen.'

'Waaraan zou je niet kunnen wennen?' vroeg Gretl.

'Al die vreemde mensen altijd om je heen en dan doen zo ook nog eens een keer zo... zo belangrijk!'

Eva begon te lachen. 'Ja wat had je dan gedacht, dat de Führer zo maar iemand is? Hij is verantwoordelijk voor miljoenen mensen, heeft iedereen een beter leven beloofd, dat kan die echt niet alleen hoor!'

'Ik zag laatst in de bioscoop die Göring wat een dikke engerd is dat, komt die hier ook?'

'Ilse je kent Göring helemaal niet, die man is reuze aardig!' zei Eva.

'Nou die Himmler vind ik echt een griezel, van zo'n man krijg je toch kippenvel!'

'Ja,' beaamde Eva, 'ik zou ook niet op hem vallen, maar hij is toevallig wel landbouwkundig ingenieur.'

'Nou dan toch maar liever die Rudolf Hess.' stelde Gretl voor.

'Allemaal veel te oud! Die van daar net... zo'n adjudantje dat lijkt me wel wat!' zei Ilse ondeugend.

'Zeg houden jullie eens op!' zei Fritz die zich stoorde aan de conversatie van zijn dochters.

'Smakelijk eten.' wenste Adolf Hitler zijn disgenoten en knoopte een servet om zijn nek.

Fritz Braun en zijn vrouw Fanny waren zichtbaar gespannen. Gretl had Adolf Hitler al vaak ontmoet waardoor ze net zoals Eva zich normaal gedroeg. Ilse zat voortdurend Hitler te bespieden alsof ze een bedreigde diersoort aan het observeren was. Karl Brandt en zijn vrouw Anni waren ook door Hitler voor de lunch uitgenodigd en lieten zich de aspergesoep goed smaken.

'Het is een voorrecht om met een hechte familie zoals van u Herr Braun aan tafel te mogen zitten. Ik zie graag een gezin waarbij de verhoudingen duidelijk aanwezig zijn en respect een wezenlijke rol speelt.' zei Adolf Hitler.

Ilse verslikte zich bijna in haar soep en Gretl schopte tegen Eva's voet.

'Politiek is eigenlijk het bij elkaar houden van een familie. De NSDAP is zo'n familie. Ik moet zorgen dat de eenheid gewaarborgd blijft en dat er een taakverdeling is die het huishouden, in dit geval de economie, draaiende houdt. Voorts moet ik waken dat mijn familie niet door toedoen van agressors ten onder gaat. Ik moet het gezin, mijn volk, leren zich te verdedigen. Mijn taak is niet veel anders dan die van u Herr Braun. Wanneer een ieder regels in acht neemt, gehoorzaam is en strijdbaar voor volk en vaderland dan is er sprake van een bloedband die verder gaat dan familie dan is het gehele Germaanse volk één! Dan zijn wij allen broeders en zusters, dan pas is het Nationaal Socialisme een feit!'

Fritz Braun durfde Hitler nauwelijks aan te kijken. Fanny speelde zenuwachtig met haar servetring.

'Hier heb ik zo naar uitgekeken mijn Führer! Het moment dat ik u eindelijk echt aan mijn hele familie heb kunnen voorstellen. U heeft geen idee
wat voor een vreugde mij dat heeft gebracht!' zei Eva de stilte doorbre-
kend.

'Staat u mij toe,' zei Fanny Braun, 'wij stellen uw gastvrijheid zeer op
prijs en realiseren ons nog nauwelijks wat ons hier allemaal overkomt, het is
waarlijk een zeer bijzondere ervaring.'

'Ik kan u alleen maar zeggen dat het mij spijt dat wij elkaar niet eerder
zoals nu hebben kunnen treffen.' zei Hitler.

Gretl kon het niet laten om Eva weer onder tafel een schop tegen haar
voet te geven. Pas toen Eva een luid 'Au!' liet horen hield ze op met haar
geplaag.

Dit is werkelijk fantastisch. Onze prime minister zou hier jaloers op zijn.'
zei Unity tegen Otto Dietrich de persvoorlichter van Adolf Hitler terwijl ze
vol bewondering de salonwagon bekeek.

Ze was net ingestapt op het station van Bayreuth nadat ze de Festspiele
had bijgewoond.

Bijna een week lang had ze met duizenden andere liefhebbers genoten
van de opera's en concerten van Richard Wagner.

Adolf Hitler had gevraagd of Unity van de gelegenheid gebruik wilde
maken om met zijn privé trein mee naar München terug reizen.

De inrichting was luxueus. De banken waren met smaakvolle designs
overtrokken, schemerlampen zorgden voor sfeervol licht. Thee en koffie
werden in Rosenthal porselein geserveerd en de champagne werd uit duur
Italiaans kristal gedronken.

'Al is de trein dan een Engelse uitvinding de Führer is erin geslaagd deze
vorm van transport tot een waar genot te maken!' zei Unity.

Wilhelm Brückner en Otto Dietrich knikten beleefd maar hadden beiden niet echt veel zin in een conversatie met Hitler's buitenlandse gast.

Ze leken allebei opgelucht toen ze werden weggeroepen door een secretaresse.

De gesprekken verstomden toen Adolf Hitler zijn opwachting maakte.
Hij onderhield zich even met Joseph Goebbels en zijn vrouw Magda, gaf
Karl en Anni Brandt een vriendelijk knikje en liep door naar de achteren
waar Heinrich Hoffmann, die perfect Engels sprak, Unity Mitford gezelschap hield.

'Heil Hitler.' groette zij hem met uitgestrekte arm.

Heinrich Hoffmann zijn lippen krulden zich naar boven, hij draaide zich om en kon zijn lach zo nog net verbergen.

'Frau Mitford het doet mij vreugde dat u hier aanwezig bent.' zei Hitler met een glimlach.

'Mijn Führer ik ben heel erg onder de indruk van uw manier van reizen. U heeft laten zien dat het vliegtuig een uniek transportmiddel is tijdens uw politieke veldtocht. Uw kennis en hartstocht voor de auto zijn mij bekend maar nu doet u weer een ieder verbazen met deze trein!'

'Dank u, ik stel uw waardering zeer op prijs. Maar neemt u toch plaats,' vroeg hij haar hoffelijk.

In twee fauteuil's tegen over elkaar vervolgden ze hun gesprek.

'Zo, ik wilde graag van deze gelegenheid gebruik maken mij even met u te onderhouden over de politieke verhoudingen tussen Engeland en ons land, of overval ik u daarmee?' vroeg Hitler uiterst diplomatiek.

'Oh nee helemaal niet in tegendeel zelfs!' antwoordde Unity.

'Heel goed. Nu dan, hoe denkt u dat uw nieuwe leider de heer Neville Chamberlain zich zal opstellen, is hij een vechter of volgt hij de koers van zijn voorganger?'

'Baldwin is een dromer,' zei Unity, 'mijnheer Chamberlain schijnt een realistisch mens te zijn, zakelijk en je kunt met hem lachen zegt mijn vader. Hij is in ieder geval geen Jood!'

'Mooi.' zei Hitler, 'Engeland zou eigenlijk net zoals wij een veel meer anti communistische houding moeten aannemen en zich aan de kant van Franco scharen in plaats zich zorgen te maken over onze inmenging in de Spaanse burgeroorlog.'

Unity reageerde met een bedenkelijk gezicht.

'Duitsland bemoeit zich toch zeker ook niet met de koloniale politiek van het Verenigd Koninkrijk!' zei Hitler nu licht geïrriteerd.

'Mijn Führer, Engeland is een eiland met een heel andere cultuur dan hier in Europa. Tradities en eeuwen oude wetten houden ons land in de greep van een bejaarde politiek. Het is een vastgeroest systeem dat door de aristocraten angstvallig in stand gehouden wordt!' zei Unity alsof zij de wijsheid in pacht had.

'Laten we hopen dat uw zwager Oswald Mosley spoedig in uw land ook een ommekeer teweeg kan brengen.'

'Desnoods grijpen we de macht met geweld en ruimen we al die slapelingen in één keer op.'

'Fraulein Mitford ik bewonder uw moed.' zei Hitler geamuseerd.

Gelukkig nieuwjaar mijn Führer,' zei Eva en vervolgde vlak bij zijn oor, 'u ent het die mij dierbaarder is dan wie ook. Wat je ook doet ik zal er altijd oor je zijn!'

'Negentienachtendertig zal een belangrijk jaar worden Eva! Het zal er u om gaan spannen. Duitsland heeft gekozen voor een nieuwe toekomst n zal vanaf nu moeten tonen dat zij hun leiders onvoorwaardelijk zullen olgen! Het is fijn om te weten dat jij mij liefhebt,' zei Hitler en gaf Eva een luchtige kus op haar wang.

Eva Braun droeg een schitterende groene avondjurk met prachtige bijpasende pumps Hitler was gekleed in een smoking en voelde zich er duidelijk iet in thuis.

Voor Eva was het een uitzonderlijke avond Hitler had buiten de dertig officeel genodigden haar toegestaan om drie vriendinnen te ontvangen. Ook aar twee zusjes, Gretl en Ilse waren aanwezig.

Er stond voor een weeshuis kaviaar op tafel verder twintig koelers met essen Duitse champagne en een keuze uit wel meer dan tien soorten aas.

'Gelukkig nieuwjaar lieve Eva.' wenste Heinrich Hoffmann haar toe.

'U ook.' zei Eva, 'Dat u de mooiste foto van u leven nog maar moet naken!'

'Dat wordt er één van jou.' zei Hoffmann gemeend.

Ze omarmden en zoenden elkaar op de wang

'Ik wens jou al het geluk van de wereld en ik hoop dat de Führer weet wat ij doet?' zei Ilse haar oudste zusje en drukte Eva tegen zich aan.

Nadat ze haar weer losliet keek Eva haar verbaasd aan. 'Wat zei je nou ver de Führer?'

'Ik hoop dat hij voor Duitsland echt iets kan doen, dat meen ik oprecht aar tegelijkertijd maak ik mij zorgen.'

'Zorgen? waarover?'

'Over wat er allemaal gaande is, over de Joden, over al die moorden die er epleegd zijn en wat ze over ons schrijven in het buitenland en over...'

'Hou op, hou op Ilse!'

'Waarom?'

'Je begrijpt er niets van!'

'Ik geloof dat ik juist de enige ben die het begrijpt!' zei Ilse verongelijk(

Eva draaide zich om en liep zo in de armen van Anni Brandt die me(champagne had gedronken dan goed voor haar was. 'Lieve Eva ik wens jo(een mooie toekomst en kinderen, kinderen die allemaal net zo mooi zijn a(jij!'

Over Eva's gezicht verscheen even een trieste blik die zij liet volgen do(een glimlach. 'Dat is lief Anni en jij wordt dan peettante!'

Snel had Eva een jas omgeslagen om op het terras van de Berghof na(het vuurwerk te kijken.

Op de bergen aan de overkant brandden grote nieuwjaarsvuren. Γ jachtvereniging uit Berchtesgaden schoten met hun geweren in de lucht.

'Fraulein Braun.' ze herkende de stem van Wilhelm Brückner, de ch(adjudant van Hitler ogenblikkelijk. Hij stond plotseling naast haar. E\ had hem niet opgemerkt doordat ze volledig in de ban van het vuurwe(was. 'Ik wens u een gelukkig nieuwjaar.' zei hij alsof het een huishoudelij(mededeling betrof.

Ze draaide haar hoofd opzij, 'Ik u ook Herr Brückner.'

'Het is een groot voorecht om met de Führer te mogen werken, ik erva(zijn leiderschap als geniaal. Het moet toch soms voor hem frustrerend zi(zich te moeten ophouden met gezelschap die geen flauwe notie heeft waa(mee hij bezig is!'

Eva hoestte en hield haar hand voor haar mond.

'Gelukkig heeft de Führer vannacht alleen maar mensen hier om zic(heen waar hij waardering voor heeft, mensen zoals u en ik! Het is hier fr(ik ga naar binnen Goedenavond!' zei Eva die een bedenkelijk kijkende Wi(helm Brückner op het terras achterliet.

Binnen zag ze hoe Adolf Hitler in zijn leunstoel alleen bij de openhaar(zat en zich ogenschijnlijk verveelde terwijl zijn gasten zich juist amusee(den.

'Nee het is geen toeval mijn Führer ik wist dat u hier in het Deutscher H(zou verblijven. Het is ook mijn favoriete hotel in Neurenberg.' zei Unity.

Adolf Hitler en Unity Mitford dronken samen thee in een schitterenc(suite die de rijkskanselier enkele uren eerder had betrokken.

'Dus u reist mij achterna?' vroeg Hitler.

'Ik kan niet ontkennen dat ik graag in uw nabijheid verkeer!' antwoord(Unity.

Hitler glimlachte goedkeurend. 'Ik moet u zeggen dat ook ik u aanwezigheid op prijs stel al was het mij liever u voortaan officieel te ontmoeten, ik zou niet graag willen dat men een verkeerde indruk zou kunnen krijgen.'

'U in verlegenheid brengen is het laatste wat ik wil mijn Führer.'

Hitler knikte instemmend. 'En hoe denkt men in Engeland over onze nieuwe minister van buitenlandse zaken?' wilde Hitler weten.

'Von Ribbentrop is een uitstekende keuze u heeft in hem een veel betere internationale vertegenwoordiger, hij is iemand die uw politiek goed verwoord.' lichtte Unity toe.

'Mooi!' zei Hitler, ' ik heb ook maar gelijk mijn hele militaire top vervangen. Blomberg mijn rijksminister van oorlog bleek zowaar regelmatig een bordeel te bezoeken en die von Fritsch was een bange wezel die mij alleen maar in de weg liep!'

Vanuit een aangrenzend vertrek klonk gekuch. Hitler reageerde niet en vervolgde, 'Duitsland zucht onder ruimtegebrek wij hebben geen keus en zullen ooit stappen moeten ondernemen om onze toekomst veilig te stellen, netzo als uw land dat reeds in een vroeg stadium heeft gedaan met het veroveren van India!'

'Natuurlijk u heeft ook recht op uitbreiding van uw grondgebied. De aanspraak die u heeft gemaakt op Sudetenland en Oostenrijk is dan ook volledig gerechtvaardigd.' zei Unity als vanzelfsprekend.

Wederom klonk er een kort kuchje uit de richting van een openstaande deur. Hitler keek nu even opzij en leek geïrriteerd. 'U zou waarlijk een goede assistente van Chamberlain zijn.' lachte Hitler.

'Mijn Führer het zou mij liever zijn u te mogen assisteren.'

Weer klonk er een geluid uit de andere kamer.

Het hield het midden tussen een nerveus kuchje en het schrapen van de keel. 'Herr Hess bent u soms verkouden of heeft u zich wellicht verslikt?' vroeg Hitler terwijl hij Unity een knipoog gaf.

Wenen was één en al feestvreugde. Het leek wel of iedereen blij was dat rijkskanselier Schuschnigg en zijn regering ruimte hadden gemaakt voor de Nazi's.

Hotel Imperial had tijdelijk de rol van de rijkskanselarij in Berlijn overgenomen.

Het wemelde er van de SS en SA secretaresse's, speciaal overgebracht bedienend personeel van de Berghof, Hitler's hele hofhouding had in dit luxe onderkomen zijn intrek genomen.

Eva Braun haar moeder Fanny en Herta Ostermayer, een vriendin uit München, stonden op het balkon en keken uit over de menigte die nu nog steeds rond middernacht een glimp van de Führer hoopten op te vangen.

'Wat een ongelofelijk schouwspel, dit zou je vader hebben moeten zien Ik weet zeker dat hij dan anders over Hitler zou denken.' zei Eva's moeder.

Het gejoel zwelde aan het kon niet anders dan dat Adolf Hitler weer op zijn balkon verscheen.

Eva boog zich iets verder voorover om haar minnaar te kunnen zien.

'Wat zal hij trots zijn! Juist in deze stad waar hij zulke vernederingen heeft moeten ondergaan waar hij in grote armoede heeft geleefd is hij nu hun held!' zei ze enigszins geëmotioneerd.

'De Führer is hier misschien nog wel een grotere en belangrijkere persoon dan bij ons, dit is zijn vaderland!' zei Fanny terwijl de massa beneden het Duitse volkslied aanhief.

Herta sloeg haar arm om Eva, 'Een sprookje lijkt het wel, hij de koning en jij de koningin!'

'Doe niet zo mal Herta!'

'Toch is de machtigste man van Duitsland en nu ook van Oostenrijk jouw minnaar! Eva mijn kind, meisje van me je zal alle grote der aarden ontmoeten, de koning van Engeland, de president van Amerika en misschien zelfs Stalin?' fantaseerde Fanny.

'Wie weet,' zei Eva, 'zal ik juist altijd een bescheiden rol in zijn leven spelen en ziet hij in mij een rustpunt. De vrouw waarbij hij volledig zichzelf kan zijn, die rol vervul ik graag het geeft mij meer voldoening dan wat dan ook!'

'Maar dan toch wel een huwelijk? Jij als bruid oh Eva ik zou het zo heerlijk voor je vinden!' zei Herta enthousiast.

In de kamer rinkelde de telefoon. Eva haastte zich naar binnen om op te nemen.

Na een kort gesprekje keerde ze terug naar het balkon waar Fanny en Herta nog steeds van het tafereel op straat genoten.

'De Führer heeft gevraagd of ik naar zijn suite wil komen.' zei Eva met een verlegen glimlach.

Herta omhelsde haar vriendin, 'Eva dit is misschien wel het moment waarop hij gewacht heeft! Zijn doel is bereikt, je zal zien jij bent nu nog zijn enige grote wens!' fluisterde zij in haar oor.

'Als dat zo is Herta wil jij dan mijn bruidsmeisje zijn?' vroeg Eva.

Er werd nog wat gegiecheld daarna nam Eva afscheid. In de badkamer keek zij nog vluchtig in de spiegel. Ze deed een extra knoopje van haar blouse open, fatsoeneerde een paar blonde krullen, en spoot wat parfum tussen haar borsten.

'Ja! Ja natuurlijk wil ik je vrouw worden!' oefende ze in de spiegel.

De boerderij van Julius Streicher lag op iets meer dan een uur rijden van München.

'Nog geen drie kwartier!' pochte Unity toen ze uit haar MG stapte en Julius Streicher, de uitgever van Der Stürmer begroette.

'In een Mercedes gaat het nog sneller, met Schreck de chauffeur van Hitler hebben we het in een half uur gedaan!' probeerde Julius haar te over-troeven.

Unity haalde haar schouders op, 'Onverantwoord!'

'Fijn dat je gekomen bent Unity!' zei Julius en leidde haar naar een tafel die gedekt voor de lunch buiten op het erf stond.

Lothar en Elmar, de zonen van Julius had ze al een keer op de rijkspar-tijdag in Neurenberg ontmoet.

Hans König, de adjudant van Streicher, een dikke kerel met een grote snor en een valse blik was voor haar een nieuw gezicht.

Unity was helemaal in het zwart gekleed. Een strakke broek met daarop een donker overhemd met op haar borstzak het partij insigne en om haar arm de band met het hakenkruis zorgden voor een indrukwekkende entree. Haar zwarte leren handschoenen deed ze pas uit toen de lunch na een mi-nuut of tien op tafel verscheen.

'Ik proost op onze Führer.' zei Julius terwijl hij zijn bierpul in de lucht hield.

'Wij proosten op de Führer, op Duitsland en de dood van alle Joden!' zei Unity strijdvaardig.

'En ook op de dood van alle communisten!' zei de besnorde adjudant.

Men liet zich de maaltijd goed smaken. Pas nadat Julius zijn bord soep had leeg gelepeld keek hij Unity aan. 'En hoe was het in Wenen?' vroeg hij haar met geknepen ogen die het felle zonlicht moeilijk konden verdragen.

'De Führer heeft zichzelf overtroffen, ik denk dat de tijd rijp is voor het innemen van probleem gebieden zoals Sudetenland en Tsjechië. Duitsland zal daar worden binnengehaald als een ware vriend.' antwoordde Unity.

'En zo niet dan hakken we iedereen in de pan!' zei Hans König en lie
een harde boer.

'We hebben hier een dame op bezoek!' waarschuwde Julius zijn adjudant.

'Neemt u mij niet kwalijk.' zei hij tegen Unity.

'Het artikel wat je voor ons geschreven hebt over hoe de Engelsen over de
Joden denken is heel goed!' zei Julius lovend.

Unity keek hem argwanend aan, 'Maar waarom hebben jullie dat over
die kinderen weggelaten? Joodse kinderen zullen er ook aan moeten geloven. We kunnen geen uitzonderingen maken, het hele ras moet worden
vernietigd!'

Julius veegde zijn mond af. 'Ik denk dat u te vroeg bent met dat soort uitlatingen. In de kern ben ik het helemaal met u eens maar in politiek opzicht
moeten we met dat soort uitspraken voorzichtig zijn!' reageerde Julius.

'Ik haat Joden, jong of oud het zijn allemaal onmensen, het laagste van
het laagste zij hebben geen enkel recht op een aards bestaan, de hel is nog te
goed voor ze!' zei Unity fel.

Hans König keek haar met open mond aan.

Lothar en Elmar wisten zich moeilijk een houding te geven en begonnen
met het afruimen van de tafel. 'Kom ik zal u laten zien hoe u die Joodse
beesten moet afslachten!' nodigde Julius haar vriendelijk uit.

Op een aantal bomen achter een schuur waren met witte verf David
sterren aangebracht.

Julius Streicher deed haar voor hoe je een pistool moet richten. Unit
bleek een goede leerling. Fanatiek schoot ze even later op iedere boom di
een Jood moest voorstellen. Van de zestig kogels die zij afvuurde misten e
slecht vijf hun doel.

Adolf Hitler was al lang en breed in Napels gearriveerd toen Eva Brau
een dag later haar intrek in het schitterende Excelsior Hotel nam. Ze gin
vergezeld van Karl Brandt, de lijfarts van Hitler, zijn vrouw Anni en haa
zusje Gretl.

De volgende ochtend werd zij officieel in de hal van het hotel verwe
komt door een Italiaanse officier die vloeiend Duits sprak. 'Ik heet u va
harte welkom in Italië namens onze Duce Mussolini en hoop dat u ee
aangenaam verblijf zult hebben. Mag ik mij voorstellen Francesco Imperat
marine officier en adjudant van Mussolini. Ik ben de komende twee dage

verantwoordelijk voor uw welzijn, u kunt ten allen tijde een beroep op mij doen, ik sta volledig ter uw beschikking.'

Eva was zichtbaar gecharmeerd van deze knappe en jonge officier die hooguit veertig was. Zijn witte uniform, zijn voorkomen, zijn stem alles leek haar in deze man te boeien. Maar ook Gretl en Anni waren onder de indruk van zijn entree.

In de haven van Napels gingen de drie dames en Karl Brandt aan boord van een marine sloep. Het was Hitler's eerste officiële staatsbezoek en Mussolini had groots uitgepakt met een spectaculaire vlootschouw.

'U bent al vaker te gast geweest in Italië?' vroeg Francesco die naast Eva stond.

'Ja ik ben met mijn ouders aan het Garda meer geweest..Sirmione'

'Sirmione? U zou Venetië moeten zien of Florence!'

'Als ik de kans krijg ga ik meteen, Italië is zo'n heerlijk land, ik voel mij hier zo thuis.' zei Eva terwijl ze schrok van enkele saluut schoten.

'U bent familie van de Führer of stel ik nu een onbeleefde of domme vraag?'

Eva keek even of om haar heen en zag dat Gretl en Anni druk met elkaar in gesprek waren. 'Ik ben een medewerkster, secretaresse.' antwoordde ze onzeker.

Francesco knikte vriendelijk. 'U bent vast de mooiste en aantrekkelijkste secretaresse van heel Duitsland!'

Ze sloeg voor een moment haar ogen neer. 'U bent erg vriendelijk maar maakt mij ook verlegen.'

Francesco maakte een afwerend gebaar met zijn handen alsof hij Eva om vergeving vroeg. 'Dat spijt mij. Ik wilde u alleen een compliment maken! Adolf Hitler boft maar met zulke vrouwen als u om hem heen!'

'Dank u.' zei Eva met een kleur.

'En denkt u dat de Duitse soldaten klaar staan voor de strijd?' vroeg Francesco om het gesprek een wending te geven.

'U bedoelt of ze willen vechten?' vroeg Eva verward.

'Ja precies?'

'Alleen als er oorlog komt maar ik weet zeker dat onze Führer het nooit zo ver zal laten komen!'

'Dat hoop ik ook!' zei Francesco.

'Met Oostenrijk is het ook niet gebeurd! In Wenen waren de mensen zo opgelucht het leek wel of ze bevrijd waren van het kwaad!'

'Mag ik u vanavond uitnodigen voor een diner.' vroeg Francesco spontaan.

'Maar, ik uh...ja' stamelde Eva verrast.

'Ik neem u mee naar het meest romantische restaurant van Napels, ik weet zeker dat het u zal bevallen!'

Eva stootte Gretl aan en voerde kort overleg.

'Als u geen bezwaar heeft dat mijn zusje Gretl meegaat neem ik uw uitnodiging graag aan.' antwoordde Eva

'Prima, afgesproken.' zei Francesco die een lichtte teleurstelling niet helemaal kon verbergen.

Op de Berghof heerste een nerveuze stemming.

Neville Chamberlain de eerste minister van Engeland was voor twee dagen op bezoek bij de rijkskanselier van Duitsland.

Eva Braun zat op haar kamer en las een modeblad.

Adolf Hitler stond voor het raam waar een herfstbui hem het zicht ontnam.

'Is het een aardige man?' vroeg Eva.

'Het is een oude verwaande man.' antwoordde Hitler

'Ik zou hem best eens willen ontmoeten.'

Hitler draaide zich om en steunde met zijn handen op de vensterbank, 'En waarom dan wel?'

'Omdat ik het beu ben altijd maar opgeborgen te worden als er belangrijk bezoek komt.'

'Je zou mij juist dankbaar moeten zijn dat ik je al die saaie en zogenaamde belangrijke gasten bespaar. Dacht je soms echt dat ik er plezier in heb om al die mensen te ontmoeten, om hun oeverloze prietpraat aan te horen, dat geloof je toch zeker niet.' zei Hitler kwaad.

'Ik ben gewoon nieuwsgierig naar wat zo'n man hier komt doen. Hij is toch ook de baas van een groot en belangrijk land, of niet soms?'

Hitler streek met zijn hand door zijn haar.

'Chamberlain probeert mijn plannen in de war te schoppen. Hij denkt mij te kunnen ondervragen, hij denkt mij bang te kunnen maken. Maar ik denk dat de rollen omgedraaid zijn. Ik heb niet zes uur in een vliegtuig gezeten, ik ben niet naar Londen gegaan om te onderhandelen! Nee, hij is hier naar toe gekomen om te pleiten, te smeken of ik wil afzien van mijn eisen, wat een zielige vertoning! En zo iemand zou jij willen ontmoeten?'

Eva keek wat bedrukt voor zich uit. 'Mussolini dan, daar zou ik best wel eens een keer aan willen worden voorgesteld.'

Hitler fronste zijn wenkbrauwen. 'Mussolini?'

Terwijl hij haar aankeek ging Hitler pontificaal voor haar staan en imiteerde de Duce zowel in gebaar als verbaal. Het Italiaans dat hij sprak bestond gedeeltelijk uit bestaande woorden die hij in een willekeurige volgorde uitsprak aangevuld met Duitse vocabulaire voorzien van een Italiaanse tongval.

Eva sloeg haar handen voor haar gezicht . Zo zag ze hem het liefst. Haar lach klonk tot ver over de gang van de eerste etage van de Berghof.

Robert Byron was een bekende Engelse schrijver.

Vooral zijn reisverhalen over Perzië en Rusland waren bestsellers. Hij was vierendertig maar zag er ouder uit, wat voornamelijk kwam door zijn kalende schedel. Hij rookte graag een sigaar en droeg klassieke maatpakken.

Voor zijn nieuw te verschijnen boek over de eerste wereld oorlog was het voor hem van groot belang enkele prominente politici in Duitsland te spreken.

Als goede bekende van de familie Mitford had Unity's broer Tom een beroep op zijn zusje gedaan om Robert Byron te assisteren tijdens zijn verblijf in Berlijn.

'Is dit niet het hotel waar Hitler vroeger altijd verbleef?' vroeg Byron, gezeten in de lobby van Hotel Kaisers Hof aan Unity.

'Ja dit was zijn vaste adres in Berlijn.' antwoordde Unity, 'Misschien slaapt u wel op zijn vroegere kamer!'

De schrijver negeerde haar opmerking. Na het aansteken van een sigaar liet hij zich in zijn stoel zakken. 'En wat is er nu allemaal waar van die afschuwelijke verhalen over het in brand steken van synagoge's en het plunderen van Joodse winkels?' vroeg hij ernstig.

'Natuurlijk is dat allemaal waar!' antwoordde Unity nadrukkelijk.

'Een schande! Dat is toch ongehoord!' protesteerde Byron.

'Het is hun eigen schuld! Een Jood heeft zomaar een medewerker van de Duitse ambassade in Parijs vermoord, dat noem ik een schande, dat is pas ongehoord!'

Byron keek haar meewarig aan. 'Ik weet dat u bewondering heeft voor Adolf Hitler maar het geeft toch te denken hoe hij zich uitlaat over Duitse staatsburgers die toevallig Joods zijn, zijn eigen volk!'

'Joden zijn helemaal geen Duitsers! Joden hebben niet echt een eigen land! Ze zijn hier ooit terecht gekomen en denken dat ze het hier voor het zeggen hebben. En de Führer heeft de moed gehad dit probleem aan te pakken! Daar kunnen wij nog iets van leren!'

'De bezetting van het Rijnland gebied, Oostenrijk, Sudetenland. En nu zijn het weer Bohemen, Moravië en Danzig waar hij aanspraak op denkt te kunnen maken! Bent u niet bang dat Duitsland zich de woede van andere landen op de hals haalt?'

Unity zuchtte alsof ze volledig verkeerd begrepen werd. 'Adolf Hitler is niet bang en wanneer het tot een oorlog komt zal hij iedereen verslaan!'

'Juffrouw Mitford, weet u wel hoeveel Engelse soldaten er in de eerste wereldoorlog zijn gesneuveld?'

'Een heleboel! En als Engeland niet oppast kan dat zomaar nog eens gebeuren!'

Byron leek weinig onder de indruk van het betoog van Unity. Hij keek om zich heen en riep een ober om een drankje te bestellen.

Unity voelde dat ze niet serieus genomen werd door haar mannelijk gezelschap en draaide demonstratief haar gezicht weg. Pas toen Byron zijn keel schraapte keek ze weer in zijn richting.

'Wel nu het is duidelijk dat u en ik niet dezelfde mening delen over de politieke keuze's die hier in dit land gemaakt worden maar staat u mij toe te zeggen dat ik uw inspanningen waardeer en uitzie naar het gesprek met de minister van buitenlandse zaken de heer von Ribbentrop.'

'Misschien kan hij u wel overtuigen van Hitler's goeie bedoelingen.' zei Unity met een verongelijkt gezicht.

Fritz Wiedemann, een kapitein van de wehrmacht toegevoegd tot één van de vaste medewerkers van de Führer ontving Unity Mitford met enige verbazing.

Op de rijkskanselarij kreeg Hitler zelden of nooit bezoek van welke vrouw dan ook. Unity zoals gewoonlijk gekleed in haar zwarte uniform had veel bekijks toen zij door de gangen van het staatsgebouw liep.

De immense deuren werden door twee zwaar bewapende mannen van SS Leibstanderte geopend.

Hitler zijn werkkamer was door Albert Speer ontworpen en leek zo uit een Hollywood studio te komen.

De afstand van het entree naar Hitler zijn bureau was ruim twintig me

er. Unity nam grote stappen om de Führer niet langer te laten wachten dan
nodig was. Vlakbij hem stopte ze en bracht ze de Hitler groet en tikte zij
haar hakken tegen elkaar.

Adolf Hitler kwam achter zijn bureau vandaan en begroette Unity met
een handkus.

'Juffrouw Mitford, wat doet het mij een plezier u hier weer te mogen
zien, neemt u plaats.' zei Hitler met een glimlach en schoof galant de stoel
aan waarop Unity ging zitten.

'Mijn Führer het spijt mij dat ik u heb moeten teleurstellen.' zei Unity.

'Het belangrijkste is dat ik u hier weer veilig voor mij zie!' zei Hitler
opgewekt.

'Alles hebben ze in beslag genomen. De film hebben ze terplekke uit de
camera gehaald en in het hotel hebben ze al mijn bagage doorzocht.'

'Maar uw ambassadeur in Praag heeft u gelukkig weer snel uit de cel
weten te halen! Is uw auto ook weer vrijgegeven?' vroeg Hitler.

'Auto's met een rechts stuur schijnen ook daar niet erg gewild te zijn.'
antwoordde Unity gevat.

'Ik heb begrepen van adjudant Brückner dat u niets van verdediging
rond het vliegveld van Praag heeft kunnen waarnemen?'

'Inderdaad mijn Führer niets wijst erop dat men een aanval op hun
grondgebied verwacht ik heb ook nergens leger eenheden waargenomen.'

'Heel goed! De komende dagen zal ik mijn uiterste best doen om een
treffen te voorkomen. Hoe denkt u dat uw regering zal reageren als wij toch
genoodzaakt zouden zijn Tsjechië binnen te vallen?' wilde Hitler weten.

'Onze minister van buitenlandse zaken is een praatjesmaker, Lord Hali-
fax zegt veel maar doet weinig. Engeland kan nog geen twee divisies op de
been brengen! Ik zeg u ze leggen u geen strobreed in de weg!'

Hitler knikte instemmend. 'Juist. Ik moet snel handelen voordat Polen
en Rusland moeilijk gaan doen, men zegt dat de twee aartsvijanden reeds
toenadering tot elkaar hebben gezocht!'

Unity luisterde aandachtig naar ieder woord van Hitler. 'Niemand zal u
hinderen. Voor de meeste mensen ligt de eerste wereld oorlog nog vers in het
geheugen. Men is het vechten moe!'

'Uw uitspraken bevallen mij stukken beter als al die onzin die mijn am-
bassadeurs uitkramen. Ze voeren niets uit en voorzien mij ook nog eens van
waardeloze informatie! Daarom heb ik ook een kleine verrassing voor u.'

'Voor mij?' zei Unity ongelovig.

Hitler haalde een leren fotokoffer tevoorschijn en overhandigde deze aan zijn Engelse vriendin.

'Maar mijn Führer ik weet niet wat ik zeggen moet!'

'Maak open! maak open!' spoorde hij Unity aan.

Een fractie later hield ze een Leica foto camera in haar handen. 'Mijn God wat een schitterend cadeau.'

'Er zit nog iets in, kijkt u eens goed!'

Ze legde de Leica op het bureau en voorzichtig liet ze haar hand weer in de fotokoffer zakken. Ze bracht iets omhoog wat in een zwarte fluwelen lap gewikkeld was. Bij het afwikkelen werd al snel de vorm van het kleine object zichtbaar.

'Een pistool!' juichte Unity opgewonden.

'Zo kan u zich op gepaste wijze verdedigen en zal niemand het in zijn hoofd halen uw Leica van u af te nemen!' zei Hitler met een waarschuwende vinger.

'Hoe laat is het?' vroeg Eva aan haar kamermeisje.

'Half tien juffrouw Braun.' antwoordde Margarete nadat ze een dienblad met ontbijt op een tafel had gezet.

'Doe de gordijnen maar open, ik wil daglicht zien!' zei Eva slaperig.

'U weet dat het niet toegestaan is maar als u het zegt dan zal ik...'

'Mijn God,' onderbrak Eva haar, 'wat een waanzin omdat men niet mag weten dat ik in de oude slaapkamer van von Hindenburg verblijf! Iedereen hier op de kanselarij weet het, wat een theater allemaal!'

Het kamermeisje schoof de zware gordijnen open.

Het vertrek had een hoog plafond en er was een schouw met een grote openhaard, daarboven hing een stoffig schilderij van Bismarck.

Het meubilair was aan vervanging toe. Het was robuust en had geen herkenbare stijl elementen.

De slaapkamer stond in verbinding met Hitler's bibliotheek in het oude gebouw aan de Vosstrasse.

Toen Margerete net weg was werd er op de deur geklopt.

'Binnen!' riep Eva.

De deur ging met een zwaai open. Adolf Hitler kwam de kamer binnen. Hij keek naar het schilderij van Bismarck, 'Vanaf heden, 15 maart 1939, staat u in mijn schaduw ik zal de geschiedenis ingaan als de grootste Duitser ooit!'

Eva was rechtop in bed gaan zitten. Ze was zo onder de indruk dat ze haar blote borsten vergat te bedekken.

Hitler draaide zich om naar Eva. 'Dit is de belangrijkste dag van mijn leven. Eva mijn liefste, vannacht heb ik president Hascha van Tsjechië ervan kunnen overtuigen dat Bohemen en Moravië onder ons protectoraat komen te staan en vandaag zal blijken of onze troepen die zojuist de grens zijn overschreden zonder slag of stoot het gebied zullen innemen. Spoedig zal ik in Praag mijn opwachting maken!'

Eva kwam uit bed en omhelsde Hitler. In een spiegel zag hij haar prachtige naakte lichaam.

Eva voelde zijn handen over haar billen wrijven.

'Naar Praag! Wanneer vertrekken we?' vroeg ze alsof het om een schoolreisje ging.

Hitler duwde haar voorzichtig van zich af en keek haar liefdevol aan. 'Onmogelijk, eerst moet het Tsjechische leger ontwapend worden en daarna vaststellen of wij het gebied volledig kunnen controleren. Over enkele weken zien we elkaar weer op de Berghof.'

Eva liep naar haar badkamer en kwam terug gekleed in een fel gele ochtendjas.

'Jammer ik had zo graag in je vreugde willen delen. Juist bij dat soort momenten wil ik graag bij je zijn, ik heb geen angst je weet ik volg je tot in de dood. Ik hou van je, ik ben jouw Eva!'

Ze kusten elkaar langdurig. Hitler liet haar los, liep naar het raam en ook zonder iets te zeggen de gordijnen dicht.

De zomerse temperaturen hadden Eva en Gretl Braun naar het grote terras van de Berghof gelokt.

Languit op twee zonnebedden, gekleed in dirndl's, de traditionele Beise kleding, genoten ze van de zon en het schitterende uitzicht.

'Eigenlijk is het toch niet normaal?' zei Gretl

'Wat?'

'Dat we niet gewoon in ons badpak mogen zonnebaden!'

'Ja maar hier op de Berghof ben je nu eenmaal niet zomaar ergens. Weet wat, anders gaan we vanmiddag naar de Königsee, daar kunnen we zelfs naakt zwemmen als we willen!'

Adolf Hitler liep samen met Heinrich Himmler op en neer over het terras en was in druk gesprek met zijn SS commandant.

'Maar u wilt mij toch niet gaan vertellen dat juffrouw Mitford een spionne is?' zei Hitler geïrriteerd.

'Ik heb geen bewijzen. Maar u moet toch toegeven dat haar gedrag op valt. Het is mogelijk dat zij belangrijke informatie aan haar vader of wellicht direct aan de Engelse regering doorspeelt, enige voorzichtigheid is niet overbodig, ik zeg u dat wij allemaal...'

Het gesprek was niet langer voor Eva en Gretl te verstaan doordat Hitler en Himmler weer langzaam naar de andere kant van het terras liepen.

'Wie is dat toch die Mitford?' vroeg Gretl nieuwsgierig.

'Sssst,' waarschuwde Eva bang dat Hitler hun kon verstaan. 'Dat spook! We hebben haar een paar jaar geleden nog op de rijkspartijdag ontmoet!'

'Oh die! Ja maar zij is toch niet een spionne?'

'Wie weet, misschien wordt zij wel gearresteerd!'

'Ja en ter dood veroordeeld!' stelde Gretl voor.

'Dat mens is hartstikke gek!' zei Eva.

'Heb je het wel eens over haar gehad?'

'Met Wolf?' vroeg Eva verschrikt.

'Ja!'

'Denk je dan dat ze iets met elkaar hebben?'

'Nee... of ja... misschien... ik weet het niet!' zei Gretl onzeker.

'Hij gebruikt haar alleen maar, zij schijnt iedereen te kennen, zelfs Chamberlain praat met haar!'

'Dus u wilt niet dat ik haar laat schaduwen of dat de Gestapo actie onderneemt?' vroeg Himmler hoorbaar toen ze weer langs de zusjes Braun liepen.

'Himmler vertel maar aan je informanten en andere onruststokers dat ik haar niets vertel waarmee wij onszelf of Duitsland in gevaar brengen! Zij is gewoon een enthousiaste studente die het Nationaal Socialisme juist een warm hart toedraagt, ik zou willen dat er meer van dan soort meisjes hier in Duitsland waren!'

Unity Mitford belde aan bij een appartement in de Agnesstrasse 26 te München. Zij werd even later binnengelaten samen met Julius Schaub en twee bewapende SS-ers door een doodsbange oudere Joodse vrouw.

'Blijft u hier maar staan!' snauwde één van de twee SS-ers haar toe.

'Zijn er nog andere mensen aanwezig?' vroeg de andere SS-er.

De vrouw durfde niets te zeggen en schudde met haar hoofd van nee.

'Schitterend!' zei Unity bewonderend terwijl ze samen met Julius door het huis liep. 'Wanneer zou ik hier kunnen intrekken?'

Julius keek op een stuk papier en las. 'Weinstein. Rebecca, weduwe. We kunnen haar er vandaag nog uitsmijten als het moet!' zei hij met een valse grijns.

'Mooi! Er moet wel het één en ander worden verbouwd. Hier de keuken. Wat een oude troep!"

'Wat wil je met die Joodse smeerlappen, ze zijn deze huizen ook helemaal niet waard!' zei Schaub terwijl hij een vies gezicht trok en het oude vrouwtje vol minachting aankeek toen hij langs haar in de gang liep.

'Geweldig! Ik ben zo blij met dit huis. Wat zal iedereen jaloers op mij zijn!' zei Unity.

Ze liep de slaapkamer in en bleef voor een toilet tafel met spiegel staan. 'Oh dit is echt heel mooi.'

Ze draaide zich om naar Schaub. 'Is het mogelijk dat dit hier blijft staan?' vroeg ze vriendelijk.

'Natuurlijk!' Je kunt uitzoeken wat je wilt! antwoordde Schaub stoer.

Unity slaakte een klein vreugde kreetje. Ze keek naar het plafond waar een mooie kristallen kroonluchter hing en wees omhoog.

'Genoteerd juffrouw Mitford!' antwoordde Schaub alsof hij een klant in een meubelwinkel hielp.

'Wat zal ik dadelijk hier heerlijk wonen en dat allemaal dankzij de Führer!'

'En mijnheer Rudolf Hess!' zei Schaub. 'Hij heeft getekend voor deze onteigening.'

'Goed hierbij bedank ik alle Nationaal Socialisten voor hun steun aan Unity Mitford.' zei ze plechtig gevolgd door de Hitler groet, 'Heil Hitler!'

Julius Schaub keek schuin weg naar de twee mannen in de zwarte uniformen en gaf ze een knipoog.

Adolf Hitler liep gespannen rond in de grote salon van de Berghof. Joseph Goebbels sprak op gedempte toon met Martin Bormann de secretaris van de Führer. Albert Speer, de jonge architect en Ernst von Weizsäcker staatssecretaris van buitenlandse zaken, zaten bij de openhaard en dronken een glas wijn. Wilhelm Brückner zat aan de telefoon en voerde een druk gesprek.

'Eva zou jij wat foto's voor mij willen maken.' vroeg Heinrich Hoffmann terwijl hij een 16 mm film in zijn Arriflex inlegde.

Eva zat nog als enige aan de eettafel en genoot van haar dessert, aardbeien met slagroom.

'Ik weet niet of de Führer daar wel prijs op stelt.' antwoordde ze met een half volle mond.

'Maar lief kind! Vanavond is het erop of eronder!'

Een historisch moment 23 augustus 1939 en wij kunnen dat voor het nageslacht vastleggen!' zei hij triomfantelijk.

Eva keek Hoffmann niet begrijpend aan, 'Alleen omdat die Von Ribbentrop naar Rusland is?'

Heinrich Hoffmann zuchtte. 'Hij is daar niet op vakantie hoor!'

'Nee dat weet ik ook wel. Maar wat is er dan zo belangrijk?'

'Als het onze minister van buitenlandse zaken lukt om een akkoord met Stalin te sluiten dan komt er geen oorlog!'

'Ik begrijp het niet. Duitsland gaat toch zeker niet Rusland aanvallen?' vroeg Eva verbaasd.

Hoffmann was klaar met zijn filmcamera, ging naast Eva zitten en nam haar hand in zijn hand.

'Lieve Eva, jij en Adolf Hitler zullen nog eens echt grote geschiedenis gaan maken.'

Eva begon te glimlachen. 'Denkt u dat echt?'

'Eva, als het Hitler vanavond lukt de Russen op afstand te houden zullen die malle Fransen en eigenwijze Engelsen zich wel twee keer bedenken om ons aan te vallen mocht het tot een oorlog met Polen komen. Dan is Adolf Hitler onsterfelijk geworden en jij... jij hebt op die avond, die nacht van het verdrag foto's van onze Führer samen met enkele van zijn belangrijkste politieke medestanders gemaakt!'

Eva trok haar schouders op. 'Het zegt mij allemaal niets. Ik hou van kunst, van film, van muziek al die besprekingen, dat eindeloze gebabbel dat is toch oer saai? Het heeft niets met creativiteit te maken!'

Hoffmann stond op. 'Kom! Dan gaan wij creatief doen!' zei hij met een lach.

'Juffrouw Mitford uw vader heeft mij persoonlijk gevraagd of ik erop wil toezien dat u terug gaat naar Engeland.' zei Sir Nevile Henderson met een bezorgd gezicht.

Unity nam voorzichtig een slokje van haar thee en tuurde aandachtig naar een schaal met koekjes waarbij haar keuze op de grootste van het as sortiment viel.

'Heeft u mij alleen daarom hier laten komen?' vroeg Unity

De ambassadeur keek haar verbaasd aan. 'Alleen daarom?' herhaalde hij spottend. 'Wij staan aan de vooravond van een ernstig conflict! Ik neem aan dat u zich bewust bent van de uiterst gevaarlijke situatie die ontstaan is. U bent hier eerdaags niet meer veilig!'

Ze ging rechtop zitten en lachte met een klein geluidje waarmee ze aangaf de ambassadeur niet serieus te nemen. 'Ik heb hier niets te vrezen. Ik voel mij hier thuis en heb geen enkele reden om te vluchten!'

'Zoals u wellicht zult begrijpen is mijn tijd beperkt. Ik heb vandaag nog belangrijke gesprekken te voeren met de politieke leiders van dit land...'

'Doet u ze allemaal de hartelijke groeten van mij.' viel Unity hem brutaal in de reden. 'En zegt u hen dat Unity Mitford eerdaags graag tot hun partij toetreedt!'

Nevile Henderson verslikte zich bijna en keek haar nu streng aan. 'Het moet u duidelijk zijn dat wanneer wij gedwongen worden tot een oorlog met Duitsland het Verenigd Koninkrijk u hier niet langer enige bescherming kan bieden!'

'Maakt u zich geen zorgen, de Führer zal mij nog veel beter beschermen dan Engeland ooit zal kunnen doen!' zei Unity trots.!'

Sir Neville Henderson stond op en opende voor zijn bezoek de deur. Unity schoof haar stoel naar achter ging staan en keek de ambassadeur hooghartig aan. Ze deed een paar stappen totdat ze vlak voor de diplomaat stond. Plotseling strekte zij haar arm en bracht ze de Hitler groet, 'Heil Hitler!' riep ze.

'Landgenoten, twee dagen heb ik met mijn regering zitten wachten op een Poolse gevolmachtigde.' Begon Adolf Hitler zijn rede op 1 september 1939 in een bomvolle Kroll opera te Berlijn alwaar hij de rijksdag en het Duitse volk toesprak 'Maar men beoordeelt mij verkeerd als men mijn liefde voor de vrede en mijn geduld voor zwakheid of zelfs lafheid aanziet!

'Daarom heb ik besloten Polen op dezelfde toon aan te spreken die dit land al sinds maanden tegen ons aanslaat. Voor het eerst hebben vannacht Poolse geregelde troepen ons eigen grondgebied beschoten en sedert kwart voor vijf vanochtend hebben wij het vuur beantwoord, vanaf nu zullen bommen met bommen worden beantwoord!'

'Sieg Heil! Sieg Heil! Sieg Heil!' schreeuwde de massa.

Ilse stoootte Eva aan, 'Hiervoor ben ik altijd bang geweest.' fluisterde ze.

'Bang? Waarom? Zij zijn begonnen hoor!' kaatste Eva terug.

Het werd weer stil. Hitler fatsoeneerde zijn haar en schraapte zijn keel. 'Wat Frankrijk en Engeland betreft wil ik nogmaals benadrukken dat het onze wens is om zo snel mogelijk met hen tot een definitieve regeling te komen.'

'Onzin, ik geloof geen woord van wat hij zegt!' zei Ilse zacht.

Eva trok haar schouders op. 'Wat jij gelooft kan geen mens wat scheler en hou nu je mond!' zei Eva bits.

'Van geen Duitser vraag ik meer dan ik gedurende de afgelopen vier jaar bereid ben geweest te doen.

De Duitser zal geen ontberingen kennen waaraan ik mijzelf niet za onderwerpen. Meer dan ooit behoort mijn gehele leven voortaan mijn volk toe.

Wederom ziet u mij hier in uniform staan, ik zal het pas uittrekken wanneer de overwinning is behaald, een nederlaag wens ik niet te overleven!'

Weer klonk het 'Sieg Heil, Sieg Heil!'.

'Hij vergeet te zeggen dat wanneer Duitsland verliest er ook honderd duizenden landgenoten zullen streven! Eva die Adolf Hitler van jou is een leugenaar, hij bedriegt ons!' zei Ilse bezorgd.

'Lief zusje van mij. Je moet niet zo praten!' zei Eva.

'Ik zeg wat ik wil!'

'Oh ja? Als je maar weet dat wanneer ze je oppakken, ik je niet uit het concentratiekamp kom halen!' waarschuwde Eva.

Twee dagen later zat Unity Mitford tegenover Herr Wagner de Gauleiter van München op het Beierse ministerie van binnenlandse zaken.

'U bent hier absoluut veilig juffrouw Mitford, daar sta ik garant voor' zei Wagner.

Unity zag bleek en was nerveus. 'Ja dat weet ik maar daar ben ik niet voor gekomen.'

Wagner vouwde zijn handen en wachtte af wat zijn bezoek te zegge had.

'Nooit, nooit had ik dit verwacht Herr Wagner. Uitgerekend nu verklaart Engeland Duitsland de oorlog. Ik voel mij zowat een verraadster, ik schaam mij dood!' zei Unity geëmotioneerd.

'U moet het zich niet aantrekken. Het is helaas een ondoordacht besluit van uw regering en u bent daar op geen enkele manier voor verantwoordelijk.'

Wagner's telefoon begon te rinkelen. Hij nam op, 'Wagner hier... Alle Fransen en Engelsen zijn praktisch weg uit München, nog een enkele journalist misschien. Ik wacht verder op orders uit Berlijn... tot horens!'

'De SS.' verontschuldigde hij zich tegen Unity nadat hij de hoorn op de haak gelegd had. 'Iedereen en alles met een Frans of Engels paspoort lijkt vogelvrij... tenminste wanneer het aan Himmler en zijn mannen ligt!'

Unity hoorde nauwelijks wat Wagner zei, 'Ik heb getracht de Führer zelf aan de telefoon te krijgen maar dat is helaas niet gelukt. Zou u voor mij deze brief aan hem willen overhandigen bij de eerst mogelijke gelegenheid dat u hem treft?' vroeg Unity.

De telefoon vroeg wederom de aandacht van de Gauleiter. Vluchtig gaven de twee elkaar een hand en opmerkelijk genoeg liet de fanatieke Unity Mitford de Hitler groet achterwege.

Eva Braun was vanuit Berlijn terug gegaan naar haar huis in München. Samen met Gretl en Marion Schönmann, een vriendin van Eva, luisterden ze naar de radio die verslag deed van de strijd in Polen.

'Eerdaags gaan we naar Warschau!' zei Eva.

'Denk je echt dat het daar leuk is?' vroeg Gretl.

'Natuurlijk is het daar leuk, je denkt toch zeker niet dat we zomaar Polen hebben aangevallen. En wie weet wordt Parijs of London ook nog wel een keer door ons bezet?'

Marion keek Eva met grote ogen aan. 'Wel nee, wat moeten we daar. Hitler komt alleen ons volk te hulp in gebieden waar we onderdrukt worden.' zei Marion belerend.

'Ja maar nu is alles anders.' zei Eva. 'Engeland en Frankrijk zijn nu onze vijanden dus moeten we die ook verslaan anders loopt het weer net zo als aan het eind van de eerste wereld oorlog.'

De deurbel ging. Gretl had de buitendeur nog niet eens helemaal open of Henriëtte Hoffmann stormde de woonkamer binnen. 'Ik heb het toch altijd gezegd, dat mens is getikt! En ja hoor ze heeft het gedaan, ze heeft zich door haar kop geschoten!' zei Henriëtte met rode konen.

Onderling werden blikken uitgewisseld maar niemand begreep waarover Henriëtte het had.

'Wie?' vroeg Eva als eerste.

'Ja over wie heb je het eigenlijk?' wilde Marion weten.

Henriëtte stond midden in de kamer met haar handen in haar zij. 'Over die idioot van een Unity Mitford natuurlijk!'

Eva lachte heimelijk, 'Zij heeft zichzelf doodgeschoten?'

'Ze ligt in de Universiteits Kliniek. Hitler heeft mijn vader gevraagd te gaan kijken hoe ze het maakt.' zei Henriëtte.

'En?' vroeg Eva nieuwsgierig

'Ze ligt in coma, de artsen vechten voor haar leven!'

'Waarom heeft ze het gedaan?' vroeg Gretl

'Is ze verliefd op de Führer?' vroeg Marion

Gretl keek naar Eva, 'Wat denk jij?'

Henriëtte was haar voor, 'Nee! Ze kon het niet verdragen dat haar land en Duitsland in oorlog zijn. Ze moest kiezen tussen Duitsland en Engeland Dat kon ze niet!'

Eva keek Henriëtte verbaasd aan, 'Hoe weet jij dat allemaal?'

'Het stond in een brief, mijn vader was bij Gauleiter Wagner toen hij de inhoud door de telefoon aan de Führer voorlas.'

'Onbegrijpelijk!' zei Eva.

'Belachelijk!' vulde Gretl aan. Er viel even een stilte.

'Ik zou als ik jou was' zei Marion' de Führer voor de keuze stellen!'

'Hoe bedoel je?' vroeg Eva.

'Dat zij, wanneer ze het overleeft of eigenlijk ook wanneer ze dood gaat direct naar haar eiland wordt gestuurd en zo niet dat hij dan per direct me jou in het huwelijk treedt. Hij mag zijn handen dichtknijpen met een vrouw zoals jij!'

Eva keek haar bedenkelijk aan. Marion kreeg bijval van Henriëtte en Gretl die spontaan *Daar komt de bruid* inzetten.

De speciale trein van Adolf Hitler stond op het station van München om naar Berlijn te vertrekken. Het was 8 november 1939 de dag dat de Führer zoals elk jaar een toespraak hield in de Bürgerbräukeller ter nagedachteni aan de mislukte putsch van 1923.

Eva Braun en haar vriendin Marion Schönmann waren niet mee ge gaan en waren door Julius Schaub opgehaald en direct naar het station gebracht.

Ze rookten samen een sigaret in de restauratiewagen, wat Hitler absoluut zou hebben verboden. Plotseling was er sprake van enige commotie op het perron. Van alle kanten verschenen zwaar bewapende SS Leibstanderte, het elite korps wat als taak had de Führer te beschermen.

Hitler kwam nerveus de wagon binnen gelopen gevolgd door zijn pers-chef Otto Dietrich en zijn adjudant Wilhelm Brückner.

Geschrokken wierp Eva Braun de sigaret uit het raam. Marion wist on-gezien haar peuk in een vaas met bloemen te laten vallen. Een bediende hielp Hitler uit zijn overjas waarna hij tegenover de dames plaatsnam.

Het was duidelijk dat er iets ernstigs gaande was. Eva en Marion keken elkaar even angstig aan.

'Juffrouw Braun,' zei Hitler, 'ik ben zojuist aan de dood ontsnapt.'

Eva sloeg haar handen voor haar mond. 'Mijn Führer u laat mij schrik-ken!'

'In de Bürgerbräukeller heeft zojuist een enorme bomexplosie plaatsge-vonden, er zijn tientallen doden en gewonden gevallen. Het lot heeft be-paald dat ik gespaard ben gebleven. Was ik vijf minuten later weggegaan dat had ik het u niet na kunnen vertellen.'

Er klonk een fluit signaal en de trein zette zich in beweging.

'Maar wie doen zo iets, zijn de daders gepakt?' vroeg Marion

Hij schudde zijn hoofd. 'Dit moet het werk geweest zijn van communisten of misschien wel van dat Joodse ongedierte!' antwoordde Hitler kwaad.

'Misschien heeft het te doen met die Engelse.' suggereerde Marion.

Hitler keek haar strak aan. 'U wilt zeggen dat juffrouw Mitford hier mee te maken heeft?'

'U moet alles in overweging nemen en niets uitsluiten.'

'Ik denk dat u zich vergist juffrouw Schönmann, ik heb haar vanmid-dag nog bezocht in het ziekenhuis, hoe zou zij zo'n aanslag hebben kunnen voorbereiden vraag ik u?'

'Juist daardoor heeft zij een perfecte dekmantel, wellicht heeft zij reeds tijden geleden de Engelse geheime dienst hierin betrokken.'

Hitler krabde zich op zijn achterhoofd en staarde naar het donkere land-schap. Eva pakte voorzichtig zijn hand. Hitler keek haar vluchtig aan en zag dat Eva huilde.

Op spoor 3 arriveerde de trein die Bern in Zwitserland als eindbestem-ning had.

Heel München lag onder een dik pak sneeuw en nog steeds dwarrelden er miljoenen vlokken als confetti naar beneden.

'Eva!' riep Gretl, 'wacht, loop toch niet zo hard!'

Buiten adem hield Eva stil achter een kiosk die midden op het perron stond.

'Vanaf hier kunnen we alles zien.' zei Eva.

'Eva we zijn hier nu voor de derde keer deze maand, wie zegt dat ze nu echt naar Engeland vertrekt?' vroeg Gretl met enige argwaan.

'De vrouw van Julius Schaub heeft Unity geregeld bezocht. Julius heeft mij verzekerd dat ze vandaag terug reist naar Engeland. Hij heeft zelf de papieren moeten regelen voor de Duitse arts en verpleegster die tot Bern met haar meereizen.'

'Ik begrijp het niet, waarom wil je haar zien, wat kan jou dat mens nou schelen. Een gestoorde invalide, dat kan je toch moeilijk een rivale noemen?' vroeg Gretl.

'Ik vertrouw het niet, ik vertrouw niemand meer!' antwoordde Eva. 'Pas wanneer ze is vertrokken heb ik rust.'

'En als ze nu nooit meer weggaat. Stel ze blijft hier voor eeuwig, wat dan?'

'Ik wil haar hier niet in Duitsland hebben. Misschien is ze inderdaad zoals Himmler heeft gezegd een spionne, heeft ze contact met de Engelse geheime dienst. Ze is toch niet dood, alles wat zij doet is volgens mij doorgestoken kaart!'

Eva stootte Gretl aan, 'Kijk!'

Een taxi en een ziekenwagen stopten bij de gereserveerde wagon.

'Kom!' zei Eva.

Ze trok de kraag van haar jas nog een stukje omhoog, deed haar shawl voor haar mond en drukte haar hoed nog iets steviger op haar hoofd.

'Ik wacht hier!' zei Gretl.

Zonder een woord te zeggen keek ze Gretl aan, vervolgens liep ze naar de gereedstaande trein.

De deuren van de ziekenwagen werden geopend en even later werd Unity door twee ziekenbroeders op een brancard naar buiten getild.

Eva stond op hooguit een meter of tien van haar vandaan. Plotseling was er oogcontact. Eva stond aan de grond genageld. Unity kwam overeind en keek haar aan met een doordringende blik. Ze strekte haar arm en bracht de Hitler groet. Unity's mond bewoog en zelfs van een afstand kon je 'Heil Hitler!' op haar lippen lezen.

Eva draaide zich snel om en liep terug naar haar zusje.
'En, was het Unity?' wilde Gretl weten.
'De duivel!' antwoordde Eva geschrokken.

Verona 27 februari 1940.

Lieve Marion,

Ik ben vorige week met mijn moeder en Gretl naar Verona gereisd.
Heerlijk gewinkeld.
Zijden lingerie en prachtige schoenen gekocht.
Vanavond zijn wij naar een Opera van Verdi geweest en hebben we
een hele fles Chianti leeg gedronken!
Mijn hotelkamer kijkt uit op de Arena die s'avonds helemaal verlicht
is.
Volgende week ben ik weer terug op de Berghof, hoop dat ik je daar
weer snel zal zien!
Lieve groeten, Eva Braun.

Eva blies de inkt droog en draaide de afbeelding van de ansichtkaart naar zich toe
Er werd zacht op haar kamerdeur geklopt.
'Ja, binnen!'.
'Ja kom maar binnen.' riep ze nogmaals in de waan dat het haar moeder of Gretl was.
Er werd nu voor een derde keer geklopt. Eva stond geïrriteerd op en opende met een ruk de deur. Tot haar schrik zag ze een man in een licht grijs uniform staan. Zijn knappe uiterlijk, atletische lichaam en stralende lichtblauwe ogen maakten van hem een opvallende verschijning. Hij nam zijn pet af en knikte vriendelijk. 'Neemt u mij niet kwalijk dat ik u hier stoor, maar ik wilde deze gelegenheid niet zomaar voorbij laten gaan.' zei hij in perfect Duits.
Eva's geschrokken uitdrukking maakte snel plaats voor een glimlach. 'Maar u bent, ik heb u ooit in Napels ontmoet!'
'Francesco Impararto.' stelde hij zich voor en gaf Eva een handkus.
'Ja natuurlijk u was onze gids tijdens de vlootschouw, wanneer was het, ıh?'

255

'Bijna twee jaar geleden!'

'Komt u verder.' zei Eva enigszins gespannen. Ze sloeg haar ochtendjas dicht zover als zij kon.

'Wat doet het mij goed u eindelijk weer te zien, u bent nog altijd even mooi.' complimenteerde hij haar. Eva wist niet goed wat ze hem moest antwoorden en sloeg haar ogen neer.

'Ik heb maanden op een antwoord van u gewacht. U heeft mij nooit terug geschreven.' De officier zag de ansichtkaart die Eva zojuist geschreven had op het bureautje liggen. 'Zelfs geen kaartje heeft u mij gestuurd.' zei hij met een droevige glimlach.

'Maar ik... ik heb nog nooit van u een brief mogen ontvangen!' verontschuldigde Eva zich.

'Onmogelijk, ik heb u meer dan dertig brieven geschreven!' verweerde hij zich.

'Dat is toch vreemd, ik weet niet wat ik zeggen moet.'

'Niet erg! Ik ben blij u eindelijk weer te zien!'

Eva was op de rand van haar bed gaan zitten. 'Maar hoe wist u dat ik hier was?'

Francesco keek haar triomfantelijk aan, 'Als verbindingsofficier heb ik gelukkig zo mijn contacten.'

Ze moesten lachen. Hij keek haar verliefd aan. Eva bloosde. Toen hij plotseling voor haar knielde wilde ze opstaan maar hij pakte haar hand waardoor Eva twijfelde en bleef zitten.

'Eva Braun vanaf het eerste moment dat ik u ontmoet heb weet ik dat er voor mij nooit meer een andere vrouw zal zijn. Natuurlijk heb ik begrip dat u als secretaresse van de Führer een positie bekleedt waarbij u bepaalde regels in acht moet nemen. U heeft mij reeds laten weten zich thuis te voelen in dit land ik zou niets liever willen dan met u te genieten van de schoonheid en alle geneugten die Italië te bieden heeft. Maar wat ik werkelijk zeggen wil is dat mijn hart, mijn ziel, alles in mij naar uw liefde verlangt!'

Eva was sprakeloos en genoot van de aandacht en romantiek. Hij kuste haar hand en ging vervolgens naast haar op de rand van het bed zitten. 'Het zou mij een groot voorrecht zijn u een keer te mogen bezoeken in München en kennis te maken met uw familie. Maar ook reis ik graag naar Berlijn of de Berghof als u uw werkzaamheden voor de Führer moet verrichten'

'Gelooft u mij, nog nooit heeft iemand zulke aardige en mooie dingen tegen mij gezegd, ik ben echt heel erg onder de indruk en het spijt mij dat ik misschien een beetje afstandelijk reageer, maar ik, ik moet u zeggen dat...'

Het gebeurde voordat Eva er erg in had. Francesco sloeg zijn armen om haar heen en zoende haar met Italiaans temparament.

Eva's weerstand was snel gebroken. Maar toen Francesco haar ochtendjas open trok kwam er een abrupt einde aan zijn liefdesspel. Als door een wesp gestoken sprong Eva van het bed en nam afstand van de Italiaanse marine officier.

Ze veegde haar mond af en keek hem met een verwilderde blik aan. 'Gelooft u mij als ik u zeg dat u lust gevoelens in mij heeft losgemaakt.'

Francesco was opgestaan en liep langzaam weer op Eva af. Ze maakte een afwerend gebaar.

'Maar u moet weten ik behoor een ander toe! Niets kan dat meer veranderen! Ik heb getracht mijzelf van het leven te beroven uit liefde voor de Führer! Onze levens zijn onlosmakelijk met elkaar verbonden. Zolang Adolf Hitler leeft leef ik en als hij sterft zal ook ik de dood verkiezen.'

Francesco kon nauwelijks bevatten wat hij hoorde.

Eva hoorde hem 'Madonna' zeggen gevolgd door iets wat op gevloek leek maar even goed een bijbelse tekst kon zijn.

Adolf Hitler kwam Eva's kamer op de Berghof binnengestormd. 'Juffrouw Braun ik accepteer dit niet!'

Eva zat achter haar toilettafel en stiftte haar lippen.

'Nogmaals zeg ik u dat dit niet kan!'

Ze borg haar make-up op in een etui en keek Hitler ondeugend aan. 'Ik ga met u mee naar de Festspiele in Bayreuth!'

Hij zette zijn handen in zijn zij. 'Ik heb je koffers uit de auto laten halen!'

'Dan neem ik de trein wel.' zei Eva laconiek.

'Effie stel je niet aan!'

'Waarom mag ik niet mee?'

'Omdat ik genoeg aan mijn hoofd heb, omdat ik daar verplichtingen heb als beschermheer van de Festspiele en omdat de mensen daar hun Führer willen zien en spreken en ik nauwelijks aandacht aan jou zou kunnen schenken!'

'Ha!' lachte Eva spottend. 'Geen tijd voor mij maar wel voor Winifried Wagner, Leni Riefenstahl Magda Goebbels...'

'Hou op!' viel hij haar in de rede. 'Denk je nu echt dat die vrouwen jouw plaats zouden kunnen innemen?'

Eva haalde haar schouders op, 'Je hebt mij nog nooit gezegd dat ik de enige voor je ben.'

'Eva toch!' Hitler ging achter haar staan, legde zijn handen op haar schouders. Via de spiegel keek hij haar in de ogen. 'Mijn liefste Eva, ik ben juist dol blij dat jij er bent. Mijn wereld is niets wanneer jij er niet zou zijn! Wanneer ik oorlog voer en weet dat er Duitse soldaten sneuvelen is dat mijn verantwoordelijkheid. Ik neem beslissingen die voor vele Duitsers verdriet en ellende hebben gebracht. In de nabije toekomst zullen er nog misschien wel veel zwaardere offers gebracht moeten worden. Ik weet als geen ander wat het is om eenzaam te zijn! Niemand geeft mij de vreugde die jij mij schenkt, niemand geeft mij de kracht die ik door jou ontvang. Ik besta en functioneer alleen door jou Eva!'

Ze nam zijn hand en kuste hem zacht.

Het was 6 februari 1941 toen Eva Braun op de Berghof haar negenentwintigste verjaardag vierde.

Nadat de genodigden in de huisbioscoop *Gone by the wind* hadden gezien trok Hitler zich samen met Joseph Goebbels, Hermann Göring en Martin Bormann terug in de bibliotheek.

Eva ging naar de kelder om een spelletje te kegelen. Marion Schönmann en Herta Ostermayer, kregen van Heinrich Hoffmann nog wat spelinstructies.

Henriëtte, de dochter van Heinrich, gooide de eerste bal daarna was het de beurt van Julius Schaub.

Eva en Gretl zaten op een bankje en wachtten op hun beurt.

Heinrich Hoffmann dronk de ene na de andere cognac en leek aangeschoten toen hij naast de jarige plaatsnam.

'Zo mijn lieve Eva en hoe bevalt het je hier, hoog in de bergen ver weg van het mondaine leven in de grote steden?' vroeg hij met dubbele tong.

'Ach het leven is hier goed, ik mis alleen u en al mijn goede vrienden. Maar vanavond zijn jullie hier gelukkig allemaal om mij heen!' zei ze vrolijk.

Hoffmann keek Eva grijnzend aan. 'En wat denk je, zal Duitsland de wereld regeren?'

'De wereld? Nee toch! Dan zie ik de Führer waarschijnlijk helemaal niet meer!' lachte Eva.

'Ken je Helmuth nog, die jongen die wel eens op zaterdag in de winkel hielp?' vroeg Heinrich.

'Oh ja die altijd grapjes maakte en op zijn vingers kon fluiten.' zei Eva.

'Die is dood.' zei Hoffmann. En voordat zij iets kon zeggen, 'Trouwens de zoon van mijn zwager ligt met een geamputeerd been in een ziekenhuis.'

'Maar wat erg wat is hun overkomen?' vroeg ze geschrokken.

Hoffmann schudde zijn hoofd. 'Die verdomde rot oorlog!' zei hij waarna hij een flinke slok cognac naar binnen werkte.

'Maar mijn God wat verschrikkelijk.'

'Duizenden doden, ontelbaar veel gewonden!' ging hij somber verder.

' We moeten niet achterom kijken, de toekomst daar gaat het om!'

Met lodderige ogen keek Hoffmann voor zich uit.

'En daar maak ik mij nou juist zo'n zorgen over.'

'Over wat?' vroeg Eva.

'Over onze toekomst. Over dat er dadelijk nog oorlog komt met Rusland of met heel de wereld, wat God verhoede!'

Eva keek Hoffmann met enig medelijden aan, 'Welnee onze Führer zou het nooit zo ver laten komen. Hij heeft toch altijd alles aan gedaan en geprobeerd een oplossing te vinden?'

'Ja, en wat was uiteindelijk het resultaat?'

'Oorlog.' antwoordde Eva met een zucht.

Dit is een extra nieuwsuitzending. Vandaag zondag 11 mei 1941 is bekend geworden dat Rudolf Hess, plaatsvervanger van de Führer, gisteren met een vliegtuig naar Schotland gevlogen is. De Führer heeft reeds laten weten dat Rudolf Hess volledig op eigen initiatief heeft gehandeld en dat hij...' Met een snelle beweging zette Adolf Hitler de radio uit.

Eva Braun stond voor het immens grote raam van de Berghof en keek naar de bergen waarvan de meeste toppen nog met sneeuw bedekt waren.

'Rudolf Hess!' schreeuwde Hitler, 'Ik vertrouwde Rudolf Hess als was hij mijn broer. En nu maakt hij mij ten schande! Naar Engeland gevlogen om daar onderhandelingen te voeren met Churchill! Die man is volledig gestoord! Idioot!'

Adolf Hitler liep op en neer door de salon en tikte met zijn wijsvinger op zijn voorhoofd.

'Dit is je reinste landverraad. Als hij ooit terug komt naar Duitsland

laat ik hem ogenblikkelijk terechtstaan en krijgt hij de kogel!' zei Hitle
woedend.

De twee honden van Eva zochten bescherming bij hun vrouwtje toer
Hitler opnieuw begon te schreeuwen.

'Waarover dacht hij daar te kunnen praten en in wiens naam?' tierde
Hitler.

'Ik vond het altijd al een sukkel, die man kan toch helemaal niets en dar
is hij ook nog eens een keer jou plaatsvervanger!' zei Eva en draaide zich
langzaam om naar Hitler die nog steeds driftig heen en weer liep.

'Misschien is het wel een complot en wacht men in Berlijn totdat ze be
richt uit Londen krijgen?' opperde Hitler

'Kom nou toch,' zei Eva, 'Rudolf Hess heeft toch geen enkele uitstraling
je gelooft toch niet dat hij op wat voor een manier dan ook in staat zou zijr
om de macht te grijpen? Zo'n man zou jou moeten opvolgen? Het is lach
wekkend en triest tegelijk.'

Adolf Hitler ging naast haar staan, 'En wie zou jij dan wel als mijr
plaatsvervanger benoemen?' vroeg hij Eva nadat hij weer wat tot bedarer
was gekomen.

Ze keek hem een beetje verlegen aan en had duidelijk niet op deze vraag
gerekend. 'Tja ik denk aan iemand zoals Albert Speer of misschien we
Heinrich Hoffmann. Mensen met een artistieke gave die iets extra's hebber
iets bijzonders!'

'Wat hou ik toch van je! Zo onbevangen, zo heerlijk spontaan.' zei Hitle
terwijl hij voorzichtig even haar hand vast hield.

'Wolf niemand kan jou vervangen, jij bent onze 'Führer... voor eeuwig
en altijd!

Hij sloeg zijn arm om haar heen. Toen Martin Bormann binnen kwam
liet hij Eva snel weer los.

Adolf Hitler zat met zijn gezelschap rond een knetterende openhaard. En
kele bedienden serveerden thee, koffie en tal van zoetigheden

'Gelukkig ben ik niet getrouwd. Het huwelijk zou voor mij een ramp
geworden zijn.' zei Hitler. Otto Dietrich, de persvoorlichter en Christa
Schroeder, secretaresse van Hitler knikten beleefd. Albert Speer luisterde
met een half oor. Heinrich Hoffmann zong zacht de tekst mee van een
kerstliedje dat uit de luisprekers van de radio klonk.

Martin Bormann leek de enige die met grote interesse het betoog van

Hitler aanhoorde.

Eva Braun zat met Gretl en Marion Schönmann bij de grammofoon, ze bekeken de platen collectie.

'Een punt waar al snel misverstanden ontstaan tussen man en vrouw, is wanneer de echtgenoot aan zijn vrouw niet al die tijd en aandacht kan besteden waarop zij meent recht te hebben.

Men moet deze veeleisendheid begrijpen. Een vrouw die van een man houdt, leeft alleen maar om hem ter wille te zijn, hem te plezieren. Pas bij het moederschap ontdekt de vrouw dat er sprake is van een andere werkelijkheid. Plotseling lijkt haar taak duidelijk.'

Christa Schroeder moest geeuwen maar wist dit met haar hand te camoufleren.

'Maar toch blijft zij zeuren om aandacht,' vervolgde Hitler, 'zelfs wanneer de man thuis is wordt hem verweten dat hij met zijn geest elders is. Daarom is het beter niet getrouwd te zijn. Het vervelende van een huwelijk is dat het rechtaanspraken schept. Daarom is het veel beter een minnares te hebben, het verlicht de last van tal van verplichtingen. Alles is dan veel vrijblijfender van aard waardoor voor beide partijen de zaken eenvoudig en helder zijn'

Niemand van zijn toehoorders leek zich aangesproken te voelen of te willen reageren op de inmiddels bij iedereen bekende uitspraken van hun gastheer.

'Wat ik u zojuist gezegd heb slaat natuurlijk alleen op mannen met een verheven taak in dit leven.' verduidelijkte Hitler zich.

Eva's vriendin Marion was kort voordat Hitler was uitgesproken vlak naast hem gaan zitten. 'Mijn Führer maar wat gaat u dan doen nu de Amerikanen ons ook de oorlog hebben verklaard.' vroeg ze, Hitlers monoloog over het huwelijk negerend.

Plotseling leek iedereen wakker geschud.

Martin Bormann kneep hard in de leuningen van zijn stoel en Otto Dietrich begon zenuwachtig wat pluisjes van zijn zwarte pantalon te plukken. Hitler keek haar verrast aan en kuchte nerveus.

'Juffrouw Schönmann u snijdt hier een politiek vraagstuk aan waar zelfs onze voltallige legerstaf geen concrete antwoorden op had. Zoals u misschien gehoord heeft ben ik sinds kort bevelhebber van het leger. Ik krijg grijze haren van mijn generaals, niet van mijn vijanden. Maar ik verzeker u hier allen aanwezig, dat president Roosevelt geen idee heeft over wat er zich hier in Europa afspeelt. Wij zijn één volk. De Verenigde Staten van Amerika zijn een samenraapsel van kolonialisten zonder een gemeenschappelijk doel Maar onze eerste zorg is nu het oostfront, Moskou zal binnen enkele weken vallen en spoedig heersen wij over heel Rusland.' Gretl keek Eva aan en trok een raar gezicht. 'Nou die filmcarrière van je in Hollywood kun je geloof ik maar beter vergeten!' fluisterde ze.

'Eva wat ben ik blij dat je weer in München bent.'
    zei Fanny haar moeder.
    De familie Braun zat aan een ronde tafel in café Heck
    'Ik voelde mij zo alleen op de Berghof, de Führer is al weken aan het front.' zei Eva.
    Ilse lachte spottend, 'Aan het front? Wedden dat ie ergens veilig in een bunker zit. Ik denk dat Hitler nog nooit gezien heeft hoe onze jongens daar een zogenaamde heldendood sterven.'
    Fanny keek haar oudste dochter kwaad aan. 'Ach Ilse hou toch op!'
    'Waarom? Het is toch duidelijk dat we een verloren strijd vechten!' stelde Ilse vast.
    'Onzin,' zei Eva, 'juist nu is er alle reden om te laten zien dat wij een dapper en strijdvaardig volk zijn en dat we de Führer volgen tot in de dood.'
    'Dat is jouw keuze, niet die van mij!' zei Ilse.
    'Oh dat weet je nog niet,' zei Gretl opgewonden, 'ik ben verliefd op Hermann Fegelein.'
    'Gretl dat meen je niet! Die knappe kerel die net op de Berghof is komen werken? Hij doet toch iets bij de SS of zo. Wanneer ik Hitler niet was tegen gekomen zou ik met zo'n man willen trouwen!' zei Eva met passie.
    'Ja, wanneer trouw je eigenlijk?' vroeg Ilse.
    'Ik?' Eva dacht even na, 'Wanneer de oorlog voorbij is... dan pas zal ik trouwen. Ik wil geen gezin als de vader altijd weg is.'
    'Misschien moest de Führer dan maar eens over vrede nadenken. Anders praat je toch een keer met hem.' plaagde Ilse haar zusje.
    'Wie weet waar het goed voor is Eva.' zei Gretl met een glimlach.
    'Ja je hebt toch gezien wat je voor je vader hebt kunnen doen.' zei Fanny instemmend. 'Directeur van een militair hospitaal dat is toch een stuk beter dan vechten aan het oostfront! of niet soms Fritz?'
    Ze keek haar man aan die een even ter bevestiging knikte maar verder niets zei. Hij voelde zich opgelaten en leek zich zelfs te schamen.

'Wat hoorde ik nou van Gretl,' zei Fanny, 'Heinrich Hoffmann mag niet meer op de Berghof komen omdat hij teveel drinkt?'

Eva fronste haar wenkbrauwen. 'Dat is overdreven. De Führer heeft hem een waarschuwing gegeven dat is alles.'

'En je mag niet roken!' zei Gretl, 'de Führer heeft op de Berghof alle asbakken laten verwijderen!'

'Belachelijk!' zei Ilse.

'Weet je wat hij ook wil doen?'

Eva wachtte even om de spanning op te bouwen.

'Hij wil dat er op alle pakjes sigaretten een strook komt met knal rode letters waarop te lezen staat, Roken is ongezond en veroorzaakt uw dood.'

Ilse schudde haar hoofd en stak snel een sigaret op terwijl Fritz van zijn pijp genoot.

De zomer van 1943 was regenachtig. Gewapend met paraplu's hadden Adolf Hitler en Eva Braun samen met enkele gasten waaronder Baldur von Schirach, zijn vrouw Henriëtte, Herman Fegelein, verbindingsofficier en Heinrich Hoffmann zich naar het nabijgelegen theehuis op de Obersalzberg begeven.

Martin Bormann en Christa Schroeder waren vooruit gegaan om het gezelschap met thee en gebak te ontvangen.

Hitler zat tussen Eva en Henriëtte en liet zich de zoetigheid van cake en slagroom goed smaken.

'U boft toch maar om in het mooie Wenen te mogen wonen en waar men ook nog al dit lekkers maakt.' zei Hitler tegen Henriëtte.

'Wenen is een heerlijke stad. Ik begrijp heel goed dat u daar vroeger graag verbleef.' zei ze beleefd.

'En hoe was uw verblijf in Holland?' wilde Hitler weten.

'Ja, Amsterdam moet zo mooi zijn!' viel Eva hem bij.

'Wij hebben genoten,' antwoordde Henriëtte, 'Rijkscommissaris Seyss-nquart heeft ons alles laten zien. Den Haag is een stijlvolle stad, chic en elegant, maar Amsterdam is uniek!'

'We hebben met een boot door de grachten gevaren en logeerden in het Amstel Hotel.' lichtte Baldur von Schirach toe.

'Het was een heerlijke vakantie!' benadrukte Henriëtte, 'behalve die ene ochtend, afschuwelijk!'

Iedereen merkte dat de vrouw van Baldur plotseling op een geheel andere toon sprak.

'We waren met een paar auto's onderweg naar het Rijksmuseum toen zich iets voordeed wat ik maar niet vergeten kan!' Ze hield even stil en dacht na.

'Ergens op een plein zag ik hoe onze soldaten hulpeloze vrouwen en kinderen bijeen dreven, ze werden geduwd en geslagen. Het was mens onwaardig! Er viel een pijnlijke stilte. Alleen het gehijg van Blondi, Hitler's Duitse herder, die aan zijn voeten lag klonk nu opvallend hard.

'Seyss-Inquart,' vervolgde Henriëtte, 'vertelde mij later dat het Joden waren die op transport naar een concentratiekamp gingen... ik denk dat z Amsterdam nooit meer terug zullen zien!'

Adolf Hitler keek haar ontzet aan. 'Duitsland is in oorlog of wist u da nog niet! In oorlog met de vijanden van het Duitse volk en daar horen ook de Joden bij!'

In een ijzingwekkende stilte keken de gasten toe hoe hij langzaam uit zijn stoel kwam.

'Uw bent een zwakkeling Frau van Schirach! U zou zich moeten schamen voor dit sentimentele gedoe en dat ook nog in bijzijn van uw man en uw vader!' schreeuwde hij haar toe.

Heinrich Hoffmann vatte moed om tussenbeide te komen maar zag daar vanaf nadat Martin Bormann hem een waarschuwende blik had gegeven.

'Moet ik u soms gaan uitleggen waarom wij de Joden oppakken en wat voor soort mensen dat zijn?

Zonder nog iets te zeggen verliet Hitler het theehuis.

Henriëtte zat lijkbleek in elkaar gedoken op haar stoel. Heinrich Hoffmann en Baldur von Schirach volgden de Führer om hem te overtuigen dat Henriëtte een vergissing had gemaakt.

'Hier,' zei Eva en gaf haar een servet om haar ogen te drogen.

'Dank je. Ik begrijp het niet. Niemand wil toch dat zulke dingen gebeuren. Beseft de Führer dan niet dat een oorlog nooit tegen vrouwen en kinderen gericht mag zijn! Eva jij moet dat toch begrijpen?' vroeg ze vertwijfeld.

'Misschien, maar de Führer is geniaal en wij kunnen niet alles begrijpen wat hij doet.'

'En jij Christa, wat vind jij er van?' vroeg Henriëtte smekend naar bevestiging.

De secretaresse van Hitler verwachtte duidelijk niet te worden aangesproken. 'Ik? Oh ik uh... ik weet het niet. Ik hoop dat de oorlog snel voorbij is!'

Henriëtte beet op haar lip en straalde onbegrip uit. Eva blies haar thee
auw en Christa begon met het opruimen van de kopjes en bordjes met res-
en van het gebak.

Plotseling verscheen Heinrich Hoffmann die een zorgelijke blik op zijn
gezicht had.

Henriëtte stond op en viel in de armen van haar vader. 'Lieve vader U
weet niet hoe erg het is, en niemand doet iets!'

'Sssst zeg maar niets meer. Hitler wil dat je direct vertrekt. De bagage
wordt al naar jullie auto gebracht.' zei Hoffmann verdrietig.

'Kijk nou toch wat zonde!' zei Eva die bij een tafel stond waar nog meer
dan tien gebakjes op een plateau stonden.

Ver boven de Berghof lag op ruim 1850 meter het Adelaarsnest. Een lift,
met een groen leren bank en volledig bekleed met messing, bracht bezoekers
in enkele minuten naar het hooggelegen paviljoen. Martin Bormann was
de bedenker geweest van dit geld verslindende project wat meer dan dertig
miljoen rijksmark had gekost.

Hier zou Adolf Hitler in alle rust kunnen vergaderen en nadenken over
het Derde rijk.

Maar op 3 juni 1944 werden de salon en vier andere vertrekken van het
Kehlstein-huis door zo'n zestig gasten bevolkt.

'Gretl ik ben zo blij voor je. Je bent de mooiste bruid die ik ooit gezien
heb.' zei Eva die er zelf betoverend uit zag in haar goudkleurige avondjurk
met laag decolleté.

Ze stonden samen voor de spiegel in het damestoilet en werkten hun
make-up bij.

'Eva ik hoop echt dat jij en Hitler ook snel zullen gaan trouwen, ik weet
dat je daar naar verlangt!'

'Zeg Frau Fegelein waar bemoeit u zich mee?' plaagde Eva haar zusje.

Plotseling stormde Hermann Fegelein de kleine ruimte binnen. 'Aha hier
had je je verstopt.' zei hij tegen Gretl met een beschonken stem. 'Kijk nog
zo'n mooi vrouwelijk Braun exemplaar. Wanneer ik een Sjeik was zou ik je
zuster er zo bijnemen!'

Hij sloeg zijn armen om de twee zusjes heen. Gaf Gretl een zoen op haar
mond en probeerde ook Eva te kussen die zich echter snel aan zijn greep
ontworstelde.

'Ik geloof dat ik jullie hier maar beter even alleen kan laten.' zei Eva speels en verliet het damestoilet.

'Waar is de chef?' vroeg Eva waarmee ze Hitler bedoelde aan haar vrien din Marion Schönmann. Zij zat op een stoel en genoot van de een viertal muzikanten die iets speelden wat op een Tango leek. Twee paartjes hadden deze dans aardig onder de knie. De anderen stonden wat te klungelen.

'Wanneer je de Führer weg wilt hebben moet je een orkestje laten spelen en gaan dansen.' antwoordde ze geamuseerd.

'Is hij echt weg gegaan?' vroeg Eva teleurgesteld terwijl ze naast Marion ging zitten.

Marion draaide zich naar Eva toe en pakte haar hand vast. Haar bli was serieus. 'Eva Braun, ik zeg je dit als goede vriendin. Adolf Hitler is een machtig man, hij heeft iets unieks bereikt waar je respect voor moet heb ben. Maar ik geloof dat jij een man verdient die jou werkelijk op waarde weet te schatten. Weet je wel hoeveel mannen stapelgek op jou zijn?'

Eva moest lachen, 'Marion je hebt gedronken!'

'Drinken, dansen, zingen, vrijen en plezier maken dat is gezond! Je heb het zelf zo vaak tegen mij gezegd. "Ik zit hier maar in een gouden kooi moo te wezen. Dat is toch geen leven voor een jonge vrouw zoals jij?'

'Je bent lief. Ik begrijp heel goed wat je zegt maar ik ben gelukkig al i het soms moeilijk. Maar ik weet dat ik uiteindelijk beloond zal worden. I vertrouw op hem, de Führer heb ik lief al was het mijn eigen kind! Hij i alles voor mij!'

Marion haalde haar schouders op. 'Het is jouw leven! Kom ik heb zin in nog veel meer champagne!' Ze stond op en verdween naar de bar.

Heinrich Hoffmann stond bij Hermann Göring en Himmler die dru met elkaar in gesprek waren. De conversatie kon hem duidelijk weinig boei en. Toen hij Eva alleen zag zitten liep hij op haar af.

'Sta me toe u deze dans te vragen.' vroeg hij charmant en maakte een buiging.

'Kom gaat u zitten.' zei Eva uitnodigend. 'Vanavond praat ik liever dan dat ik dans. Hoe gaat het met Henriëtte? Hoffmann's vrolijke gelaat ver anderde in een zorgelijk gezicht. 'Ze is door Hitler als persona non grata verklaard, hij wil haar nooit meer zien! Wanneer ze niet mijn dochter wa geweest had hij haar zeker naar een kamp laten sturen.' zei Hoffmann emo tioneel.

'Zo erg kan het toch niet zijn.' zei Eva geschrokken.

'Het is vreemd hoe dingen kunnen lopen.'

'Hoe bedoelt u?'

'Ik bedenk mij opeens dat ik lang geleden mijn Henriëtte heb voorgesteld aan Hitler. Het was kort voordat jij bij mij in dienst kwam. Hitler was soms erg somber en ik probeerde hem op te vrolijken. Heel even heb ik gedacht dat hij wel gecharmeerd was van mijn dochter. Maar toen zag hij jou en werd het mij al snel duidelijk dat Hitler stapelverliefd op jou was. En nu ben jij zijn vrouw.' Eva glimlachte.

'Misschien niet officieel,' vervolgde Hoffmann 'maar jij bent zijn grote liefde! Henriëtte haat hij! Dat lieve kind van mij, wat verdriet had over iets wat haar had geraakt. Ze wilde alleen maar haar zorg laten blijken. Hoeveel mensen krijgen de kans om hem direct aan te spreken, wie durft er iets te zeggen over het mishandelen van Joden?

Niemand! Alleen mijn dochter had wel de moed en wordt op genadeloze wijze afgestraft! Dat doet pijn. Hitler is mijn vriend... Maar soms lijkt het of hij niet meer de werkelijkheid onder ogen wil zien. Misschien ligt daar een taak voor jou Eva! Jij kent hem alleen zoals geen ander hem kent.'

Met een schuine blik keek zij Hoffmann aan.

'Geloof mij, uw verdriet en uw pijn en ook dat van Henriëtte staat niet in verhouding tot de last en verantwoording die Hitler dagelijks met zich meedraagt. U kent hem door en door, juist u zou moeten weten dat hij lijdt, dat hij eenzaam is omdat zoveel mensen hem niet begrijpen en hem tegenwerken!'

'Eva,' zei Hoffmann bedachtzaam, 'ik ben een fotograaf, wat ik voor mijn lens krijg vergeet ik soms snel maar in de donkere kamer herinneren mijn negatieven mij aan de werkelijkheid. Ik heb honderden zo niet duizenden foto's van de Führer gemaakt. Zijn gezicht, zijn ogen zijn gehele uitstraling is triest. Adolf Hitler is onzeker, erger nog.... ik denk dat hij in grote angst leeft!'

'Ik drink op onze Führer!' riep Hermann Fegelein die op een stoel was gaan staan en een toast uitbracht.

'Duitsland is onoverwinnelijk! Adolf Hitler is mijn held, en Gretl zal vannacht ontdekken dat een SS officier altijd zijn plichten nakomt... wij zijn onuitputtelijk... Sieg Heil! Sieg Heil!'

Fegelein raakte uit evenwicht en viel straal bezopen tot grote hilariteit van de aanwezigen met een klap op de grond. Eva gierde het uit, ze keek even opzij en zag dat Hoffmann was opgestaan en hoofdschuddend wegliep.

Diezelfde zomer genoot Eva van alles wat de Berghof en de omgeving t
bieden had.

De Königsee was een verlaten bergmeer op een klein uur lopen van d
Obersalzberg.

Het water was er helder en koel. Eva deed een wedstrijdje vrije slag en la
aan kop. Herta Ostermayer zwom een meter of tien achter haar en Mario
Schönmann had al opgegeven.

Terug op het kiezelstrandje lagen ze nu op hun handdoeken in de zo
te drogen.

'Is hij in Frankrijk?' vroeg Marion aan Eva.

'Ik weet niet waar de chef is. Misschien zit hij wel ergens met Churchi
te praten.' antwoordde Eva.

'Churchill?' zei Marion verbaasd. 'Nou geloof dat maar niet. De gealli
eerden willen ons in de pan hakken. Voor onderhandelen is het nu te laat!

'Zijn het net zulke beesten als die Russen?' vroeg Herta angstig.

'Ja natuurlijk!' zei Marion fel.

'Engelsen zijn keurig, die hebben manieren.' merkte Eva op.

'Pffff ...kom nou toch! We hebben het over oorlog, over soldaten... d
wereld staat in brand!' betoogde Marion.

'Maar hier zullen ze toch nooit komen?' vroeg Herta bezorgd.

'Onze grenzen komen ze nooit over. Het gaat hun alleen om de bezett
gebieden. Die willen ze bevrijden!' meende Eva.

In de verte klonk het geluid van een naderende auto.

Marion richtte zich op. 'Kijk daar heb je de vijand al! We geven ons gelij
over hoor en zeggen dat het allemaal de schuld van die vieze dikke Görin
is!'

Eva en Herta moesten lachen en zagen nu ook de auto met grote vaar
dichterbij komen.

'Dat is Zechmeister.' Zei Eva.

'Wie?' vroeg Marion.

'De chauffeur van Bormann' antwoordde Eva

De Mercedes remde op het doodlopende landweggetje en veroorzaakt
een grote stofwolk.

De meisjes hoorden de chauffeur hoesten en zagen hem uit een soor
rookgordijn opduiken. Bezweet en hijgend stond hij voor de dames die hen
weinig geïnteresseerd aankeken.

'Frau Braun! Excuseert u mij maar ik heb een belangrijkje boodschap oor u!'

Eva geeuwde. 'Vandaag niet Zechmeister! Kom maar een andere keer!' laagde zij hem.

'Ik smeek u naar mij te luisteren! Zojuist is er bericht ontvangen dat er en aanslag op de Führer heeft plaatsgevonden! Er zijn doden en gewonden. Maar de Führer laat u weten dat hij in leven is.'

Eva deed haar zonnebril af en stond als eerste op. 'Waren het de Russen f zijn het de geallieerden?' vroeg ze geschokt.

Zechmeister keek Eva verbaasd aan, 'U bedoelt wie het gedaan hebben?'

'Ja wie anders!' zei Eva ongedurig.

'Dat is nog niet bekend!'

'En waar is het gebeurd?' wilde Eva weten.

'Hebben ze op hem geschoten?' vroeg Marion.

'Ik... ik we weet het niet precies.' hakkelde de chauffeur. 'Maar laten we ns haasten op de Berghof heeft men inmiddels vast meer nieuws!'

Op de Berghof heerste twee dagen na de aanslag op Hitler dezelfde sfeer ls altijd. Alleen in de nabijheid van Frau Braun gedroeg het personeel zich nders dan anders.

Op haar slaapkamer las Eva haar twee vriendinnen een brief van Hitler oor.

'Mijn lieve Eva,
Men heeft hier gisteren op de Wolfschanze tijdens een stafvergadering
een bom laten ontploffen. Inmiddels zijn een aantal van de samen-
zweerders opgepakt. Deze zwijnen zo snel mogelijk worden doodge-
schoten.

Ik wist natuurlijk wel dat er sprake was van een stel ontrouwe
honden. Maar kolonel Von Staufenberg heeft zich altijd loyaal op-
gesteld. Hij heeft zelfs in Afrika een oog en een hand verloren in de
strijd tegen de Engelsen. Dat uitgerekend deze man mij uit de weg
had willen ruimen is een ongehoorde schande! Ik hoop spoedig weer
bij je te zijn. Dank voor je bewijzen van genegenheid. Zeg je ouders
dat ik buitengewoon trots ben de eer te hebben een dochter uit een
achtenswaardig gezin aan mijn zijde te hebben. Ik stuur je hierbij het
uniform dat ik op die noodlottige dag droeg. Het is een bewijs dat het

lot mij beschermt en dat wij onze vijanden waar dan ook niet hoeven
te vrezen. Je van harte toegenegen Adolf Hitler'

Herta zei niets en keek Eva met open mond aan.

'Een wonder, het is een wonder dat hij gespaard gebleven is.' zei Marion
met een brok in haar keel.

Voorzichtig haalde Eva het touw van het pakket, scheurde het bruin
inpakpapier open en haalde het jasje en de broek tevoorschijn. Het uniform
was volledig aan flarden gescheurd en overal zaten brandgaten. Bloed wa
nergens te bespeuren.

Eva had tranen in haar ogen. 'Nu ik dit zie voel ik me nog wanhopige
nog ellendiger. Maar ook weet ik nu zeker dat als hij dood was geweest i
een einde aan mijn leven had gemaakt. Mijn leven is niets zonder Hitler
Nu pas voel ik echt tot in het diepst van mijn hart hoe zielsveel ik van dez
man houd!'

'En wij van jou!' zei Herta die nauwelijks haar tranen kon bedwingen.

'Dus nu zijn Duitsers ook al onze vijanden.' zei Marion terwijl ze aan
dachtig het uniform van Hitler bekeek.

Het luchtalarm klonk als een instrument dat gestemd moest worden. He
was in de namiddag en boven München vlogen zware bommenwerpers
Explosies, ingestorte gebouwen en grote branden waren enkele seconde
later het gevolg van een lading brandbommen die op de stad waren nee
gekomen.

Voor de fotowinkel van Hoffmann stopte een Mercedes. De auto wa
geheel in het grijs gespoten en zag eruit als een legervoertuig.

'Wacht hier.' zei Eva, gehuld in een bontjas van zilvervos tegen de chauf
feur. Ze stapte snel uit en ging het pand van Hoffmann binnen.

De verkoopruimte zag er verlaten uit. Het was er donker en het rook e
muf. De vroeger rijk gevulde vitrine's met camera's en allerlei fotoartikele
waren op een paar fotolijstjes na leeg.

Achter in het kantoor brandde een bureaulamp. Het toilet werd doorge
trokken, Heinrich Hoffmann verscheen sloffend in een ochtendjas.

'Ik ben gesloten!' zei hij met een schorre stem.

'U zocht een winkelmeisje?' vroeg Eva.

Hoffmann kwam dichterbij. 'Nee maar, ik geloof mijn ogen niet!'

Hij nam haar in zijn armen en kuste haar op haar beide wangen.

'Eva wat doe jij hier? Ik dacht dat je op de Berghof zat!'

'Ik ga naar Berlijn!'

'Berlijn? Kind je bent gek! Hoe dacht je daar nu nog te komen?'

'Gewoon met de auto!'

'Het is levensgevaarlijk om te reizen. Alles wordt plat gebombardeerd. Mijn vrouw is naar haar zusje in Neurenberg daar is het ook vreselijk. En ons huis in Bogenhausen is ook geraakt vandaar dat ik hier bivakeer.'

Hij nam haar bij de hand en ging haar voor naar zijn kantoor. Nadat hij voor hen beiden een kop thee had ingeschonken ging hij tegenover haar zitten.

'Het is fijn om u weer te zien.' zei Eva die haar handen warmde aan de mok met dampende thee.

'Mijn lieve Eva, kon het nog maar zo als vroeger zijn! Maar waarom blijf je niet hier. München is relatief veilig en heeft geen strategische waarde.' probeerde Hoffmann haar te overtuigen.

'Ik ben niet bang, de dood interesseert mij weinig, ik ken het einde wat mij wacht, ik weet dat het niet lang meer zal duren.' zei Eva op rustige toon.

Hoffmann krabde aan zijn ongeschoren kin. 'En Hitler, weet Hitler dat je komt?'

'Hij heeft mij verboden om te komen, althans dat wil Martin Bormann mij laten geloven.'

Hoffmann trok een vies gezicht, 'Die rat! Die hielenlikker!'

Eva glimlachte. 'Maar niets kan mij meer tegenhouden. Geen Bormann, geen Himmler, ik weet dat ik bij hem moet zijn!'

Hoffmann slaakte en diepe zucht, gevolgd door een instemmend knikje.

Uit haar bontjas haalde Eva een klein doosje. Ze schoof het over het bureaublad naar Hoffmann toe.

Voorzichtig maakte hij het open en nam de inhoud tussen zijn vingers. Het was een halsketting met een topaas afgezet met diamanten.

'Voor mij?' vroeg hij verbaasd.

'Nee, nee het is niet voor u!'

'Maar moet ik het dan aan iemand geven?'

'Nee.'

'Bewaren?'

'Ja.'

'Bewaren voor wie?'

'Voor mijn kind!'

'Jij krijgt een kind?'

'Ja, over 7 maanden!'

'Je bent zwanger?' riep hij met een blij gezicht.

Eva sloeg haar ogen naar beneden.

'Maar Eva...ik....ik...' stotterde hij

'Niets is zeker, maar stel dat het kind geboren wordt en Berlijn nog nie gevallen is dan zal ik toch uiteindelijk samen met Hitler sterven.

U bent de enige die ik dit durf te vragen. Ik heb gezien dat u één var de weinige bent die echt om mensen geeft. Herr Hoffmann alstublieft me de waarde van dit juweel kunt u zorgdragen voor een opvoeding, voor eer toekomst van mijn kind.'

Hoffmann keek bedenkelijk en wist niet wat hij zeggen moest.

'Ik zal zorgen dat een secretaresse van Hitler u weet te bereiken als he ooit zover mocht komen. Als het een jongetje is zal hij Heinrich heten, da beloof ik u.'

Eva stond op, boog zich over het bureau en gaf Hoffmann een kus op zijn voorhoofd.

Pas toen Eva de buitendeur achter zich dicht trok, en de winkelbel rin kelde, leek Hoffmann te beseffen dat hij sinds enkele minuten de kans liep om peetvader van Adolf Hitler's kind te worden.

Berlijn was een hel. Niets was meer heel. Overal werd gevochten. Russische troepen maakten zich langzaam maar zeker meester van de Duitse hoofd stad. Mensen lagen dood of gewond op straat.

Het was dat er geen ramen waren maar verder was de bunker die onder de rijkskanselarij lag een mooie en comfortabele woning.

De Führer en Eva hadden kort te voren afscheid genomen van Joseph er Magda Goebbels, Martin Bormann, Traudl Junge, een secretaresse en de gehele staf.

Adolf Hitler deed de deur van zijn werkkamer langzaam dicht. Zijn ge zicht was getekend en asgrauw. Zijn linkerhad trilde voortdurend. Hij droeg zijn dagelijkse uniform. Eva was gekleed in een zwarte jurk met een rode roos bij het decolleté.

'Zijn wij nu slachtoffer van onze eigen daden of is het toch het Duitse volk dat gefaald heeft?' vroeg Hitler aan Eva terwijl hij twee pistolen in zijn hand hield.

Eva Braun keek gefixeerd naar de twee wapens.

'Frau Braun! Ik vroeg u iets?'

'Sinds gisteren moet je mij aanspreken als Frau Hitler!' zei Eva geamu-
eerd.

'Inderdaad, eindelijk zijn wij dan toch man en vrouw. Een gelukkig huwelijk!' zei Hitler ironisch.

'Je hebt altijd gezegd dat het huwelijk een ramp was.' zei Eva

'Het huwelijk is achterhaald en onnodig gecompliceerd.' vond Hitler.

'Maar kinderen hebben toch recht op een hechte band tussen hun ouders
die verder gaat dan een vrijblijvende vriendschap?' opperde Eva.

Hitler ging naast haar op de bank zitten. 'Wat stelt het allemaal voor.
Miljoenen gezinnen voeden miljoenen kinderen op en ik Adolf Hitler heb
die miljoenen volwassen Duitsers moeten opvoeden en wat is het uiteindelijke resultaat?'

Eva was met haar gedachte elders en zei niets.

'Ik zal je het zeggen. Men heeft niets geleerd! Men heeft alleen geprofi-
eerd! Duitsers, Oostenrijkers, Joden, zigeuners het maakt niet uit! De mens
rot! De mens is een egoïst. En alleen wanneer er iets te halen valt, alleen
wanneer men er zelf beter van kan worden komt de mens in beweging... al-
een voor zichzelf! Het Nationaal Socialisme zou een mooi gegeven zijn voor
en opera van Wagner! Met het inferno van Berlijn als apotheose waar de
Führer zijn verantwoording neemt en zich door zijn kop schiet!'

Adolf Hitler stond op en liep naar ingelijst portret, van een vrouw van
middelbare leeftijd, wat aan de muur hing.

'Zij is één van de weinige mensen die onbaatzuchtig was. Zij was het
voorbeeld van een vrouw die het huwelijk waard was. Zij stelde alles in
dienst van haar kinderen. Ik ben haar veel dank verschuldigd... mijn lieve
moeder!'

Eva volgde met haar blik Hitler die weer naast haar was komen zitten

'Maria Reiter was ook zo'n vrouw. Zij had ook een mateloos respect voor
haar moeder. Door haar heb ik mij soms afgevraagd of ik wel door moest
gaan met mijn politieke activiteiten.

Maria heeft geprobeerd zich van het leven te beroven. Slechts achttien
jaar en toch had zij de moed om te sterven, voor mij!'

Geli Raubal, mijn lieve nichtje, ik kon haar niet geven waar zij zo naar
verlangde. Noem het een onmogelijke liefde. Zij was een vrouw die mij keer
op keer wist te boeien. Zij daagde mij voortdurend uit. Uiteindelijk heeft ze

mij en zich zelf verlost van een uitzichtloze realtie door een eind aan haa
leven te maken.

En dan Unity Mitford. Zij nam haar verantwoording op de dag dat En
geland ons de oorlog verklaarde. Een moedige en vechtlustige vrouw.'

Voorzichtig pakte hij Eva's hand vast.

'En jij Eva... jij kent mij beter dan ik mij zelf ken.

Jij bent het die mijn diepste gevoelens kent, jij weet al mijn geheimer
Maar nu hier op de rand van leven en dood wil ik je zeggen hoe het mij spi
dat we nooit een werkelijk gezin hebben gesticht. Jij zou een zeldzaam goei
moeder geweest zijn...een moeder zoals mijn eigen moeder.'

Eva kon haar verdriet niet langer bedwingen. 'Mijn God ik moet je he
zeggen...ik draag je kind.'

Adolf Hitler liet haar hand langzaam los.

Zijn hoofd begon te trillen op zijn gezicht verscheen een uitdrukking di
nog nooit iemand gezien had.

Het leek of Hitler plotseling door een ondragelijke pijn getroffen werc
Zijn mond opende zich en hij leek te willen schreeuwen, hij kneep zijn oge
dicht en bracht zijn bevende handen naar zijn oren alsof hij niets wilde zie
en horen.

Hij boog zich langzaam naar voren en ook weer naar achter , hij blec
maar heen en weer bewegen. 'Het is misschien dan toch verstandiger da
jij hier weg gaat. Ik wil en kan niet eisen dat mijn eigen vlees en bloe
een ongevraagde dood sterft omwille van mijn vlucht uit deze nachtmerri
Een nakomeling met de naam Hitler, stel dat het een jongen is, kan in ee
nieuwe wereld zorgdragen voor begrip van mijn daden en jij Eva hebt to
taak om deze boodschap over te dragen aan mijn kind en hem op te voede
zoals ik zou hebben gewenst . Het Nationaal Socialisme kan dan opnieu
bloeien en lering trekken uit het verleden!'

Hitler schrok toen hij Eva een vreemd geluid hoorde maken. Hij kee
opzij en zag zijn echtgenote achterover op de bank liggen. De cyanide ha
snel gewerkt.

Adolf Hitler leek opgelucht. Het was alsof het voorgaande niet ha
plaatsgevonden Zijn strijd beperkte zich nu geheel en allen tot hemzelf. H
nam één van de twee pistolen en zette de loop tegen zijn slaap.

'Ik verdien niet beter' zei Hitler 'Zo er al een God bestaat laat hij mij da
genadig zijn.'